DCプランナー
(企業年金総合プランナー)
合格対策問題集

年金問題研究会 編著

必須知識の整理と
実力養成のための
演習問題

1級

経営企画出版

は じ め に

　本書は、DC プランナー認定試験 1 級の受験者のために、要点理解と問題演習による実力養成を目的としてまとめられた演習用問題集である。

　DC プランナー（企業年金総合プランナー）は、日本商工会議所と（一社）金融財政事情研究会が共催する年金と老後資産形成に関する総合的な専門家を養成・認定する資格である。特に、1 級は DC プランナーの実務を具体的にこなせる知識を要求されるレベルで、2 級合格者だけに受験資格があり、資格取得後の活躍が期待されている。1 級認定試験は、2021（令 3）年 9 月 6 日からはコンピューターによる通年実施で行われ、A、B、C の分野別試験に変更になった。

　資格試験に共通する王道は、テキストで知識を整理して覚えると同時に問題演習を徹底的に繰り返すことによって、知識を頭に定着させることである。本書では、主催者公表のガイドライン（出題範囲）に基本的に沿って問題が作成されており、知識の確認を出題範囲全体にわたって行うことができる。

　年金制度等は毎年のように法制度改正が行われるため、法制度改正の経緯と最新情報も一覧で掲載している。また、特に重要な必須事項については、テーマ別にテキストの役割を持つ解説を設けたので、演習問題と関連づけながらテーマ全体の知識を確認できるようになっている。

　演習問題は、年金問題研究会のメンバーを中心に試験問題を独自に分析し、できるだけ実際の試験に合わせた内容となっている。問題の形式も実際の試験問題と同じにしているので、実際の問題を解く訓練としても有効である。問題演習は 1 回だけでなく何回も繰り返して行うことにより学習効果が上がる。さらに、巻末には分野別に模擬試験の問題と解答・解説および法制度改正・重要事項確認演習問題も掲載しているので、実力の確認ができる。

　本書を十二分に活用されて、一人でも多くの方が合格の栄冠を手にすることを願ってやまない。

2024 年 9 月　　　　　　　　　　　　　　　　　年金問題研究会

本書の使い方

　本書は、Part 1 から Part 5 までの 5 部構成で、DC プランナー認定試験 1 級の概要と出題分析、法制度改正動向と必須知識の整理、演習問題、実践演習模試、法制度改正・重要事項確認演習問題という内容になっている。

　演習問題は、基本的に実際の試験と同じ形式（四答択一、総合問題）となっており、実践訓練としても活用してほしい。また、演習問題は問題ごとにチェック欄を設けたので、回数や苦手な問題の確認などに活用していただきたい。なお、演習問題や実践演習模試には簡単な解説が付いているが、より深く理解するためには、Part 2 の解説、受験者が使用しているテキストや参考書の解説と併せて活用すると効果的である。

《Part 1》DC プランナー認定試験 1 級の概要と受験分析

　1 級の受験案内と試験データ、参考として過去の会場試験の試験データ（受験者数、合格率、配点等）が紹介されているので、受験手続きの確認や受験対策の参考に活用していただきたい。出題傾向の分析は、問題演習の理解度チェックの重点に反映させるとよい。

《Part 2》法制度改正の確認と必須知識の重点的な理解

　主に、2004（平 16）年公布の年金制度改正法以降の法制度改正の内容が一覧できるようになっている。試験の法制度改正は主にここから出題される。また、試験によく出るなど必須知識の一部はテーマ別に解説しているので、重要項目の体系的な理解ができる。Part 2 は問題演習と関連づけて体系的な理解や補足として活用してほしい。

《Part 3》四答択一式に対応した問題演習

　本番の試験と同じ四答択一形式の演習問題を分野別に認定試験ガイドラインの出題範囲の構成を基準に掲載している。1 問ごとに解答・解説がついているので、問題を解きながら要点をチェックできるようになっている。

　使い方は、自分なりにいろいろ工夫してほしい。例えば、受験者が使用しているテキストや参考書で学習をした部分の理解の確認として問題を解きながら学習を進めていく方法がある。2 級レベルの出題もあるので、基本を再

確認するには、2級のテキストを見直すのも非常に有効である。

　また、ひととおり、学習を終えてから、問題集で理解度の確認と弱点克服をしていくという方法もある。

　いずれにしても、内容を完全にマスターするためには、最低3回以上繰り返していただきたい。再受験者であれば、逆に問題集の問題を解くことから始めて、弱点を重点的に克服するという使い方も効果的である。

《Part 4》総合問題に対応した設例による問題演習

　本番試験の総合問題に沿った文章による設例問題に小問が数問付くという構成になっている。設例ごとに解答・解説の冒頭には、「設例のねらいと解答のポイント」が掲載されており、学習上の重点が確認できるようになっている。答え合わせの際や再学習の参考として活用してほしい。本番試験では記述式はなくなったが、理解を深めるために記述式も含めている。

《Part 5》実力確認のための実践演習模試、法制度改正・重要事項確認演習

　本番と同じ形式（分野別に四答択一式10問、総合問題4題）の模擬試験である。過去の出題傾向を取り入れた問題を精選している。各分野100点満点で自己採点できるようになっているので、実力確認と学習対策に活用してほしい。

　また、後半は実践演習模試の補完として、最近の法制度改正や重要事項を中心とした演習問題となっている。出題頻度の高い法制度改正と必須と思われる重要事項の知識確認に活用していただきたい。

　なお、2021年度から試験方式が変わったが、出題傾向は引き継いでいると思われるので、過去問演習は引き続き有効な対策となる。会場試験のときの試験問題解答・解説（一部の回は最新の法制度改正チラシ入り）も本問題集の別冊として販売されているので、ご希望であれば別途お買い求めいただきたい（各800円〈税込・送料別〉、直販のみ）。第25回（2021年1月24日実施）、第24回（2020年1月26日実施）、第23回（2019年1月27日実施）など。詳しい案内は年金問題研究会ホームページ（https://kpunenkin.site）をご覧いただきたい。

5

◆本書で用いた主な法令名の略称表記

本書では、主要法令名等を以下のように略称表記している。

法………………確定拠出年金法　　施行令…………確定拠出年金法施行令

施行規則………確定拠出年金法施行規則　　確給法…………確定給付企業年金法

国年法…………国民年金法　　　　厚年法…………厚生年金保険法

法令解釈………厚生労働省通達平成 13 年 8 月 21 日年発 213 号

Q & A…………確定拠出年金 Q&A

目次

はじめに　*3*
本書の使い方　*4*

Part1　DCプランナー認定試験1級の概要と学習のポイント

1. DCプランナー認定試験1級の実施要領　*12*
2. 認定試験1級の実施状況と学習のポイント　*19*

Part2　法制度の改正動向と必須知識の整理

① 新たな法制度の成立と改正動向　*30*
② 重要項目と必須知識の整理　*40*

(A分野)　年金・退職給付制度等 ── *40*

(1) 公的年金　*40*
　★公的年金の改定ルールとマクロ経済スライド　*40*
　★企業従業員等の社会保険の加入要件　*43*
　★国民年金第1号被保険者の女性の産前産後免除制度　*45*
　★被用者年金一元化による変更事項　*46*
　★年金制度改正法の公的年金関連の主な改正内容
　　（2020〈令2〉6.5公布）　*50*

(2) 企業年金と退職給付会計　*53*
　★退職給付債務の概念と退職給付会計の計算方法　*53*
　★退職給付会計基準の改正　*62*
　★リスク対応掛金とリスク分担型企業年金　*64*

（3）中高齢期における社会保険　*65*

★退職後に加入する公的医療保険の選択肢　*65*

★健康保険の傷病手当金の制度概要　*66*

★雇用保険の制度概要と基本手当の計算方法　*68*

★労災保険の給付と公的年金との併給調整　*70*

⊂B分野◯　確定拠出年金制度 ──────────────── *72*

（1）確定拠出年金の仕組み　*72*

★確定拠出年金の掛金拠出限度額　*72*

★確定拠出年金の掛金拠出限度額の年単位管理　*74*

★確定拠出年金の老齢給付金の受給に関係する期間　*77*

★確定拠出年金の脱退一時金の支給要件　*79*

★確定拠出年金の離転職時のポータビリティ　*80*

（2）その他　*83*

★営業職員の運営管理業務の規制緩和　*83*

★確定拠出年金法の改正と加入対象者拡大

（2016〈平28〉6.3公布）　*84*

★年金制度改正法の企業年金関連の主な改正内容

（2020〈令2〉6.5公布）　*88*

⊂C分野◯　老後資産形成マネジメント ─────────── *94*

（1）金融商品の仕組み　*94*

★デュレーションの意味と特徴　*94*

★NISAの仕組みと特徴　*96*

（2）資産運用の基礎知識・理論　*98*

★リスク指標としての分散と標準偏差　*98*

★正規分布図と標準偏差　*100*

（3）確定拠出年金を含めた老後の生活設計　*102*

★退職給付（一時金、年金）に関する税制　*102*

★遺言の種類と遺言書の方式　*105*

Part3　基礎編（四答択一式問題）

❑基礎編の演習問題（四答択一式問題）と解答・解説　*108*

A分野　年金・退職給付制度等 ───────────── *108*
　①公的年金　*108*　　②企業年金と個人年金　*134*
　③退職給付制度　*147*　　④中高齢期における社会保険　*155*

B分野　確定拠出年金制度 ───────────── *161*
　①確定拠出年金の仕組み　*161*　　②企業型年金の導入および運営　*183*
　③個人型年金に係る手続等　*193*　　④コンプライアンス　*194*
　⑤確定拠出年金制度の改正と最新の動向　*196*

C分野　老後資産形成マネジメント ───────── *201*
　①金融商品の仕組みと特徴　*201*　　②資産運用の基礎知識・理論　*211*
　③運用状況の把握と対応策　*218*
　④確定拠出年金制度を含めた老後の生活設計　*221*

Part4　応用編（設例問題）　*233*

❑応用編の設例問題と解答・解説　*234*
〔設例1〕退職給付会計1（退職給付費用の計算1）　*234*
〔設例2〕退職給付会計2（退職給付費用の計算2）　*237*
〔設例3〕退職給付会計3（簡便法）　*240*
〔設例4〕退職一時金から確定拠出年金への移行　*243*
〔設例5〕個人型確定拠出年金への60歳以降の加入要件　*246*
〔設例6〕離転職時の資産移換　*249*
〔設例7〕投資関係（シャープレシオとインフォメーションレシオの
　　　　　比較）　*252*

〔設例8〕投資関係（3資産のポートフォリオのリターンとリスク、効用） *255*

〔設例9〕投資関係（相関係数、分散投資によるリスク軽減効果） *258*

〔設例10〕税額計算、在職老齢年金、変額年金保険 *262*

Part5 総合編（実践演習） *267*

実践演習模試〔A分野〕 ———————————————— *268*

〔問題〕四答択一式 *268*　　総合問題 *273*

〔解答・解説〕正解と配点 *282*　　四答択一式 *283*　　総合問題 *291*

実践演習模試〔B分野〕 ———————————————— *299*

〔問題〕四答択一式 *299*　　総合問題 *304*

〔解答・解説〕正解と配点 *312*　　四答択一式 *313*　　総合問題 *319*

実践演習模試〔C分野〕 ———————————————— *325*

〔問題〕四答択一式 *325*　　総合問題 *330*

〔解答・解説〕正解と配点 *339*　　四答択一式 *340*　　総合問題 *346*

法制度改正・重要事項確認演習 ———————————————— *355*

　◇A分野 *355*　　◇B分野 *359*　　◇C分野 *363*

係数表　*367*

終価係数表、現価係数表 *368*

年金終価係数表（期首払い）、年金現価係数表（期首払い） *369*

Part

1

DC プランナー
認定試験1級の
概要と学習のポイント

1. DCプランナー認定試験1級の実施要領

■1級の受験資格は「2級に合格していること」だけ

DCプランナー（企業年金総合プランナー）1級の認定試験の受験要項は、図表1のとおりである。2021年度より、紙による年1回の会場一斉試験からCBT方式（コンピューターによる通年実施方式で、受験者自身が受験日時や受験会場を選べる。合否は試験終了後その場で通知）の試験に変更になった。また、1級の場合は、A分野、B分野、C分野を個別に受ける分野別試験（全3分野合格時点で1級合格となる）に変わった。

通年実施の試験なので不合格の場合、1週間後から（試験日の翌日起算で6日目以降）すぐに再受験も可能となっている。分野別の試験なので、他分野の受験は1週間の待機は不要である（同日受験も可）。また、2級合格者の1級受験も1週間待機の必要はない。

1級の受験資格は「2級に合格していること」となっているので、2級合格者（旧制度の合格者含む）だけに受験資格がある。なお、資格登録はしていなくても、2級に合格していれば1級を受験することができる。

受験申込み（予約）は、受験者自身が金財のホームページからマイページを作成（2級試験でマイページを作成済みの場合は、新たに作成する必要はない）して手続きする。郵送による申込みはできない。受験料は1級の場合、分野ごとに税込5,500円となっている。

予約は分野ごとに受験日の属する月の3カ月前の月初から受験日の3日前までの好きな時期にできる。全分野同時に申し込む必要はない。3日前までであれば予約（日時、会場）の変更やキャンセルもできる。ただし、キャンセルの場合は、受験料は返金されるがキャンセル料（1,100円）がかかる。なお、受験可能期間（受験申込日の3日後から、当初受験申込日1年後まで）が設けられ、受験可能期間を越えた受験日の変更・キャンセルはできない。

Part1　DCプランナー認定試験1級の概要と学習のポイント

図表1　DCプランナー認定試験1級の受験要項

試験実施時期	通年
受験資格	2級合格者　※資格登録の有無は問わない
受験申込方法	金財ホームページにアクセスし、CBT試験のマイページを作成（2級で作成していればそのまま使用）して受験者登録し、受験申込みを行う。マイページ作成後の手順は以下のとおり ①受験者自身が「受験希望日時」「受験会場（テストセンター）」を予約（A、B、Cの分野別、分野の受験順や日時は任意） 　＊予約できる期間は受験日の月の3カ月前の月初から受験日の3日前まで（例：10月10日の受験希望の場合、7月1日から10月7日） ②受験料の支払方法を選択 　＊支払方法は2つ（「クレジットカード」「コンビニエンスストアまたは銀行ATM〈Pay-easy：ペイジー〉） 　＊支払いは、クレジットカードは予約画面で可能、その他は指定の期日までに支払う ③登録Eメールアドレスに予約完了通知 　＊通知内容（申込内容、支払手続き、試験会場等） 　＊予約確認、変更、キャンセルはマイページの予約画面から可能（変更、キャンセルは受験日3日前まで可能） ※団体申込みは、団体登録、団体管理画面の作成等が前提
受験料（税込）	1分野につき5,500円
受験会場	全国350超の会場から選択可能 ※テストセンター（受験会場）はマイページの予約画面で確認できる
試験実施方法	予約した日時に受験会場に行き、指定されたパソコンブースでパソコン画面上の問題をキーボードとマウスを操作して解答 ※パソコンブースへの荷物持ち込みは原則禁止（ロッカー等へ預ける） ※メモ用紙、筆記用具は貸し出し、電卓は画面上に表示のものを使用 分野別（A分野、B分野、C分野）に受験し、分野別に合否判定
出題形式と試験時間	四答択一式問題10問、総合問題4題　　試験時間90分 ※各分野共通
出題範囲	ガイドラインの項目（p.16図表2参照）
合格基準	各分野とも100点満点で70点以上
合格発表	試験終了後、その場で合否判定のスコアレポートが渡される 3科目すべて合格後に1級合格となり、最終試験日翌日以降にマイページからPDF形式で合格証書が出力できる
認定試験に関する申込み・問い合わせ先	①申込み・受験について 　受験サポートセンター（03-5209-0553） 　※受付時間9:30〜17:30 年末年始を除く ②試験内容について 　一般社団法人金融財政事情研究会検定センター 03-3358-0771 　※土日祝日および年末年始を除く、平日の9:00〜17:00
参照ホームページ	日商　https://www.kentei.ne.jp/planner 金財　https://www.kinzai.or.jp/dc

※CBT試験の画面イメージや操作方法は、［受験の流れ］（https://cbt-s.com/examinee/examination/d11.html）にある試験についての紹介動画「試験エンジン」という項目で動画により確認できる
※電卓の使い方は金財HPの試験の概要の注意事項（https://www.kinzai.or.jp/uploads/lib/doc/cbt/Windows_manual202207.pdf）で確認できる

■試験は四答択一問題と総合問題をパソコン画面で解答

　受験会場は、全国の都道府県に350カ所超が用意されているので自分の受けやすい場所を選択できる。自分で予約した受験日時に試験会場に行き、試験室に入室したら指定されたブース（席）に着席し、試験を受ける。

　試験は、画面に表示された問題にマウス操作で解答を選択していく。次の問題や前の問題、見直したい問題をマウス操作で自由に表示できるので自分のペースで解答ができる。パソコンのスキルは簡単な入力とマウス操作ができれば問題ない。操作方法で困った場合は、試験監督者に聞くことができる。

　試験会場で筆記用具とメモ用紙が貸し出されるので、必要に応じてメモを取ることができる（メモの持ち帰りは禁止）。計算問題の場合、画面上に表示される電卓（標準電卓と関数電卓が切り替えできる）を利用できる。電卓の使い方は、金財のホームページで事前に確認できる（図表1の注釈参照）。

　試験画面に残り時間が常に表示されているので、ペース配分を調整しながら解答を進めることができる。すべてに解答を終えたら試験終了ボタンをクリックすれば終了となる。試験の制限時間が来れば途中でも終了となる。

　なお、CBT試験のパソコン画面のイメージは、試験申込みで受験手続きを案内するホームページ上に「試験エンジン」という動画で紹介されているので、あらかじめ確認しておくとよい（図表1の注釈参照）。

■各分野とも7割以上で合格、全3分野合格で1級合格者となる

　1級試験の出題形式は、各分野とも四答択一式問題10題、総合問題4題（設例問題に3問の小問がつく）で、試験時間は各分野とも90分である。四答択一式問題は、変更前のペーパー試験のマークシート解答がそのまま画面上のマウス操作になっただけと考えればよい。

　総合問題も変更前の応用編の事例問題と同じだが、少し形式は変わった。従来、選択問題は四答択一式が基本だったが、主に四答から複数選択で解答する形式となった。また、画面で解答し採点をその場で行う関係上、記述式問題はなくなった。ただし、記述式の解答内容が示されて選択する形式と

なっている。

　試験の出題範囲は、図表2のように主催者側からガイドラインとして公表されている。また、1級の到達レベルはガイドラインによれば、次のように示されている。

●1級の到達レベル

確定拠出年金やその他年金制度全般、および金融商品、投資等に関する専門的な知識を有し、企業に対しては現行退職給付制度の特徴と問題点を把握のうえ、確定拠出年金を基軸とした適切な施策を構築でき、また、加入者等の個人に対しては確定拠出年金の加入者教育の実施および老後を見据えた資産形成およびその前提となる生活設計を提案できるレベル

　なお、法令については、特に断りのない限り、試験実施年度の7月1日（2024年度の場合、2024年7月1日）現在施行の法令等に基づくことになっている。ただし、非常に重要な改正や大改正の場合は試験範囲外でも出題されることがあるので、未施行でも成立した法令の概要は押さえておきたい。また、試験の法令基準日が7月1日であるため、問題の切り替えも7月1日に行われる。年金額等の改正は4月に行われるが、問題に反映されるのは7月の受験からであり、4月～6月に受験する場合は注意してほしい。

　認定試験の合格基準は、7割以上正解で合格とされている。合格者数の調整などの操作は一切行わないので、7割以上の得点をした人は全員合格となる。1級の場合は、分野ごとに100点満点中70点以上で分野合格となる。

　合格発表は、試験終了後にその場ですぐに通知される。合否にかかわらず試験のスコアレポート（合否、出題テーマ一覧と解答の正誤など）を受け取って帰宅する。合格者は、1級の場合は最後の分野の試験日の翌日以降に、マイページから合格証書がPDF形式で出力できる。

　不合格（1級の分野不合格も含む）になった場合は、1週間後から（試験日の翌日起算で6日目以降）再受験ができる。なお、分野別合格に有効期限はないので、他の分野の受験日が長期間遅れても全3分野に合格した時点で1級合格となる。

1. DCプランナー認定試験1級の実施要領

図表2　DCプランナー認定試験出題範囲（ガイドライン）

※金財ホームページ「日商・金財DCプランナー認定試験ガイドライン
（1・2級共通）」より（2021年4月1日制定）

■A分野（年金・退職給付制度等）

《出題の内容と狙い》

　確定拠出年金制度を理解するためには、まず、年金・退職給付制度の全体像を把握し、各制度の内容を理解する必要があります。確定拠出年金が公的年金に上乗せされる制度であるという観点からは、公的年金に関する知識、私的年金の一つであるという観点からは、他の私的年金制度等に関する知識が求められます。確定拠出年金の企業型年金には企業年金としての側面があるため、企業年金およびその起源となる退職一時金との関係、これらの退職給付制度に係る会計上の取扱いである退職給付会計などに関する知識も必要となります。また、確定拠出年金を含めた老後の生活設計を考えるにあたり、各種の社会保険制度の理解も欠かすことはできません。

　DCプランナーは、公正・中立な視点から、年金・退職給付制度等に関する総合的な知識を正確に理解することが求められます。

1．公的年金	(1) 公的年金の概要 (2) 国民年金の仕組み (3) 厚生年金保険の仕組み (4) 被保険者 (5) 保険料 (6) 給付 (7) 税制上の措置
2．企業年金と個人年金	(1) 企業年金の概要 (2) 確定給付企業年金 (3) 中小企業退職金共済 (4) 特定退職金共済 (5) 小規模企業共済 (6) 国民年金基金 (7) 財形年金 (8) 各種個人年金
3．退職給付制度	(1) 企業年金と退職金 (2) 税制上の措置 (3) 退職給付会計
4．中高齢期における社会保険	(1) 健康保険 (2) 雇用保険
5．年金・退職給付制度等の最新の動向	年金・退職給付制度等に関する最新の動向

16

Part1　DCプランナー認定試験1級の概要と学習のポイント

■B分野（確定拠出年金制度）

《出題の内容と狙い》
　確定拠出年金は他の確定給付型の年金制度とは大きく異なる制度です。まず、加入者や加入を検討する個人、実施企業や導入を検討する企業等に、確定拠出年金の仕組みを説明できる知識が必要です。これに加え、企業型年金の導入を検討する企業等に対しては、既存の退職給付制度からの移行を含む制度設計、導入時および導入後の諸手続等、個人型年金への加入を検討する個人等に対しては、加入時および加入後の諸手続等に関する知識が求められます。また、確定拠出年金制度の運営に関わる運営管理機関、資産管理機関、企業型年金を実施する企業や個人型年金における国民年金基金連合会の役割や行為準則等の知識も不可欠です。
　DCプランナーは、公正・中立な視点から、確定拠出年金制度に関する幅広い知識を正確に理解することが求められます。

1．確定拠出年金の仕組み	(1) 確定拠出年金の概要 (2) 企業型年金の仕組み (3) 個人型年金の仕組み (4) 加入者・運用指図者 (5) 掛金と拠出限度額 (6) 運用 (7) 給付 (8) 離転職時等の資産の移換 (9) 税制上の措置
2．企業型年金の導入および運営	(1) 企業型年金規約 (2) 運営管理機関、資産管理機関の役割と業務 (3) 制度導入および制度設計に係る財務、人事労務面の検討 (4) 導入および運営に係る諸手続 (5) 投資教育・継続教育 (6) 既存の退職給付制度からの移行
3．個人型年金に係る手続等	(1) 国民年金基金連合会の役割と業務 (2) 個人型年金加入者に係る諸手続と実務
4．コンプライアンス	(1) 事業主の責務と行為準則 (2) 運営管理機関・資産管理機関の行為準則 (3) 投資情報提供・運用商品説明上の留意点 (4) 受託者責任
5．確定拠出年金制度の最新の動向	確定拠出年金制度に関する最新の動向

17

1．DC プランナー認定試験 1 級の実施要領

■C分野（老後資産形成マネジメント）

《出題の内容と狙い》
　確定拠出年金を活用して老後資産を形成するためには、加入者のライフプランにあった運用の方法、モニタリング、対応策を適切に理解する必要があり、そのための専門的知識が必要となります。また、確定拠出年金を活用するうえで必要になる投資教育を行うには、個々の加入者等のニーズや投資経験、知識レベル等を考慮したうえで、専門的知識を適切にわかりやすく伝える説明能力も求められます。さらに、確定拠出年金制度を含めた老後の生活設計に係る知識にも精通していることが不可欠となります。
　DC プランナーは、公正・中立な視点から、いわゆる投資教育等に関する専門的な知識を正確に理解することが求められます。

1．金融商品の仕組みと特徴	預貯金、信託商品、投資信託、債券、株式、保険商品等の金融商品についての次の事項 (1) 種類・性格または特徴 (2) 価格に影響を与える要因等 (3) 金融商品に関係する法令
2．資産運用の基礎知識・理論	(1) 資産の運用を行うに当たっての留意点 (2) 算術平均と幾何平均 (3) リスクとリターン (4) 長期運用の考え方とその効果 (5) 分散投資の考え方とその効果 (6) ドルコスト平均法 (7) アセットアロケーション (8) 相関係数 (9) 有効フロンティアの考え方
3．運用状況の把握と対応策	(1) 投資指標・投資分析情報 (2) ベンチマーク (3) 格付け・投資信託の評価 (4) パフォーマンス評価 (5) モニタリングと対応策
4．確定拠出年金制度を含めた老後の生活設計	(1) 資産形成に取り組むことの必要性 (2) 老後資産形成の計画や運用目標の考え方 (3) 運用リスクの度合いに応じた資産配分 (4) 老後に必要となる資産の計算
5．老後資産形成マネジメントの最新の動向	老後資産形成マネジメントに関する最新の動向

2　認定試験1級の実施状況と学習のポイント

■1級受験者の平均合格率はA分野約40%、B分野約47%、C分野約32%

　DCプランナー認定試験1級の実施状況の推移は図表3のようになっている。2021（令3）年度からは通年試験に変わり、変更前とのデータ比較はできなくなったが、難易度や合格の目安としては参考になるだろう。主催者も、変更前の試験難易度と同等になるように調整するとしている。

　最後の会場試験の第25回から第16回まで過去10回の実績では、正答率7割（140点）以上の合格基準に対し、受験者の平均点は120点前後（10回の単純平均で122.8点）で推移していた。また、受験者数は700人～800人程度で推移していた。合格率は10回の単純平均で28.27%だが、20%以下の年もありばらつきが大きい。2級に比べるとさすがに簡単には受からない。

　通年試験の過去3年間（2021年度～2023年度）の受験者数の実績は、A分野が平均590人、B分野が平均約556人となっている。C分野は平均639人だが、ばらつきが大きい。合格率は会場試験のときより高い傾向にあるが、受けやすい分野から受験できるためと考えられる。なお、C分野は2022年度の合格率が大きく下がっており、受験者数が増えたのは再受験者が多かったためと考えられる。

　総合合格者は、全分野を受験しない受験者や再受験者などの状況が不明なので、会場試験との比較評価は難しい。今後、どのような傾向が出てくるかによって難易度のレベルが見えてくると思うが、分野ごとの出題傾向や難易度は会場試験の出題内容に準ずるとされていることから、過去問などによる対策も法制度改正に注意すれば引き続き有効だと考えられる。

　旧制度の分野別の配点は、毎回各分野のウエイトに変動があったが、新制度では分野別試験になったので、各分野とも同じバランスになった。

　新制度のCBT試験では記述式がなくなったので、いくらかやりやすくなっ

2. 認定試験1級の実施状況と学習のポイント

図表3　1級試験の受験者数と合格者数、平均点

会場試験		第21回	第22回	第23回	第24回	第25回
受験者数		1,032人	929人	823人	826人	737人
合格者数		254人	209人	97人	296人	293人
(合格率)		(24.60%)	(22.50%)	(11.80%)	(35.80%)	(39.80%)
平均点		120.6点	118.1点	113.0点	128.4点	127.7点
分野別平均点	分野A	34.3点	32.3点	29.5点	32.9点	31.3点
	(配点)	(59点)	(60点)	(56点)	(50点)	(53点)
	分野B	43.5点	38.8点	39.2点	46.3点	40.6点
	(配点)	(74点)	(68点)	(72点)	(72点)	(69点)
	分野C	28.4点	33.3点	27.9点	29.7点	32.3点
	(配点)	(46点)	(48点)	(48点)	(48点)	(48点)
	分野D	14.4点	13.8点	16.4点	19.5点	23.5点
	(配点)	(21点)	(24点)	(24点)	(30点)	(30点)

CBT試験		2021年度	2022年度	2023年度
A分野	受験者数	572人	663人	535人
	合格者数	236人	261人	221人
	(合格率)	(41.3%)	(39.4%)	(41.3%)
B分野	受験者数	603人	574人	492人
	合格者数	269人	282人	236人
	(合格率)	(44.6%)	(49.1%)	(48.0%)
C分野	受験者数	472人	798人	647人
	合格者数	191人	179人	223人
	(合格率)	(40.5%)	(22.4%)	(34.5%)
総合合格	受験者数	——		——
	合格者数	151人	173人	207人
	(合格率)	——		——

(注) 会場試験は、第21回 (2017.1.22実施) ～第25回 (2021.1.24実施)。2021年度はCBT初年度のため2021年9月～2022年3月の実績値。2022年度以降は4月～翌年3月の実績値
(出所) 日商ホームページのデータより作成

たかもしれない。ただ、解答は画面操作となるので、慣れていない受験者にとっては、ペーパー試験とは違った戸惑いがあるかもしれない。いずれにしても、教材を有効に使って知識を定着させるようにきちんと訓練していけば、合格は決して困難なことではない。

■1級は分野別に得意な分野から攻略していくことができる

1級の出題範囲は、前述 p.16 の図表2のとおりだが、新制度では1級・2級の出題範囲は共通となった。基本的には、2級は基礎的な出題、1級はやや難解あるいは専門的な出題と考えてよいだろう。

ただし、1級でも2級レベルの基礎的な問題の出題も交じっているので、2級の復習も受験対策のひとつとして役に立つ。特に、2級で苦手だった分野は間違えた項目を中心に基礎知識をもう一度確認しておくとよい。

1級は分野別試験になったことから、受験対策も分野別に集中してやればよくなった。A分野から順番に受ける必要もないので、自分の得意な分野から受ければよい。

受験戦略としては2通りがある。1つは、全分野の学習をひととおり終えて全分野を受験し、不合格になった分野を学習し直して受験する方法である。もう1つは、得意な分野あるいはやりやすい分野に絞って学習し、段階的に全分野の合格を目指していく方法である。なお、苦手分野は合格の水準に達するまで待って受ければよいが、あまり間隔を空けすぎると意欲そのものが失われてくるので、学習予定を計画的に立てて自分なりの目標とする時期に受験するようにしたい。

■分野別の学習ポイントと対策

1級の出題内容は、2級より難しいといってもポイントを押さえて一定の勉強をきちんとすれば十分合格可能なレベルである。2級レベルの問題も多いので、2級の知識が完全に身についていれば、それだけで1級の合格ライン近くまでいくはずである。

学習の進め方としては、2級の復習をベースにしながら、練習問題や過去

問を繰り返すのがやはり近道だろう。DC プランナーの試験では、これまで1級、2級とも前年やさらに前の試験問題とほぼ同じ内容の類題が繰り返し出されることが多いので、新制度になっても旧制度の過去問の演習は特に有効である。一見かなり細かく難問と思われるものでも、過去問で経験しているとわりと容易に解けるものも多い。ただし、法制度改正については最新の情報を確認しておく必要がある。特に公的年金と確定拠出年金では制度改正が頻繁に行われている。一方、C 分野の計算問題などは法制度改正の影響がないので、類似問題演習による得点力アップが期待できる。

　なお、新制度では記述式はなくなったが、書いて覚えることは知識の定着を助けるので、過去問などでの記述式問題の訓練も理解を深める意味では役立つだろう。本書では、Part 4 の応用編（設例問題）で記述式の問題も掲載している。

　分野別に学習のポイントを示すと以下のようになる。

〈A 分野は改正動向と退職給付会計の基本〉

　A 分野（年金・退職給付制度等）のうち、公的年金は範囲が広くて内容も多岐にわたるので、細部にとらわれすぎると時間をかけてもなかなか理解が進まなくなる。まず、基本的な仕組み（国民年金と厚生年金保険、被保険者、保険料、給付）をしっかり頭に入れることが最も重要である。基本を理解したうえで、細かい内容については改正事項を中心に学習すると効率的である。また、演習問題や過去問では問題文の解答だけでなく関連事項など周辺まで確認しておきたい。例えば、加入要件や資格喪失要件などの問題では、条文で解答以外の要件もチェックしておくなどである。

　公的年金の改正動向は毎回のように出題され、しかも比較的細かい知識が要求されるので、重点を絞るとよい。特に、試験年度から始まる制度、直近1年で施行された制度、試験年度で終了もしくは変更される改正は出題率が高いので必ず押さえておきたい。また、毎年必要なこととして、試験年度4月1日の数字（年金額など）と 65 歳前の厚生年金の支給開始年齢の確認は必須である。2024 年 4 月の年金額改定では、在職老齢年金の停止基準額が 48 万

円から 50 万円に変更されたので注意したい。

　最近の改正事項として特に重要なのは、2020（令 2）年 6 月 5 日公布の年金制度改正法である。在職老齢年金（65 歳前後の支給停止基準共通化、65 歳以降の在職定時改定導入）、繰上げ（減額率の緩和）・繰下げ（上限 75 歳まで拡大）は引き続き出題可能性が高い。

　短時間労働者への厚生年金保険（社会保険）適用拡大は 2016（平 28）年 10 月（500 人超）から段階的に進んでおり、2022（令 4）年 10 月（従業員 100 人超）、2024（令 6）年 10 月（50 人超）までの時系列で頭に入れておきたい。また、2023（令 5）年 4 月からの繰下げみなし増額制度の導入も内容をよく確認しておきたい。

　公的年金の年金額改定ルールは、賃金変動率と物価変動率の関係、マクロ経済スライド未調整分のキャリーオーバーなどと合わせて整理しておいてほしい。特に、2023 年度は初めて新規裁定者（67 歳以下）と既裁定者（68 歳以上）の年金額が異なることになったので、仕組みをよく確認してほしい。なお、2024 年度の既裁定者のうち 68 歳については、新規裁定者と年金額が同じなので注意したい。

　その他の改正事項では、2004（平 16）年の大改正（保険料水準の固定化とマクロ経済スライドの導入など）から、ポイントとなる改正事項を追っていくと知識の整理が効率的にできる。その後の重要な改正事項としては 2011（平 23）年の年金確保支援法、2012 年の年金機能強化法、2015（平 27）年 10 月施行の被用者年金一元化法、2017（平 29）年 8 月からの年金受給資格期間 10 年への短縮関連などがある。

　私的年金関係では、2016（平 28）年 4 月 1 日からの中退共と小規模企業共済の改正概要を確認しておく必要がある。特に、中退共は確定拠出年金や確定給付企業年金とのポータビリティを押さえておきたい。国民年金基金は 2017（平 29）年 1 月より海外居住の 20 歳以上 65 歳未満の国民年金任意加入被保険者が加入できるようになった。

　国民年金基金と確定給付企業年金は基本的なルールだけでよいので押さえておきたい。「リスク分担型企業年金」も概要を確認しておいてほしい。

退職給付会計は、多くの受験者が最も苦手とするテーマである。退職給付会計攻略のコツは、シンプルな基本を覚え込むことである。まず、キーとなる専門用語を覚え、退職給付債務の仕組みを理解する。次に、貸借対照表へ計上する退職給付引当金と損益計算書へ計上する退職給付費用の計算方法を図解で理解するとよい。退職給付会計への理解を深めるためにも計算の基本手順は制度移行も含めて演習で身につけておきたい。

また、穴埋め問題などでは企業会計基準委員会の「退職給付に関する会計基準」「退職給付に関する会計基準の適用指針」といった会計基準のルール（ネットで検索できる）から出されることが多いので、こうした会計基準の諸規則にも過去問の出題項目を重点に目を通しておきたい。

なお、これら会計基準は 2012（平 24）年 5 月 17 日（企業会計基準委員会から公表）に制度改正されたが、概要だけでよいのできちんと押さえておきたい。改正前後の名称変更（→ p.63 参照）は毎回出題されているので必ず覚えておきたい。また、出題しやすい簡便法は毎回のように出題されているので、簡便法の仕組みや会計処理ルールは必ず使えるようにしておいてほしい。

旧制度の分野 D の範囲だった健康保険と雇用保険は、基本的な仕組みと改正事項を押さえておけば十分だろう。特に高齢期（60 歳以降）の制度に重点を置くとよい。制度改正は健康保険では、2022（令 4）年 1 月からの「傷病手当金の支給期間の通算化」「任意継続被保険者制度の変更」がある。雇用保険では、2017（平 29）年 1 月からの 65 歳以上の従業員加入の変更、2020（令 2）年 10 月からの給付制限期間の変更（3 カ月 → 2 カ月）を確認しておいてほしい。また、ガイドラインにはないが、労災保険も概要だけ確認しておくとよい。

〈B 分野は 2 級の知識を確実にすることと条文の確認〉

B 分野（確定拠出年金制度）は、制度改正に伴って難易度が高くなっている。しかし、2 級の知識をしっかり身につけていればかなり得点できるはずである。

確定拠出年金制度の導入から給付までの流れに沿って、必要な事項を学習していくとよい。解説の根拠を確定拠出年金法の条文で確認することも

大切である。出題は本法だけでなく政省令や通達レベルからも出されるので、主要な項目については、政省令にもあたる必要がある。また、厚生労働省ホームページ（https://www.mhlw.go.jp/stf/seisakunitsuite/bunya/nenkin/nenkin/kyoshutsu/index.html）の法令解釈通知、確定拠出年金Q&Aなども出題の宝庫なので目を通しておいてほしい。

　最近の改正については、まず2016（平28）年6月3日公布の確定拠出年金改正法が重要である。個人型年金の加入者拡大の内容と掛金限度額の関係は重点的に押さえておきたい。また、掛金限度額の年単位化に伴う改正もポイントの確認は必須である。さらに、2018（平30）年5月1日施行の個人型年金への中小事業主掛金納付制度、簡易企業型年金制度、DCからDBへの資産移換可能に、運用商品数の上限（35本）、元本確保型商品の提示義務廃止、指定運用方法の規定などは、内容をしっかり押さえておく必要がある。その後、2019（令元）年7月の営業職員による確定拠出年金運営管理業務禁止（兼業禁止）の緩和もこのところの出題テーマとなっている。

　2020（令2）年6月5日公布の年金制度改正法は、公的年金だけでなく確定拠出年金の大幅な改正が含まれている。施行の多くは2022（令4）年4月、5月である。主な内容は、老齢給付金の受給開始上限の75歳までの拡大と加入可能年齢の引き上げ（企業型70歳未満、個人型65歳未満）、脱退一時金の受給要件見直しなどである。改正内容を詳しく確認するとともに、既に施行済み（2020年10月1日）の中小事業主向け制度（中小事業主掛金納付制度、簡易企業型年金制度）の対象企業の緩和（従業員100人以下→300人以下）なども再確認したい。

　また、2022年10月からの企業型年金と個人型年金の同時加入要件の撤廃（労使合意不要）は、拠出限度額に大きな変更があったので注意したい。2016（平28）年6月3日公布の確定拠出年金改正法があまり期間を経ずにさらに変更になったので概要を比較して混乱のないようにしたい。比較の主なポイントは、同時加入の規約の定め、掛金限度額の変更、拠出限度額の年単位管理と月単位拠出の扱い（同時加入の場合は月単位拠出に限定）、マッチング拠出の扱い（マッチング拠出と個人型年金加入）などである。これらにより、基本

的に企業型年金加入者は任意に個人型年金の同時加入ができるようになった。

　本年度の試験範囲ではないが、2024〈令6〉年12月1日施行の「企業型年金の掛金拠出限度額の算定方法の変更」は、概要だけ押さえておきたい。現行では、他の企業年金（確定給付企業年金等）がある場合の企業型年金（事業主掛金）の掛金拠出限度額は一律で月額27,500円が差し引かれている。改正後は他の企業年金の掛金相当額を個別に反映させて「月額55,000円−他の企業年金掛金相当額」が企業型年金掛金拠出限度額となり、企業ごとに拠出限度額が異なるようになる。改正に伴い、同時加入の個人型年金の拠出限度額の上限は月額2万円に統一される。

　投資教育では、確定拠出年金の導入後の継続教育が重視されてきており、継続教育関連の動きも押さえておきたい。法令解釈の確認のほか、企業年金連合会ホームページ（https://www.pfa.or.jp/jigyo/jimushien/files/dc_handbook.pdf）の「投資教育ハンドブック」などはよい参考になる。

〈C分野は基本パターンを問題演習で徹底的に繰り返す〉

　C分野（老後資産形成マネジメント）は、投資になじみのない受験者にとっては、なかなかとっつきにくい分野であるが、基本をいくつかに絞ることと計算を問題演習の繰り返しで覚え込むことで学習効果が上がる。コツは、特に計算問題はあれもこれもやろうとせず、割り切って基本的な問題に絞り込んで何度も繰り返すことである。

　計算問題は、一見難しそうだが毎回の出題は基本的な計算の類題が出ているだけなので、いくつかの計算問題のパターンを覚え込んでおけば十分対応できるレベルである。過去問の演習は、計算問題では特に有効である。

　基本的には、2級の学習の延長だが、3資産間のポートフォリオのリスク計算など2級にない分野は重点的に学習しておきたい。正規分布は2級よりひねった問題がみられるが、2級の復習をしっかりしておけば十分対応できる。また、時間加重収益率（幾何平均収益率）と財産加重収益率（金額加重収益率）、デュレーションは毎回のように出題されているので、意味と特徴を整理しておいてほしい。また、「ジェンセンのアルファ、トレイナー・レシオ」

（2020年度）のようにスポット的に新傾向の出題があるが、わからなくても合否に決定的に関わることはないので必要以上に気にする必要はない。初出の出題でも、投資の世界での基本的な内容なので、余裕があれば、投資で使われる基本的な理論や手法などをDC試験から離れて確認しておくとよい。

運用商品については過去問に出題された内容とその周辺知識を確認しておくのが効率的な学習方法である。NISAなど話題の制度や注目商品も概要を知っておくとよい。NISAについては、2024（令6）年1月から従来の制度から大きく変わる新NISAが始まった。注目を集めている制度なので、大筋の概要をしっかり押さえておいてほしい（→ p.96）。

2022（令4）年4月からの東京証券取引所の市場再編は、概要を確認しておけばよいが、特にTOPIXの変更はしっかり押さえておきたい。

投資信託の目論見書や運用報告書に関する出題もよくあるが、概要を押さえておけば十分対応できる。

旧制度の分野Dの範囲だったライフプランや受給額計算など大部分は新制度のC分野に移行された。もともと学習範囲の量も少なく学習しておけば比較的得点に結びつきやすい。基本的には、2級の復習で十分対応が可能である。

ここでのポイントは、キャッシュフロー表や資金目標額、年金受取額などを自分で数字を入れながらシミュレーションしてみることである。テキストの事例や問題集などを利用して実際に作業してみるとよい。

計算問題では、目標積立額、毎年の積立額、退職後の不足資金額、受け取る年金額、税額計算など必要な計算方法を個別にマスターするとともに、これらを組み合わせて手順に沿って解けるようにしておくことが大切である。

計算に必要な4つの係数（終価係数、現価係数、年金終価係数、年金現価係数）を使った公式、退職所得控除額の計算式などは自由に使いこなせるように問題演習で訓練しておく必要がある。また、ガイドラインにはないが、旧制度では遺言もよく出題されていたので概要と改正事項（自筆証書遺言関係）を確認しておいてほしい。

税制関連では、2020（令2）年分からの公的年金関係の税制改正（扶養親族等申告書関係、公的年金等控除の変更など）を押さえておきたい。さらに、

2024（令6）年1月・4月の相続税関連の改正（相続時精算課税制度に年間110万円の基礎控除新設、暦年贈与の相続税算入が死亡前3年から7年に拡大、不動産の相続登記の義務化等）も参考程度に押さえておきたい。

　その他、「簡易生命表」（厚生労働省）、「家計の金融行動に関する世論調査」（金融広報中央委員会）、「ゆとりある老後生活費」（生命保険文化センター）などの調査資料から出題されることもある。さらに、老後資金2,000万円問題が注目されたように、話題になった調査資料もざっと目を通しておくとよい。

Part

2

法制度の改正動向と
必須知識の整理

1 新たな法制度の成立と改正動向

★現在の公的年金制度のベースは2004（平16）年の年金改正法

　近年は年金を取り巻く環境変化に合わせて大きな法制度の改正が続いている。現在の公的年金制度は、1986（昭61）年4月の新年金制度導入で原型ができた（それ以前の制度は「旧年金制度」と呼ばれる）。すなわち、全国民共通の国民年金（基礎年金）と企業従業員等の被用者年金（厚生年金、共済年金）という2階建て構造が形づくられた。

　さらに、その後、2004（平16）年6月に成立した「年金制度改正法」では、給付と負担のバランスをとりながら給付水準を維持するための大改正が行われた。保険料水準固定方式（保険料上限の設定）とマクロ経済スライドの導入、短時間労働者の厚生年金保険適用拡大などで基本的な仕組みが根本的に変わった。そのため、2004年の改正法が現在の公的年金の基本的なベースになっている。一方、企業年金は1990年代の運用難から確定拠出年金（2001〈平13〉年10月）、確定給付企業年金（2002年4月）が相次いで創設されたが、2004年の年金制度改正法以降、公的年金と併せてさまざまな改正が実施されている。

　こうしたことから、DCプランナー受験者としては、特に2004年の年金制度改正法以降の制度改正を時系列で追っていくことで、制度改正の動向が体系的に理解しやすいだろう。

　2004年以降は、「年金確保支援法」（2011〈平23〉8.10公布）、「年金機能強化法」（2012.8.22公布）などに続き、「被用者年金一元化法」（2015〈平27〉10.1施行）による共済年金と厚生年金の統合（一元化）も実施された。また、企業年金でも重要な法改正の動きがあり、厚生年金基金見直し法（2014〈平26〉4.1施行）に続き、確定拠出年金改正法（2016〈平28〉6.3公布）の成立で大きく様変わりした。さらに、年金制度改正法（2020〈令2〉6.5公布）

により、2022 年度からは公的年金、確定拠出年金とも大きな改正が順次実施されている。

　本年度試験範囲となる 2024（令 6）年 7 月 1 日までの直近 1 年間に施行・実施された改正等は出題確率が高いので、必ず押さえておいてほしい。

〔**公的年金関連**〕2023.7.2 ～ 2024.7.1 施行・実施

「年金額等改定、在職老齢年金の停止基準変更(48 万円➡ 50 万円)」(2024.4.1)、「国民年金保険料の前納が年度途中から可能に」（2024 年 4 月分より）など

　また、直近 3 年程度で施行された改正内容も引き続き重要である。

〔**公的年金関連**〕2021.7.2 ～ 2023.7.1 施行・実施

「繰上げ受給の減額率緩和（0.5％➡ 0.4％）、繰下げ受給の上限拡大（70 歳➡ 75 歳）」「65 歳前の在職老齢年金の支給停止基準緩和（28 万円➡ 47 万円）と 65 歳以降の在職老齢年金への在職定時改定の導入」（いずれも 2022〈令 4〉4.1）など。「短時間労働者の社会保険適用拡大（従業員 101 人以上の企業）」(2022.10.1)、「70 歳以降の一時金選択にみなし増額支給」(2023.4.1）など

〔**確定拠出年金関連**〕2021.7.2 ～ 2023.7.1 施行・実施

「受給開始時期の拡大（70 歳➡ 75 歳」(2022.4.1 より)、「加入可能年齢の引上げ（企業型 70 歳未満、個人型 65 歳未満）」「脱退一時金の受給要件の見直し」「企業年金連合会へのポータビリティ拡充」（以上 2022.5.1）など。「企業型年金と個人型年金の同時加入の改善」「マッチング拠出と個人型年金加入の選択」（いずれも 2022.10.1）など

　なお、年金機能強化法の内容も引き続き出題頻度が高いと思われるので、重点的に内容を確認しておいてほしい。

　DC プランナー認定試験では、「特に断りのない限り、試験日の 7 月 1 日現在施行の法令等に基づく」ことになっている。しかし、特に重要な改正は試験範囲外でも出題されることがある。本年度も「短時間労働者の社会保険適用拡大（従業員 51 人以上の企業）」(2024〈令 6〉10.1)、「企業型 DC 掛金拠出限度額に他制度掛金を反映」(2024.12.1）などは概略だけ見ておいてほしい。

　2004（平 16）年以降の法改正の概要は次ページ以降のとおりである。

1 新たな法制度の成立と改正動向

*改正による変更がある項目（_____その後改正あり _____最新の改正）

〈年金制度改正法の主な内容〉
（公布日は2004〈平16〉年6月11日）

	改正項目	施行日
1. 公的年金関連		
①	・厚生年金保険料の引き上げ開始（13.58％→18.30％） ※2017（平29）年9月完了（公務員は2018年9月、私学共済は2027年4月） →厚生年金保険料と国民年金保険料に上限を設け、保険料の範囲内で年金給付を行う「保険料水準固定方式」を導入 ・マクロ経済スライドの導入 ※2005年4月より開始だがデフレの長期化の影響で発動できず、2015（平27）年度に初めて実施された →最終所得代替率50％以上を確保できる見込みになれば終了 ・基礎年金の国庫負担引き上げ開始（段階的に3分の1から2分の1へ） ※2009（平21）年4月より全額免除の年金額が2分の1に	2004（平16）10.1
②	・国民年金保険料の引き上げ開始 ※2017（平29）年4月完了（最終16,900円）→2019（平31）年4月より17,000円に引き上げ（第1号被保険者の産前産後保険料免除の財源充当のため） ・育児休業中の保険料免除期間が、子が3歳になるまでに延長（従来は1歳になるまで） ・30歳未満の就業困難者の国民年金保険料納付猶予制度の導入（若年者納付猶予制度） →2016（平28）年7月から50歳未満に拡大 ・第3号被保険者の特例届出開始 ※過去の第3号被保険者の未届期間について届出をすれば保険料納付済期間とすることができる	2005（平17）4.1
③	・65歳以上の障害基礎年金と老齢厚生年金（または遺族厚生年金）の併給が可能に ・年金積立金管理運用独立行政法人（GPIF）の創設 ※施設（グリーンピア）業務なども行っていた従来の年金資金運用基金は廃止し、専門性を徹底した運用業務に特化	2006（平18）4.1
	・国民年金保険料の多段階免除制度導入 ※4分の3免除と4分の1免除を新設（全部で4段階に）	2006（平18）7.1
④	・老齢厚生年金の繰下支給制度再導入 ※65歳以降の老齢厚生年金について70歳まで繰下支給が可能になる ・在職老齢年金の支給停止の仕組みを70歳以上にも拡大 ※ただし、保険料負担はなし ・厚生年金の離婚分割制度創設（第1弾：合意分割） ・遺族が配偶者の場合、65歳以降は「本人の老齢厚生年金＋遺族厚生年金との差額」の受給となった ・30歳未満の子のない妻の遺族厚生年金が5年間の有期給付に ・中高齢寡婦加算の支給対象は、夫死亡時の妻の年齢を「35歳以上→40歳以上」に引き上げ	2007（平19）4.1

	改正項目	施行日
⑤	・厚生年金の離婚分割制度創設（第2弾：3号分割）	2008（平20）4.1
⑥	・「ねんきん定期便」の送付開始 ※2008年度より開始予定だったが、年金記録漏れ問題の発生により1年遅れで開始	2009（平21）4.1
2．企業年金関連		
①	・他制度から確定拠出年金への移換限度額撤廃 ※適格退職年金、厚生年金基金、確定給付企業年金、退職一時金制度からの資産移換が全額非課税で可能に	2004（平16）10.1
②	・厚生年金基金の解散の特例措置	2005（平17）4.1
	・離転職時の企業年金間の年金資産移換の大幅緩和 ※確定給付型（厚生年金基金、確定給付企業年金）の企業年金間で年金資産の移換を可能とする。移換困難な場合は企業年金連合会へ移換して年金受給（通算企業年金）も可能に ※確定給付型（厚生年金基金、確定給付企業年金）の企業年金から確定拠出年金への年金資産の移換を可能とする ・厚生年金基金連合会が企業年金連合会へと改称 ※厚生年金基金だけでなく企業年金全体が対象となった ・確定拠出年金の脱退一時金の受給要件緩和 ※年金資産50万円以下、企業型年金資産1万5,000円以下の新基準導入（改正前は通算拠出期間3年以下の要件のみ）	2005（平17）10.1

〈年金記録漏れ問題関連の主な改正内容〉

	改正項目	施行日
2007（平19）年春に発覚した年金記録漏れ問題（いわゆる「5,000万件の消えた年金問題」）に関していくつかの法改正が実施された		
①	・年金時効特例法 ※記録漏れの分に限り時効前の分（5年を超える部分）も受給権発生時にさかのぼって支給	2007（平19）7.6
	・厚生年金特例法 ※企業による厚生年金保険料不正（保険料徴収従業員の被保険者としての未届、標準報酬月額を低く届出など）の保険料徴収時効（2年）撤廃	2007（平19）12.19
②	・「ねんきん特別便」の送付 ※「ねんきん定期便」の送付開始を延期し、年金受給者および現役加入者約1億900万人全員に郵送し、年金記録の確認を実施	2007（平19）12〜2008.10に送付
③	・社会保険庁を廃止し、日本年金機構を設立	2010（平22）1.1

① 新たな法制度の成立と改正動向

〈年金確保支援法の主な内容〉　　　　　　　　（公布日は2011〈平23〉年8月10日）

改正項目	施行日
1．国民年金法の一部改正	
① 第3号被保険者期間に重複する第3号被保険者期間以外の期間が新たに判明して年金記録が訂正された場合、それに続く第3号被保険者期間を保険料納付済み期間として認める（従来は、届出がないため未届期間として保険料未納期間の扱いになっていた）	2011（平23）8.10
② 国民年金の任意加入被保険者（国内居住の60歳〜64歳）が国民年金基金に加入可能とする	2013（平25）4.1
2．確定拠出年金法の一部改正	
① ・事業主による継続的投資教育実施義務を明文化（罰則規定はなし） ・住基ネットから加入者の住所情報取得を可能とする（他の企業年金制度でも同様の措置をとる）	2011（平23）8.10
② 企業型年金に従業員拠出（マッチング拠出）を可能とする ・従業員拠出分は全額所得控除（小規模企業共済等掛金控除）の対象とし、非課税とする ・従業員拠出分は企業拠出分と合わせて拠出限度額（月額51,000円または25,500円）の範囲内とし、企業拠出分を超えないようにする	2012（平24）1.1 ※拠出限度額は施行当時の額（2014年10月から改正されている）
③ 企業型年金の加入年齢を従来の60歳になるまでから、65歳になるまでに引き上げ（企業が年金規約により60歳〜64歳の加入年齢を柔軟に定められる） ※60歳時の継続雇用者に限る 国民年金基金連合会への自動移換者に対する給付が可能となった。従来は、年金加入者でも運用指図者でもないため給付はできなかった。法改正により個人型年金加入者とみなして70歳時に自動的に給付可能になった	2014（平26）1.1
3．確定給付企業年金法の一部改正	
60歳以上で退職要件の支給が可能になった。 　従来の確定給付企業年金の支給要件は、 　（1）退職要件なし（60歳以上65歳以下の規約で定める年齢に達したとき〈年齢要件〉） 　（2）退職要件あり（50歳以上60歳未満の規約に定める年齢以降に退職したとき） だったが、（2）の改正（50歳以上65歳未満）により60歳以上の退職者に退職時給付が可能となった。（規約に定める本来の年齢まで待つ必要がない）。雇用延長に対応する改正	2011（平23）8.10

〈年金機能強化法の主な内容〉 （公布日は2012〈平24〉年8月22日）

	改正項目	施行日
①	遺族基礎年金の父子家庭への支給 ※第3号被保険者の妻の死亡でも要件を満たしていれば夫に遺族基礎年金が支給。死亡した妻が会社員（第2号）である場合、妻の死亡時に夫が55歳以上であれば遺族基礎年金年金受給中は遺族厚生年金も併給（支給停止解除）	2014（平26）4.1
	<u>70歳を過ぎて繰下げ支給の請求が遅れても70歳時にさかのぼって増額支給可能にする</u>	
	障害者特例による特別支給の老齢厚生年金の支給を請求の翌月からではなく請求が遅れても支給開始時にさかのぼって支給する （例）障害年金の受給者が61歳で特別支給の老齢厚生年金の受給権を得た場合、62歳で障害者特例を請求しても61歳にさかのぼって障害者特例による支給（報酬比例部分と定額部分の支給）が受けられる	
	産前産後休業期間中の社会保険料（厚生年金、健康保険）を労使とも免除	
	障害年金の額改定請求の待機期間の一部緩和 ※障害の状態が悪化した場合でも、1年間の待機期間後でなければ年金額の改定請求ができない。改正により、明らかな悪化（省令に定めるものに限る）は即時請求が可能になった	
	未支給年金が請求できる遺族の範囲を3親等内の親族などへ拡大（従来は、生計を同じくする配偶者、子、父母、孫、祖父母、兄弟姉妹） ※子の配偶者や配偶者の父母、甥、姪、おじ、おば、兄弟姉妹の配偶者なども生計を同じくしていれば請求できるようになった	
	任意加入中の未納期間（60歳以上を除く）をカラ期間に算入（従来は任意加入を申し込んで未納だとカラ期間にならず未納期間） ※昭和61年3月以前の専業主婦や20歳以上60歳未満海外在住時、平成3年3月以前の20歳以上の学生期間などの任意加入未納期間が対象。任意加入を申し込まなければカラ期間だが、申し込んだにも関わらず未納だとカラ期間にならなかった。あくまでも強制加入期間中（20歳以上60歳未満）の救済を目的とする法改正なので、60歳以降の任意加入には適用されない	
	国民年金の保険料免除が最大2年（納期限を含む2年1カ月前まで）さかのぼって申請可能に ※従来は最大1年だった。対象になるのは、一部免除、学生納付猶予などすべての免除	
	付加保険料の未納分も本体と同様最大2年納付可能に ※従来は納期限（翌月末）までに納めないと納められなくなった。なお、未納ではなくさかのぼっての加入は認められない	
	法定免除期間の保険料納付および前納が可能に ※従来は法定免除期間は通常の保険料納付はできなかった。追納は可能だったが、追納だと前納割引は利用できなくなる、2年を過ぎた分は加算金が付くなどデメリットがある	

1 新たな法制度の成立と改正動向

	改正項目	施行日
②	国民年金保険料の2年前納制度が創設 ※口座振替のみ（現金納付やクレジットカード払いは不可）	2014（平26）4.1
③	短時間労働者（パート）に対する社会保険（厚生年金保険、健康保険）適用拡大 ※週20時間以上、月額賃金8.8万円以上の労働者に適用（勤務期間1年以上、従業員501人以上の企業。学生は適用除外）	2016（平28）10.1
④	受給資格期間を25年から10年に短縮	2017（平29）8.1

〈被用者年金一元化法の主な内容〉　　　　　（公布日は2012〈平24〉年8月22日）

	改正項目	施行日
①	2階部分を厚生年金に統合	2015（平27）10.1
②	共済年金の3階部分（職域部分）を廃止し、新たな年金制度を新設	

〈主婦年金追納、厚生年金基金見直し等の改正法の主な内容〉
　　　　　　　　　　　　　　　　　　　（公布日は2013〈平25〉年6月26日）

	改正項目	施行日
①	・保険料納付要件の直近1年の特例措置の期限（平成28年3月）を平成38（2026）年3月までに延長 ・若年者納付猶予制度の期限（平成27年6月）を平成37（2025）年6月までに延長	2013（平25）6.26
②	第3号被保険者の記録不整合問題（夫の退職により第3号から第1号になったにも関わらず第3号のままになっている問題） ・不整合期間はカラ期間とする ・受給者の年金額を訂正（最大10%） ・再発防止策として事業主、健保組合等を経由して第3号でなくなったことを届け出る	2013（平25）7.1
③	厚生年金基金制度の見直し ・施行日以降は厚生年金基金の新設を認めない ・施行日から5年間は代行割れ基金の特例解散制度の緩和による解散を促進 ・施行日から5年後以降は代行割れを防ぐ制度を強化 ・健全基金（最低責任準備金の1.5倍以上の純資産を維持など）は存続も認める ・中退共への移換を認める ・解散認可基準を緩和（代議員会決議、事業主・加入員の同意をいずれも4分の3から3分の2に緩和する） ・施行日以降は代行返上等による厚生年金基金から企業年金連合会への代行部分の移換を停止 ・企業年金連合会も施行日から10年以内に代行返上し、企業年金（上乗せ部分のみ）に特化した新連合会になる	2014（平26）4.1

Part2　法制度の改正動向と必須知識の整理

〈その他の改正法制度の主な内容〉

	改正項目	施行日
①	学生納付特例制度の申請を大学等が申請を受け付けた時点で有効とする ※従来は学校が年金事務所に提出した時点とされ、その間の障害発生に障害基礎年金の対応ができなかった	2014(平26)10.1
	確定拠出年金(企業型年金)の拠出限度額の改正 他の企業年金なし51,000円→55,000円(年間66万円) 他の企業年金あり25,500円→27,500円(年間33万円) ※個人型年金は変更なし	
②	〈年金生活者支援給付金支給法〉 ・所得が一定の基準を下回る老齢基礎年金受給者に老齢年金生活者支援給付金を支給 　(1) 基準額(月額5,000円)に「納付済月数／480」を乗じた額 　(2) 免除期間に対応して老齢基礎年金の6分の1相当を基本とする額 ・所得の逆転を生じさせないために、上記の所得基準を上回る一定範囲の者に、上記(1)に準ずる補足的老齢年金生活者支援給付金(国民年金の保険料納付済月数を基礎)を支給 ・一定の障害基礎年金または遺族基礎年金の受給者に、障害年金生活者支援給付金または遺族年金生活者支援給付金を支給 ※支給額:月額5,000円(1級の障害基礎年金受給者は、月額6,250円))	2015(平27)10.1 ※消費税10%の延期に伴い延期されていたが、2019(令元)年10月より実施 ※基準額は毎年度改定(2024年度は月額5,310円)
③	・中小企業でなくなった場合、中退共から確定拠出年金への資産移換が可能になる(従来は、特退共か確定給付企業年金のみ) ・従業員が転職した際の転職先での中退共通算申出期間の延長(2年以内→3年以内)	2016(平28)4.1
	小規模企業共済制度の改正 ・受け取れる共済金額が一部増加(個人事業主が配偶者または子に事業を譲渡した場合、会社等役員が65歳以上で退任〈傷病や死亡・解散を除く〉した場合など) ・分割共済金(年金)支給回数が年4回(2月、5月、8月、11月)から年6回(奇数月)に変更	
④	若年者納付猶予制度の対象を従来の30歳未満から50歳未満に拡大(納付猶予制度に改称)	2016(平28)7.1
⑤	・社会保険(厚生年金保険、健康保険)加入の4分の3要件の変更と法律への明文化 ※「1日または1週間の所定労働時間および1カ月の所定労働日数が通常の労働者のおおむね4分の3以上」から「1週間の所定労働時間および1カ月の所定労働日数が通常の労働者の4分の3以上」に変更。短時間労働者適用拡大以外の企業に適用 ・厚生年金保険の標準報酬月額が30等級から31等級に改定(88,000円〜620,000円)	2016(平28)10.1

37

① 新たな法制度の成立と改正動向

	改正項目	施行日
⑥	確定拠出年金の個人型年金加入対象者の拡大 ※公務員と専業主婦の個人型年金への加入や企業型年金と個人型年金の同時加入が可能に	2017（平29）1.1
	・確定拠出年金の脱退一時金が縮小 ※①国民年金の保険料免除者で一定の要件を満たす者、②企業型年金の個人別管理資産額1万5,000円以下の2つのケースに限定 ・確定拠出年金の通算加入者等期間に60歳到達月を算入 ・確定拠出年金の60歳以降の加入期間が退職所得控除額計算時の勤続年数に算入	
	海外居住の国民年金任意加入被保険者（20歳以上65歳未満）の国民年金基金への加入を可能とする ※個人型確定拠出年金への加入は従来どおり不可	
	・DB制度でリスク対応掛金の拠出を可能とする ※財政リスク相当額（20年に一度のリスク）をすべてのDB制度で算定義務化（拠出は任意） ・DB制度でリスク分担型企業年金の設計を可能とする（新タイプのハイブリッド型年金） ※労使合意に基づきリスク対応掛金による給付増減調整で運用リスクを事業主と加入者で分担する	
⑦	退職年金等積立金に対する特別法人税の凍結が平成32（2020）年3月まで延長	2017（平29）4.1
	短時間労働者への社会保険適用拡大を500人以下の企業にも拡大 ※労使合意が必要な以外は年金機能強化法による平成28年10月施行の内容と同じ（週20時間以上、月額賃金8.8万円以上など）	
⑧	確定拠出年金の拠出限度額の年単位化 ※年間の拠出期間（月単位の倍数）ごとに月額限度額の累積を拠出限度額として拠出期間の最後の月の翌月に拠出する	2018（平30）4.1
	マクロ経済スライドの未調整分の翌年度以降への繰り越し ※年金の名目下限額を維持しながら未調整分を翌年度以降に繰り越せる（キャリーオーバー）	
⑨	確定拠出年金の各種改正 ※中小事業主掛金納付制度、簡易企業型年金制度、確定拠出年金の運用の改善、確定拠出年金からのポータビリティ拡充、企業型年金資格喪失者の自動移換ルールの改正など	2018（平30）5.1
⑩	・国民年金第1号被保険者の女性の産前産後期間の国民年金保険料免除制度の創設 ※出産予定日の前月から4カ月間、全額免除で全額年金額に反映、付加保険料納付可、財源充当のため国民年金保険料の上限が月17,000円（100円増）など ・国民年金基金が再編 ※全国47都道府県の地域型国民年金基金と22の職能型国民年金基金が合併して「全国国民年金基金」が発足（職能型3基金は存続）	2019（平31）4.1
⑪	金融機関等の営業職員の確定拠出年金の運営管理業務の兼務禁止の緩和 ※運用商品の選定以外の運営管理業務の営業職員による兼務が可能になった	2019（令元）7.1

Part2　法制度の改正動向と必須知識の整理

	改正項目	施行日
⑫	・国民年金第3号被保険者に国内居住要件導入 　※夫の海外赴任に随行する妻、留学生などは除く ・特別法人税の凍結期限2023.3まで延長 ・64歳以上の従業員の雇用保険料徴収開始	2020（令2）4.1
⑬	厚生年金保険の標準報酬月額の上限の改定 　※上限が第32等級65万円（報酬月額635,000円以上）	2020（令2）9.1
⑭	・年金額改定に賃金変動に合わせる考え方の徹底 　※賃金変動が物価変動を下回る場合は賃金により改定 ・寡婦年金の支給要件変更（障害基礎年金） 　※「死亡した夫が障害基礎年金の受給権あり」の場合は寡婦年金支給 　　不可→実際に受給していなければ寡婦年金を支給（老齢基礎年金と 　　要件が同じになった）	2021（令3）4.1
⑮	特別法人税の凍結期限2026（令8）年3月まで延長	2023（令5）4.1
⑯	・国民年金保険料の前納（6カ月、1年、2年）が途中月から開始可能に 　※割引額は残りの期間に応じて決まる	2024（令6）3.1

※年金制度改正法（2020〈令2〉年6月5日公布）の内容（→p.50、88）

39

② 重要項目と必須知識の整理

A 分野　年金・退職給付制度等

(1) 公的年金

★公的年金の改定ルールとマクロ経済スライド

Point

❏原則は新規裁定者は賃金、既裁定者は物価により年金額を改定

❏新規裁定者とは67歳以下、既裁定者とは68歳以上

❏マクロ経済スライドの未調整分は翌年度に繰り越されていく

　公的年金額の改定ルールは、新規裁定者（65歳〜67歳）が賃金変動率（名目取り賃金変動率）、既裁定者（68歳以降）が物価変動率を基準として改定することになっている。新規裁定者に該当するのが65歳だけでなく3年間になっているのは、賃金変動率は過去3年間の平均を反映するためである。物価変動率は対前年度比の物価変動率（全国消費者物価指数〈生鮮食品を含む総合指数〉）を基準とする。

　ただし、賃金変動率と物価変動率の関係によって**図表2-1**のような改定ルールが設けられている。

　本来、賃金も物価も毎年上昇し、賃金変動率（上昇率）は物価変動率（上昇率）より大きいという前提で年金額の改定基準が設定されている。つまり、図表中の灰色部分が本来の姿ということになる。それ以外に例外的な措置として、図表に示されたような改定ルールが設けられている。

　ところが、長期的なデフレにより2022（令4）年度までは、物価変動率が

40

Part2　法制度の改正動向と必須知識の整理

図表2-1　賃金・物価の変動率と年金額改定のルール

変動率	比較	年金額改定基準	
①賃金（＋）、物価（＋）	賃金＞物価	新規は賃金、既裁は物価	2023（令5）
	賃金＜物価	新規・既裁とも賃金	2015（平27） 2019（平31） 2020（令2） 2024（令6）
②賃金（＋）、物価（－）		新規は賃金、既裁は物価	
③賃金（－）、物価（＋）		新規・既裁とも賃金 ＊2020年度まで新規・既裁とも年金額据え置き	2021（令3） ＊2016（平28） ＊2018（平30）
④賃金（－）、物価（－）	賃金＞物価	新規は賃金、既裁は物価	
	賃金＜物価	新規・既裁とも賃金 ＊2020年度まで新規・既裁とも物価	2022（令4） ＊2017（平29）

(注)　法改正により、2021年4月から賃金変動率が物価変動率を下回る場合には新規・既裁と
　　もすべて賃金を改定基準とするようになった

賃金変動率を上回る状態が続いたため、例外的措置の改定ルールしか適用さ
れてこなかった。また、賃金変動率が物価変動率を下回るときに物価変動率
に合わせた年金額改定をすると現役世代の負担が過大になるという問題が
あった。そこで2021年度から賃金変動率が物価変動率を下回る場合には新
規・既裁とも賃金に合わせることが徹底されることとなった。そのため、初
年度の2021年度と2022年度は新規・既裁とも賃金を基準とした改定が行わ
れたが、年金額としては1種類だった。

　2023年度は賃金変動率がプラス2.8％、物価変動率がプラス2.5％となっ
て初めて本来の姿が実現したため、マクロ経済スライド調整率0.6％分を差
し引いて新規裁定者2.2％、既裁定者1.9％の増額改定となって初の2種類の
年金額が出現した。

　2024年度は、賃金変動率3.1％、物価変動率3.2％、スライド調整率0.4％
となった。賃金・物価ともプラスで賃金が物価の変動率を下回るケースで
ある。そのため、新規・既裁定者ともに賃金（3.1％）による改定となった。
ただし、マクロ経済スライドによるスライド調整率が0.4％差し引かれ、2.7％
の年金額増額となった。なお、既裁定者のうち68歳の者は、前年度額が新

規裁定者と同じであるため、新規裁定者と同じ年金額となる。

〔マクロ経済スライドの仕組み〕

　2004（平16）年の年金改正では、保険料の上限が設定（厚生年金18.3％、国民年金月額1万6,900円〈現在は1万7,000円〉）され、上限の範囲内で年金給付を行うこととなった（保険料水準固定方式）。給付水準は、現役世代の収入に対する所得代替率50％が目安とされ、これを維持できる水準に自動調整する仕組みがマクロ経済スライドである。上限保険料の範囲内で年金財政が安定するまでの間（調整期間）、実施されることになっている。

　具体的には、現役被保険者数の減少と平均余命の伸び率を反映した調整を行う制度で、毎年の年金額改定率からマクロ経済スライド調整率をを差し引く（図表2-2）。

　ただし、名目額までの調整（減額）が下限となっており、賃金（物価）がマイナスの場合は、調整自体を行わない。そのため、長期的なデフレの影響で2024（令6）年度までに5回しか実施されず、特に基礎年金の調整期間が大幅に延びていることが問題となっている。

図表2-2　マクロ経済スライドの仕組み

（注）1．基準となる上昇率は、原則として新規裁定者は賃金上昇率、既裁定者（ただし68歳以降）は物価上昇率を使う
　　　2．賃金（物価）の伸びが小さく、スライド調整率が賃金（物価）上昇率より大きい場合は名目額までのスライド調整とする（年金額は据え置き）
　　　3．賃金（物価）の伸びがマイナス（下落）の場合は、スライド調整は行わない（年金額は賃金〈物価〉の下落率分が下がるだけ）
　　　4．法改正により、2018年度よりスライド調整率の未調整分は翌年度以降に繰り越されるキャリーオーバー制度が導入された

Part2　法制度の改正動向と必須知識の整理

★企業従業員等の社会保険の加入要件

> **Point**
>
> ❑加入要件には規模（従業員数）の基準と４分の３基準がある
> ❑従業員数の基準は段階的緩和により社会保険の適用拡大が進行中
> ❑厚生年金保険は個人でも加入できる例外がある

■社会保険の加入要件は２つの基準がある

　社会保険（健康保険、厚生年金保険）は、事業所を単位として適用される。法人（社長のみの１人法人含む）と国・地方公共団体の事業所は「強制適用事業所」となる。常時５人以上の従業員のいる個人事業所も強制適用事業所（農林漁業、サービス業〈旅館、飲食店等〉などを除く）となるが、強制適用事業所以外の個人事業所でも、従業員の半数以上の同意を得て「任意適用事業所」となることができる。任意適用事業所の場合は、健康保険か厚生年金保険の一方のみの加入でもよい。

　適用事業所の場合でも、従業員等が社会保険に加入するには要件を満たす必要がある。基本的な加入要件は、「４分の３要件」と呼ばれる基準である（図表2-3）。一方、2016（平28）年10月からは、パート等の社会保険の適用拡大が実施され、一定の従業員数の企業等では４分の３要件にかかわらず社会保険が適用される（特定適用事業所）。社会保険の適用拡大は、従業員501人以上の企業等から始まり（2016年10月）、101人以上（2022〈令4〉年10月）、51人以上（2024〈令6〉年10月）と段階的に進んでいる。

■個人で加入できる任意単独被保険者と高齢任意加入被保険者

　社会保険は、事業所単位で加入するが、例外的に個人単位で加入できる。

制度	対象	事業主の同意
任意単独被保険者	適用事業所でない事業所で働く70歳未満の従業員	同意が必要。保険料は事業主と折半
高齢任意加入被保険者	適用事業所で働く70歳以上の従業員で、老齢基礎年金の受給資格がない者	同意は不要。保険料は全額本人負担だが、同意があれば事業主と折半にできる

（注）１．高齢任意加入は老齢基礎年金の受給資格が得られるまで
　　　２．事業主の同意があれば適用事業所以外の者も高齢任意加入被保険者となれる

43

２ 重要項目と必須知識の整理

図表2-3　社会保険の加入要件と適用拡大

〔4分の3要件〕

2つの要件を
同時に満たす
・正社員の１週間の労働時間の４分の３以上
・正社員の１カ月の労働日数の４分の３以上

	１週間の勤務時間	１カ月の勤務日数	社会保険
正社員	40時間	22日	加入する
パートA	30時間 ○	18日 ○	加入する
パートB	24時間 ●	18日 ○	加入しない
パートC	30時間 ○	15日 ●	加入しない

○は正社員の４分の３以上　●は正社員の４分の３未満
(注)　健康保険と厚生年金保険は社会保険としてセットで適用

〔社会保険の適用拡大〕

要件	2016 (平28)年10月	2022 (令4)年10月	2024 (令6)年10月
従業員数(被保険者数)	501人以上	101人以上	51人以上
週の所定労働時間	20時間以上	同左	同左
雇用期間(見込み)	1年以上	2カ月超	同左
月額賃金	8.8万円以上	同左	同左
学生(昼間部)	学生ではない	同左	同左

(注) 1．表中の要件をすべて満たす場合に社会保険の適用となる
　　 2．月額賃金とは所定内賃金で、残業代、通勤手当、賞与などは含まない。年収換算で約106万円以上となる
　　 3．従業員数が要件未満でも労使合意があれば、他の要件を満たしている従業員に社会保険を適用できる

■雇用保険と労災保険の加入要件と保険料負担

　企業従業員等の場合、労働保険（雇用保険、労災保険）にも加入する。

　労災保険（労働者災害補償保険）については、アルバイト従業員も含めてすべての従業員が対象となるが、保険料が全額事業主負担となるので、従業員の保険料負担はない。

　雇用保険は、以下の３つの要件をすべて満たす従業員が加入する。

①　週の所定労働時間が20時間以上

②　31日以上の雇用期間（見込み）

③　学生（昼間部）ではない

　雇用保険料は毎月の賃金(標準報酬月額ではなく残業代や通勤手当も含む)に保険料率（業種によって異なる）を乗じて計算される（賞与にも同率で適

用）。事業主と従業員が折半で負担するが、事業主は雇用保険二事業（雇用安定事業、能力開発事業）の負担分もあるので、事業主の保険料率のほうが高くなっている。具体的には、一般の事業（業種）の場合、2024（令6）年度の保険料率は1.55％（1000分の15.5）である。内訳は労働者（従業員）0.6％、事業主0.95％（0.6％＋雇用保険二事業分0.35％）となる。

★国民年金第1号被保険者の女性の産前産後免除制度

> **Point**
> - 全額免除だが、通常の保険料納付済期間の扱いになる
> - 免除期間は全額年金に反映され、付加保険料のみの納付も可能
> - 免除期間は出産予定日の前後4カ月間（多胎妊娠は6カ月間）

■保険料は全額免除でも老齢基礎年金は全額反映

2019（平31）年4月より国民年金第1号被保険者の女性の産前産後期間の国民年金保険料免除制度（産前産後免除）が創設された。主な制度内容は以下のとおりである。（国年法5条、87条の2、88条の2）

・免除期間は出産予定日の前月から4カ月間（多胎妊娠の場合は出産予定日の3カ月前から6カ月間）。届出（市区町村窓口）は出産予定日の6カ月前から可能。出産後に届け出る場合は出産予定日ではなく出産日が基準となる。

・免除期間は国民年金保険料が全額免除となり、保険料納付済期間とみなされる（追納不要、全額が老齢基礎年金額に反映）

・本人や夫などの世帯収入に所得制限はない

・希望により免除期間中に付加保険料のみ納めることも可能

・免除期間中に国民年金基金や個人型確定拠出年金への加入が可能

・免除期間中に働いていても適用になる（休業が条件にはなっていない）

・海外（国内に住居を有しない）の任意加入被保険者には産前産後免除は適用されない（国年法附則5条10項）

・産前産後免除の財源とするため、国民年金保険料（名目額）の上限が100円引き上げられ、月額1万7,000円となった

②　重要項目と必須知識の整理

★被用者年金一元化による変更事項

Point

❏制度的差異は原則として厚生年金に合わせるが一部例外もある

❏両制度の加入期間は受給資格判定で合算と非合算のものがある

❏年金額は 1 円単位で計算するが、100 円単位のままのものもある

❏職域年金は公的年金から切り離され年金払い退職給付となった

■厚生年金保険被保険者の種別と呼称

　一元化に伴い、厚生年金保険被保険者は 4 つの種別に分かれるが、従来の制度とのつながりがわかるように呼称が設けられた。

一元化前の該当者	種別	呼称
従来の厚生年金保険被保険者	第 1 号厚生年金被保険者	一般厚年被保険者
国家公務員共済組合の組合員	第 2 号厚生年金被保険者	国共済厚年被保険者
地方公務員共済組合の組合員	第 3 号厚生年金被保険者	地共済厚年被保険者
私立学校教職員共済制度の加入者	第 4 号厚生年金被保険者	私学共済厚年被保険者

(注)　実施事務は、従来の実施機関（日本年金機構、各共済組合）が行う。ただし、複数の制度の加入歴がある者も年金請求書の提出はどこか 1 カ所の実施機関でよい（ワンストップサービス）

■厚生年金に合わせる主な制度的差異

　制度的差異は原則として厚生年金に合わせる。

事項	一元化前		一元化後
	厚生年金	共済年金	
加入年齢	70歳未満	年齢制限なし（私学共済を除く）	70歳未満
在職老齢年金 ※一元化時点の差異。2022（令4）年4月からは65歳以降の制度に一本化された ※2024〈令6〉年度の支給停止調整額（支給停止ライン）は50万円	65歳前：28万円が支給停止ライン 65歳以降：46万円が支給停止ライン	共済から共済の場合：28万円が支給停止ライン（60歳以降の全年齢共通） 共済から厚年の場合：46万円が支給停止ライン（60歳以降の全年齢共通）	65歳前：28万円が支給停止ライン 65歳以降：46万円が支給停止ライン ※2022年4月からは65歳以降の制度に一本化
障害年金の在職支給停止	なし	あり ※28万円が支給停止ライン（低在老）	なし
障害年金、遺族年金の保険料納付要件	あり	なし	あり

46

事項	一元化前		一元化後
	厚生年金	共済年金	
遺族の範囲	配偶者、子、父母、孫、祖父母 ・夫、父母、祖父母は55歳以上で60歳になるまで支給停止（夫が遺族基礎年金を受給できる場合は支給停止なし） ・子、孫は18歳年度末（障害児は20歳未満）まで	配偶者、子、父母、孫、祖父母 ・夫、父母、祖父母は年齢制限はないが60歳になるまで支給停止（夫が遺族基礎年金を受給できる場合は支給停止なし） ・子、孫は18歳年度末（障害児は年齢制限なし）まで	厚生年金の条件に統一
遺族年金の転給	なし	あり	なし
未支給年金の範囲	生計を同じくしていた3親等以内の親族	遺族（生計を維持していた配偶者、子、父母、孫、祖父母）。遺族がいないときは相続人	生計を同じくしていた3親等以内の親族
職域年金	なし	あり	なし

■共済年金に合わせる主な制度的差異

共済年金に合わせる場合は、おおむね一元化前の厚生年金より有利になる。

事項	一元化前		一元化後
	厚生年金	共済年金	
年金額の退職改定	資格喪失日（退職日の翌日）の属する月の翌月から改定	退職日の属する月の翌月から改定	退職日の属する月の翌月から改定
被保険者期間の計算	資格を取得した月に資格を喪失し、同月内に国民年金の資格を取得したときは厚生年金の資格期間とする（保険料は、厚生年金、国民年金とも負担）	資格を取得した月に資格を喪失し、同月内に国民年金の資格を取得したときは国民年金の資格期間とする（保険料は、国民年金のみ負担）	共済年金の条件に統一
年金額の端数処理	年額を支給時の支給額に割ったとき1円未満の端数は切り捨て	1円未満の端数を切り捨てた分の合計額（年額との差額）は年度の最終支給時（2月）に加算	共済年金の条件に統一

② 重要項目と必須知識の整理

■制度的差異を残す事項

女性の支給開始年齢は時間とともに解消されるので経過措置として存続する。

事項	一元化前		一元化後
	厚生年金	共済年金	
女性の支給開始年齢の引き上げ	男性より5年遅れで実施	厚生年金の男性と同じスケジュールで実施	もとの制度と同じ

(注) 一元化後の公務員等の厚生年金期間部分（第2号厚年～第4号厚年）についても、女性の支給開始年齢は従来と同じ

■加入期間の合算

厚生年金被保険者期間と共済組合などの複数の加入期間を持つ場合は、受給資格判定で期間を合算するものと合算しないものがある。

受給資格判定期間項目	合算される	合算されない
特別支給の老齢厚生年金（1年〈12カ月〉）	○	
加給年金（20年〈240カ月〉）	○	
振替加算（20年〈240カ月〉）	○	
中高齢寡婦加算（20年〈240カ月〉）	○	
脱退一時金（外国人）	○	
長期加入の特例（44年〈528カ月〉）		○
定額部分の頭打ち計算（40年〈480カ月〉）		○
経過的加算の頭打ち計算（40年〈480カ月〉）		○
中高齢者の短縮特例（40歳以降15年）		○
船員の支給開始年齢の特例		○

(例) 厚生年金加入期間5年、共済年金加入期間15年の受給者
　→ 一元化前は厚生年金、共済年金とも加給年金の受給資格なし
　　一元化後は「5年＋15年＝20年」になるので加給年金の受給資格発生

■年金額（年額）の端数計算

年金額については、一元化前は100円単位（50円未満切り捨て、50円以上切り上げ）だったが、一元化後は原則として1円単位（50銭未満切り捨て、50銭以上切り上げ）になった。ただし、例外的に100円単位のままのものもある。また、老齢基礎年金のように満額は100円単位だが満額以外の場合は1円単位といったケースもある。

100円単位	1円単位
老齢基礎年金（満額）	老齢基礎年金（満額以外）
	老齢厚生年金
加給年金	振替加算
配偶者の特別加算額（加給年金）	
障害基礎年金（2級）	障害基礎年金（1級）
障害厚生年金3級の最低保障額	障害厚生年金
遺族基礎年金	寡婦年金
	遺族厚生年金
中高齢寡婦加算	経過的寡婦加算

（例）405カ月の納付月数の老齢基礎年金（2024年度額〈69歳以上の既裁定者〉）
　　　計算式：813,700円×405／480＝686,559.375
　　　一元化前：686,600円（100円単位）　　一元化後：686,559円（1円単位）

■職域年金と年金払い退職給付

　一元化により共済年金の職域年金（3階部分）は廃止されたが、代わりに年金払い退職給付（法律上の呼称は「退職等年金給付」）が新設された。年金払い退職給付は公的年金とは切り離され、民間の企業年金の扱いになる。なお、一元化前の加入期間部分の職域年金はそのまま支給される。

	年金払い退職給付	職域年金
モデル年金額	月額約1.8万円	月額約2万円
財政方式	積立方式（給付設計はキャッシュバランス方式）	賦課方式
支給	・半分は終身年金 ・半分は有期年金（20年または10年） 　※有期年金は一時金選択も可	終身年金
支給開始	65歳（60歳まで繰上げ、70歳到達まで繰下げ可） ※在職中は支給停止 ※公的年金に合わせ1952（昭27）年4月2日生まれ以降の者の繰下げは75歳到達まで可能になった	65歳（60歳まで繰上げ、70歳到達まで繰下げ可） ※在職中は支給停止
遺族給付	・終身年金部分は遺族給付なし ・有期年金部分は残余部分を一時金として支給 ※公務による死亡は公務遺族年金を支給	職域年金支給額の4分の3を支給（終身）
障害給付	なし ※公務による障害は公務障害年金を支給（在職中は支給停止）	障害年金支給
加入年齢	70歳以降も加入 ※私学共済は70歳になるまで	70歳以降も加入 ※私学共済は70歳になるまで
掛金(保険料)	別途負担（労使折半で上限1.5%〈本人負担0.75%〉）	共済年金の掛金のみ
離婚分割	離婚分割の対象とならない	離婚分割の対象となる

② 重要項目と必須知識の整理

★年金制度改正法の公的年金関連の主な改正内容 （2020〈令2〉6.5公布）

Point

❑ 被用者保険の適用拡大が従業員50人超の企業まで進む

❑ 在職老齢年金の支給停止基準が65歳前後で一本化

❑ 60歳台後半の在職老齢年金に在職定時改定が新たに導入

❑ 繰上げ減額率の緩和（月0.4%）と繰下げ上限年齢引き上げ（75歳）

❑ 70歳以降の繰下げ請求時の一時金選択に増額支給（みなし増額）

■被用者保険（厚生年金保険、健康保険）の適用範囲の拡大

・被用者保険の適用範囲を従業員100人超の企業に拡大（2022〈令4〉10.1）

・被用者保険の適用範囲を従業員50人超の企業に拡大（2024〈令6〉10.1）

※要件のうち、勤務期間要件（改正前は1年以上の見込み）は2カ月超（フルタイム従業員と同じ）に変更（2022〈令4〉10.1）

※強制適用の対象となる5人以上の個人事業所に弁護士、税理士、社会保険労務士などの法律・会計事務を取り扱う士業を追加（2022〈令4〉10.1）

■在職老齢年金制度の見直し

①**低在老（65歳前の特別支給の老齢厚生年金対象の在職老齢年金）の支給停止基準額の見直し**（2022〈令4〉4.1）

支給停止基準額（支給停止調整開始額）を改正前の28万円から高在老（65歳以降の老齢厚生年金対象の在職老齢年金）と同じ47万円に変更。これにより、低在老の年金の減額がなくなる受給者が大幅に増える。

（注）支給停止基準額（支給停止調整額）は毎年見直される。2024（令6）年度は「48万円→50万円」に改定された

②**高在老（65歳以上70歳未満）に在職定時改定を導入**（2022.4.1）

改正前は、退職時、65歳時、70歳時しか在職中の年金額は改定されない。在職定時改定により、在職中の保険料が毎年反映されて年金額が増額するようになった。

※基準日（毎年9月1日）に前年9月から当年8月までの被保険者期間と保険料を追加し、10月分の年金額から改定される

※低在老には在職定時改定は導入されない（退職時改定または65歳時改定で、改正

前と変更なし）

※初回の改定対象は65歳の誕生月から基準日（9月1日）までの期間となり、最後の改定対象は69歳の基準日から70歳の前月までの期間となる

■受給開始時期の選択肢の拡大と見直し（繰上げ・繰下げの見直し）

①繰上げ受給の減額率を1カ月0.4％に緩和（2022.4.1）

　繰上げ受給の減額率は改正前1カ月0.5％だが、0.4％に緩和。60歳までの繰上げ受給の減額率は改定前30％減から24％減に緩和された。

※対象となるのは、1962（昭37）年4月2日生まれ以降の者。1962年4月1日生まれ以前の者は、65歳前でも繰上げ減額率は0.5％となる

②繰下げ受給の開始時期の上限を75歳に引き上げ（2022.4.1）

　65歳の本来受給開始時期の繰下げは、改正前は70歳までの最大5年間だったが、75歳までの10年間に拡大。

※増額率は1カ月0.7％で変更がないので75歳までの繰下げで84％増となる
※対象となるのは、1952（昭27）年4月2日生まれ以降の者。1952年4月1日生まれ以前の者は、70歳までの増額率での繰下げ請求しかできない

③70歳以降の繰下げ請求時の一時金選択に5年前増額（2023〈令5〉4.1）

　繰下げ請求時には増額開始の代わりに65歳（受給権発生時）からの増額なしの本来額を一時金で請求し、以後は本来額で受給する選択もできる。しかし時効により5年より前の年金は受け取れなくなる。繰下げ請求が75歳まで延長されるのに伴い、改正後は5年前の増額率で請求したものとみなした額を一時金で受給できるようになった（特例的な繰下げみなし増額制度）。

　例えば72歳で一時金請求した場合は、67歳時の16.8％増しの年金額を一時金で5年分受給し、16.8％増しの年金額で受給開始できる。対象となるのは、75歳までの繰下げが可能な1952（昭27）年4月2日生まれ以降の者だが、70歳超80歳未満の請求に限られる。80歳を超えて一時金請求してもみなし増額は適用されず過去5年間の本来額受給で年金も本来額で受給開始となる（繰下げ請求の場合は75歳時点の84％増額で受給開始。例えば、81歳で繰下げ請求の場合は過去5年分の84％増額年金を一時金で受け取って84％増額で受給開始）。

　また、繰下げ待機期間中に死亡した場合に遺族が受け取る未支給年金には、

みなし増額は適用されない（本来額による過去５年間分の受給）。遺族厚生年金の年金額も本来額による計算である。

■加給年金の支給停止措置の見直し（2022〈令4〉4.1）

　加給年金は、厚生年金保険の被保険者期間が20年以上あり、生計を維持している配偶者または子（18歳到達年度前等）がいる場合に支給（受給者本人の年金に加算）される。しかし、配偶者が20年以上の厚生年金保険の被保険者期間の老齢厚生年金の受給権を得たときや障害年金の受給権を得たときは、加給年金は支給停止となる。

　改正前は、配偶者がこれらの受給権を得ても全額支給停止されている場合は、加給年金が支給されていた。改正後は、全額停止の場合でも加給年金は支給停止されるようになった（2022年３月時点で加給年金が支給されている場合は支給継続の経過措置あり）。なお、障害年金に関しては変更はなく、配偶者の障害年金が支給停止されている場合は加給年金は支給される。

■短期滞在外国人の脱退一時金制度の支給上限見直し（2021〈令3〉4.1）

　短期滞在外国人が帰国する際の脱退一時金（国民年金、厚生年金保険）の支給額計算に用いる月数の上限を５年（60月）に引き上げる（改正前は上限３年）。

■年金手帳を廃止し基礎年金番号通知書へ切り替え（2022〈令4〉4.1）

　2022年４月１日以降に新たに国民年金被保険者となった者（20歳到達者、20歳前の厚生年金保険被保険者となった者等）は、年金手帳（国民年金手帳）の交付から基礎年金番号通知書の送付に切り替えることとなった。既存の被保険者への年金手帳の再交付申請は廃止（基礎年金番号通知書を交付）するが、所有している年金手帳は、引き続き基礎年金番号の証明書類として利用できる。

Part2　法制度の改正動向と必須知識の整理

（2）企業年金と退職給付会計

★退職給付債務の概念と退職給付会計の計算方法

Point

- ❑退職給付会計は退職給付債務を時価評価する会計制度
- ❑退職給付債務とは退職給付総額（退職一時金、年金）の当期末までに発生している部分の金額
- ❑退職給付会計では退職給付引当金等と退職給付費用を計算する
- ❑小規模企業の退職給付会計では簡便法による計算もできる

■退職給付債務とは退職給付見込額のうち当期末までの部分

　退職給付債務を概念図とイメージで示すと図表2-4のようになる。退職給付債務とは、退職給付見込額（将来、従業員が退職したときに支払う額）のうち当期末までに発生している部分の現在価値である。わが国では、PBO（予測給付債務）をもって退職給付債務と定義している。

　退職給付債務は、各従業員につき残存勤続年数に応じて当期末の退職給付見込額を割引計算して現在価値で評価し、全従業員について合算した額となる。ここで、従業員甲さんを例に退職給付債務を計算してみる。

〈甲さんのプロフィール〉

現在の年齢：55歳　入社時の年齢：23歳　退職予定年齢：60歳
退職給付見込額：1,800万円　割引率：3.0%
※ここでは死亡率や60歳前に退職する率、昇給率は考慮しないものとする

　退職給付見込額の計算方法には、期間定額基準と給付算定式基準があり、どちらかを選択できる。ここでは期間定額基準を適用することとする。

・期間定額基準：退職給付見込額を全勤務期間で除した額を各期の発生額とする方法
・給付算定式基準：退職給付制度の給付算定式を使って計算した退職給付見込額を各期の発生額とする方法

53

② 重要項目と必須知識の整理

図表2-4　退職給付債務の概念図とイメージ

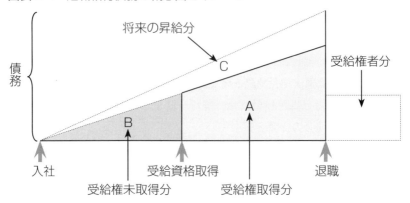

(注)「A + B + C = PBO（わが国の退職給付債務の定義)」。受給権者（受給者・待期者）がいる場合は、別途計算して受給権者分の退職給付債務を加算する

① 確定給付債務（VBO：Vested Benefit Obligation）→ A
　すでに受給権を取得する従業員を対象に支払うことが確定している年金額の現在価値
② 累積給付債務（ABO：Accumulated Benefit Obligation）→ A+B
　受給権を取得している、取得していないにかかわらず、すべての従業員を対象に勤務に応じた年金額の現在価値
③ 予測給付債務（PBO：Projected Benefit Obligation）→ A+B+C
　累積給付債務に将来の従業員の給与の昇給などを考慮して計算した年金額の現在価値

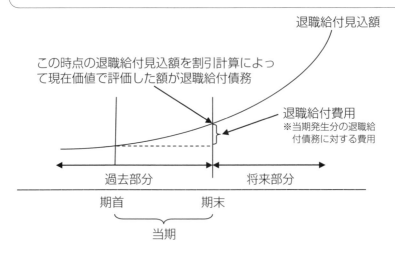

期間定額基準を用いた場合、各従業員の退職給付債務は、以下の算式で求められる。

$$退職給付見込額 \times \frac{これまでの勤務期間（m）}{全勤務期間（m＋n）} \div （1＋r）^n$$

$（1＋r）^n$ は、現在価値への割引計算なので、甲さんの場合、現在55歳から退職予定60歳までの5年分が割り引かれ、次のように計算できる。

$（1＋0.03）^5 = 1.1592\cdots\cdots \fallingdotseq 1.159$

ここから、甲さんの当期における退職給付債務は以下のようになる。

$$1,800万円 \times \frac{32年}{37年} \div 1.159 = 13,431,896.08\cdots\cdots \fallingdotseq 1,343万2,000円$$

■退職給付引当金等と退職給付費用の計算

退職給付会計では、貸借対照表（B/S）に計上する退職給付引当金（個別財務諸表の場合。連結財務諸表の場合は「退職給付に係る負債」）と損益計算書（P/L）に計上する退職給付費用を計算する。

退職給付引当金は退職給付債務（将来の退職給付〈退職一時金や年金の支払いに必要な現時点で発生している現在価値の額〉）に対して現在（当期末）の年金資産が不足する額（積立不足）を表している。

また、退職給付費用は、当期（1会計期間）に発生した退職給付の計算上のコストになる。つまり、1年（1会計期間）たつと退職給付債務も1年分増えていくので、当期分退職給付債務に対する当期費用見積額分を意味する。掛金支出のように当期に実際に支出した額ではない。

個別財務諸表の退職給付引当金の計算式は図表2-5のようになっている。また、退職給付費用の計算式は図表2-6のとおりである。

■退職給付会計の専門用語の意味

退職給付会計では日常的に馴染みのない会計の専門用語が使われるが、主な用語の意味は以下のとおりである。

〈退職給付債務〉

簡単にいえば退職給付（退職一時金と企業年金）の見込額（企業が支払い

2 重要項目と必須知識の整理

図表2-5　退職給付引当金の計算方法

(注) 個別財務諸表では「退職給付引当金」のみ、連結財務諸表では「退職給付に係る負債（退職給付引当金＋未認識債務）」が貸借対照表に計上される

図表2-6　退職給付費用の計算方法

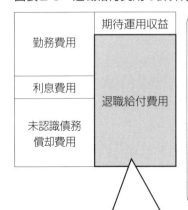

(注) 退職給付費用は損益計算書に計上される

義務を負った額）のうち現時点（当期末）で発生している分を現在価値で見積もったもの（時価評価）である。実際には支払われていないので会社の従業員に対する借金（つまり債務）になる。このような発生主義に基づく評価方法を発生給付評価方式という。

　従業員の退職給付見込額は過去の勤務期間により権利が生じた部分（過去分）と今後勤続していくと退職時点までに権利が発生する部分（将来分）とがある。そこで、まず将来分も含んだ退職給付見込額の総額計算を行う。総額計算では、予想昇給率、退職率、死亡率も考慮される。

　次に、退職給付見込額の総額から当期末時点での過去分の退職給付見込額（期末時点で発生している額）を計算する。計算方法には、期間定額基準と給付算定式基準があり、どちらかを選択する。

　期間定額基準とは、勤務期間を基準とする方法で、全期間の均等割りになるため、毎期〈毎年〉の額が同じになる。一方、給付算定式基準とは、給付算定式により各期に退職給付見込額を割り振る方法である。例えば、勤続3年未満は退職一時金なし、勤続3年以上10年未満では1年につき50万円といった給付方法に合わせることができる。

　最後に、期末時点の退職給付見込額から割引率を使って現在価値を計算して退職給付債務とする。割引率は、安全性の高い債券の利回り（国債、政府機関債、AA格相当以上の社債等）を基礎とすることとされている。

　退職給付債務が計算できたら、退職給付引当金（連結財務諸表の場合は「退職給付に係る負債」）と退職給付費用を計算して財務諸表（貸借対照表、損益計算書）に計上する。

〈退職給付引当金〉

　期末時点で当期までに発生している退職給付債務（退職給付の支払いに必要な見積額）が年金資産額より多い場合に、不足分として計上する引当金のことである。なお、不足分には未認識債務も含まれるが、個別財務諸表では退職給付引当金だけが貸借対照表に計上され、未認識債務は遅延認識できる。遅延認識とは、翌期以降の一定年数で償却（毎年分割で費用化して処理）することである。

一方、連結財務諸表の場合は遅延認識が認められておらず、即時認識（当期の貸借対照表に全額計上）となるので、退職給付引当金と未認識債務の合計額を「退職給付に係る負債」として貸借対照表に計上しなければならない。

〈退職給付費用〉

退職給付債務は当期末までに発生した過去全期間の退職給付支払いに必要な見積額であるが、このうち当期発生分の退職給付債務に対応する費用見積額である。未認識債務の費用処理は連結財務諸表でも遅延認識で処理することができる。

〈未認識債務〉

未認識債務とは、過去勤務費用および数理計算上の差異のうち、まだ処理されていないものをいう。未認識債務は、未認識債務償却費用として毎期計上されながら償却（費用処理）されていく。

〈過去勤務費用〉

退職金規程の改定などの制度変更により退職給付の水準が変更したために生じた退職給付債務の増減額のことである。新たな企業年金の導入による退職給付債務の増減額でも発生する。2012（平24）年の退職給付会計基準改正前は「過去勤務債務」と呼ばれていた項目だが、年金財政計算上の過去勤務債務と区別するため、改正後に名称変更になった。

〈数理計算上の差異〉

退職給付債務の計算は見積もり計算であるため、実績値とのずれ（差異）が生じる。この実績値とのずれを数理計算上の差異と呼んでいる。数理計算上の差異は、予想昇給率、退職率、死亡率の見積もりとの差や基準値の変更、期待運用収益と実績値の差などで生じる。

〈勤務費用〉

従業員が当期に勤務した労働提供によって当期に発生した退職給付の見積額である。退職給付見込額（総額）を毎期（毎年）に配分したときの当期分（1年分）に相当し、退職給付債務の計算と同じ割引率で割引計算する。

〈利息費用〉

期首の退職給付債務に対して期末までに発生した計算上の利息である。期

末の退職給付債務から割引率で割り引いた額が期首の退職給付債務となるため、利率は退職給付債務の割引率となる。つまり、「利息費用＝期首の退職給付債務×割引率」である。

〈未認識債務償却費用〉

未認識債務（過去勤務費用、数理計算上の差異）は、毎期（毎年）分割して一定期間で処理しなければならない。そのため、当期の償却分として費用化したものが未認識債務償却費用である。退職給付費用の一部として損益計算書に計上される。

■小規模企業の退職給付会計では簡便法も使える

退職給付会計の計算方法には、「原則法」と小規模な企業を対象とした「簡便法」がある。簡便法は原則として従業員300人未満の企業で使用することができるが、300人以上の企業でも年齢や勤務期間の偏りなどで数理計算の信頼性が得られないと判断される場合は簡便法を使用することができる。なお、簡便法から原則法への変更は可能だが、原則法から簡便法への変更は従業員の著しい減少など特段の事情がないかぎり認められない。また、連結子会社の場合、親会社が原則法を採用していても小規模な子会社は簡便法を使用することができる。

■簡便法による退職給付会計の計算方法

簡便法による退職給付会計の計算方法は、図表2-7のとおりである。

〔退職給付債務の計算方法〕

簡便法による退職給付債務の計算にはいくつかの方法があるが、最も簡単なのは、退職一時金制度の場合は期末の自己都合要支給額を退職給付債務とする方法である。企業年金制度の場合では、「直近の年金財政計算上の数理債務の額」を退職給付債務とする方法である。また、退職一時金制度の一部を企業年金制度に移行している場合は、退職一時金制度部分を自己都合要支給額、企業年金制度部分を「直近の年金財政計算上の数理債務の額」で計算する方法などがある。

② 重要項目と必須知識の整理

図表2-7　簡便法による退職給付会計の計算方法

退職給付債務の計算

〔退職一時金〕

退職給付債務＝期末自己都合要支給額

※「期末自己都合要支給額に原則法の計算との比率に基づく比較指数を乗じた額」「期末自己都合要支給額に昇給率係数、平均残存勤務期間に対応する割引率を乗じた額」を退職給付債務とする計算方法もある

〔企業年金〕

退職給付債務＝直近の年金財政計算上の数理債務の額

※「原則法による額との比較による比較指数を用いた額」「在籍従業員と年金受給者・待期者に分けて算出した額」を退職給付債務とする計算方法もある

退職給付引当金の計算

〔退職一時金〕

退職給付引当金＝退職給付債務

〔企業年金〕

退職給付引当金＝退職給付債務－年金資産

※連結財務諸表の場合は「退職給付引当金→退職給付に係る負債」

退職給付費用の計算

〔退職一時金〕

退職給付費用＝期末の退職給付引当金－（期首の退職給付引当金－退職金支払額）

〔企業年金〕

退職給付費用＝期末の退職給付引当金－（期首の退職給付引当金－掛金拠出額）

※簡便法では、期末と期首の差額が退職給付費用となるため、未認識債務を考慮する必要はない

Part2　法制度の改正動向と必須知識の整理

簡便法の計算事例

◆A社の今期の状況（退職一時金年金制度）

項目	期首	期末
自己都合要支給額	1,100百万円	1,350百万円
会社都合要支給額	1,800百万円	2,250百万円
退職金支払額		120百万円

①退職給付債務＝期末自己都合要支給額＝1,350百万円
②退職給付引当金＝退職給付債務＝1,350百万円
③退職給付費用＝期末の退職給付引当金－（期首の退職給付引当金－退職金支払額）
　　　　　　　＝1,350百万円－（1,100百万円－120百万円）＝370百万円

◆B社の今期の状況（企業年金制度）

項目	期首	期末
数理債務 ※直近の年金財政計算 　上の数理債務の額	1,100百万円	1,350百万円
年金資産	800百万円	950百万円
掛金拠出額		120百万円
年金支払額		20百万円
年金資産の運用益		60百万円

①退職給付債務＝期末数理債務＝1,350百万円
②退職給付引当金＝退職給付債務－年金資産＝1,350百万円－950百万円＝400百万円
③退職給付費用＝期末の退職給付引当金－（期首の退職給付引当金－掛金拠出額）
　　　　　　　＝400百万円－（300百万円－120百万円）＝220百万円
※期首の退職給付引当金＝期首の退職給付債務－期首の年金資産
　　　　　　　　　　　＝1,100百万円－800百万円＝300百万円

自己都合要支給額とは、期末に全従業員が自己都合で退職した場合に支給しなければならない額のことである。また、企業年金の「年金財政計算上の数理債務の額」とは将来の年金給付に必要な額として準備しておかなければならない額のことである。

〔退職給付引当金等の計算方法〕

簡便法では、退職一時金の場合、退職給付債務がそのまま退職給付引当金（連結財務諸表の場合は「退職給付に係る負債」）となる。また、企業年金の場合は、退職給付債務から年金資産を差し引いた額が退職給付引当金（退職給付に係る負債）となる。

〔退職給付費用の計算方法〕

簡便法の退職給付費用は、期末の退職給付金と期首の退職給付金の差額である。期中に退職一時金では退職金の支払い、企業年金では掛金の拠出があった場合は、これを期首の退職給付引当金（退職給付に係る負債）から差し引く。年金の支払いは事業主ではなく年金制度から年金資産の取崩しによって行われるので、退職給付費用には影響しない。

なお、簡便法では、期末と期首の差額が退職給付費用となるため、未認識債務を考慮する必要はない。

★退職給付会計基準の改正

Point

❏当面は連結財務諸表と個別財務諸表で異なる適用がされる

❏改正前後で名称変更になった項目を押さえておく

2012（平24）年5月17日に企業会計基準委員会から「退職給付に関する会計基準」および「退職給付に関する会計基準の適用指針」が公表された。改正会計基準は、原則2013年4月1日以後開始する事業年度末の財務諸表から適用される（計算方法の変更関係は、2014年4月1日以後開始する事業年度期首から）ことになっているが、当面は連結財務諸表だけに適用され個別財務諸表は従来の会計処理を継続するものがあるなど完全実施ではない。しば

〈改正の主なポイント〉

改正事項	改正前	改正後
未認識債務の処理 ※連結財務諸表のみ	遅延認識で処理する（数理計算上の差異、過去勤務費用、会計基準変更時差異） ※貸借対照表に計上せず、差額を退職給付引当金または前払年金費用として計上	遅延認識しないで即時認識で処理する。未認識部分は「その他の包括利益累計額」として貸借対照表の純資産に計上
退職給付債務および勤務費用の計算方法 ※連結・個別とも変更	・退職給付見込額の期間帰属方法	
	原則として期間定額基準 ※退職給付見込額を全勤務期間で除した額を各期の発生額とする方法	期間定額基準または給付算定式基準（退職給付制度の給付算定式を使用した方法）
	・割引率の見直し	
	退職給付の見込支払日までの平均期間（従業員の平均残存勤務期間に近似した年数も容認）	退職給付支払いごとの支払見込期間を反映するもの
	・予想昇給率の見直し	
	「確実に見込まれる」昇給等が含まれる	「予想される」昇給等が含まれる

※その他、開示の拡充、複数事業主制度の取扱いの見直し、長期期待運用収益率の考え方の明確化、名称等の変更などがある

◇名称変更の項目

改正前	改正後	注意点
退職給付引当金	退職給付に係る負債	連結財務諸表のみ ※従来の引当金に未認識差異等を加えたもの
前払年金費用	退職給付に係る資産	
過去勤務債務	過去勤務費用	連結・個別とも変更
期待運用収益率	長期期待運用収益率	
予定昇給率	予想昇給率	

らくは新旧の会計基準が混在する。

　試験対策としては、表に示した改正事項のポイントを押さえつつ、従来の基準もきちんと理解していくことが必要である。なお、名称変更の項目（勘定科目）は必ず記憶しておきたい。

　また、企業会計基準委員会の「退職給付に関する会計基準」（https://www.asb-j.jp/jp/wp-content/uploads/sites/4/20190422_08.pdf）および「退職給付に関する会計基準の適用指針」（https://www.asb-j.jp/jp/wp-content/uploads/sites/4/taikyu-4_3.pdf）にも、過去問の出題項目を中心に目を通しておくとよい。

★リスク対応掛金とリスク分担型企業年金

Point

- ❏ リスク対応掛金の算定はすべてのDB制度に義務だが拠出は任意
- ❏ リスク分担型企業年金はDB制度だが会計上はDC制度

　2017（平29）年1月より、DB制度の企業年金（確定給付企業年金など）に将来の財政悪化リスクに備えた「リスク対応掛金」の算定が義務づけられ、リスク対応掛金を使用した「リスク分担型企業年金」が新しいタイプのハイブリッド型年金として導入可能になった。

〔リスク対応掛金〕

　将来発生する財政悪化リスクを「財政悪化リスク相当額」（20年に1回の確率で発生する損失に対応できる額）として算定し、5年以上20年以内の期間を定めて計画的に拠出できるのがリスク対応掛金である。設定したリスク対応掛金額は、原則として拠出完了まで変更できない。積立不足に対しては従来も特別掛金による掛金積み増しがされていたが、特別掛金は積立不足発生後でなければ拠出できず、企業の財政上の負担が大きかった。リスク対応掛金の拠出によってあらかじめ積立不足に備えることができる。リスク対応掛金の算定方法には、標準方式と特別方式がある。なお、算定は原則としてすべてのDB制度に義務づけられているが、掛金の拠出は任意である。

〔リスク分担型企業年金〕

　リスク対応掛金を事業主リスク負担分として拠出し、リスク対応掛金を超える負担（積立不足）が発生した場合には、受給額の減額（従業員のリスク負担分）で対応できる仕組みとした制度がリスク分担型企業年金である。導入には労使合意が必要である。なお、リスク対応掛金の拠出によって事業主掛金が固定（追加拠出がない）されるため、会計上は退職給付債務を認識しないDC制度（確定拠出制度）に位置づけられる。ただし、リスク対応掛金を超える積立不足が発生した場合に給付減額だけでなく事業主掛金でも対応するような制度設計の場合は会計上もDB制度（確定給付制度）として取り扱われる。

Part2　法制度の改正動向と必須知識の整理

（3）中高齢期における社会保険

★退職後に加入する公的医療保険の選択肢

Point

❏任意継続被保険者、国民健康保険、家族の健康保険の被扶養者

❏任意継続被保険者は20日以内に手続き、加入期間は最大2年間

　転職で転職先の健康保険に加入する場合を除き、退職後の健康保険加入には、主に3つの選択肢がある。主なポイントは、以下のとおりである。

加入できる制度	主な加入要件と制度内容
任意継続被保険者 ※健康保険の任意継続	退職日まで継続して2カ月以上被保険者（「協会けんぽ」または「健康保険組合」）であり、退職日の翌日から20日以内に手続き。加入期間は2年間。保険料は全額本人負担
国民健康保険	退職日の翌日から14日以内に手続き
家族の健康保険制度 （被扶養者）	60歳以上または障害者の場合は、本人の年収180万円未満（60歳未満は130万円）で被保険者（家族）の年収の2分の1未満（同居していない場合は仕送り額未満）。本人の保険料負担はない。退職日の翌日から5日以内に手続き。なお、雇用保険の失業給付受給中（受給額が一定以上の場合）は被扶養者になれない

（注）いずれの制度も傷病手当金の支給はない

■任意継続被保険者に関する法制度改正

　会社員等が退職した場合、一般的には任意継続か国保（国民健康保険）かの選択となる。選択の最も重要な基準は保険料負担であるが、保険料負担に関連する法制度改正が行われている。

〔任意継続被保険者の任意脱退〕

　任意継続被保険者の加入期間は2年間で、任意に脱退することはできなかった。法改正により、2022（令4）年1月からは、希望すれば任意に脱退できるようになった。このため、任意継続被保険者になった後、国保や家族

65

の健康保険の被扶養者に切り替えることがいつでもできるようになった。

国保の場合、前年年収で保険料が計算されるため、退職翌年は保険料が高くなり、2年目は収入が大きく減るので保険料も安くなる傾向がある。つまり、1年目は任意継続の保険料が低く、2年目は国保が安くなることが多い。法改正により制度が使いやすくなった。

〔任意継続被保険者の保険料設定〕

任意継続被保険者の保険料は全額自己負担で、2年間変わらない。原則として退職時の標準報酬月額から計算されるが、被保険者全体の平均より高い場合は被保険者全体の平均の標準報酬月額（規約でさらに少額となる場合もある）となる。そのため、高所得者ほどメリットが大きい。ただし、健康保険制度の運営側からすると財政負担が増す。

法改正により、2022（令4）年1月からは、健康保健組合については、規約に定めることにより退職時の標準報酬月額で保険料を計算できるようになった。つまり、被保険者全体の平均より高い場合でも、退職時の本人の標準報酬月額とすることが可能となった（協会けんぽは不可）。

★健康保険の傷病手当金の制度概要

Point

- ☐傷病手当金は健康保険のみの制度で国民健康保険にはない
- ☐連続する3日間を含んで4日以上就労できなかったときに支給
- ☐退職後も含めて最長で通算1年6カ月支給される

■傷病手当金は休業4日目から月額給与の約3分の2が支給される

傷病手当金はサラリーマンが加入する健康保険にある制度で、自営業者等が加入する国民健康保険にはない。また、被扶養者や退職者の制度（任意継続被保険者）にもない。

支給される条件は、①業務外の事由による病気やケガの療養のための休業であること、②仕事に就くことができないこと、③連続3日間(土日、祝日、有給休暇、欠勤も含む)を含み4日以上仕事に就けなかったこと（4日目から

支給開始)、④休業した期間について給与の支払いがないことである(給与の支払いがあっても傷病手当金の額よりも少ない場合、その差額が支給される)。なお、③で連続3日間の待期期間が成立すれば、4日目に出社してもその後休業した場合は休業した日から傷病手当金が支給開始になる。

傷病手当金の支給額は月額給与の約3分の2だが、具体的な計算方法は、「(支給開始日以前の継続した12カ月間の各月の標準報酬月額を平均した額÷30日)×2/3＝支給日額」である。また、開始日以前の期間が12カ月に満たない場合は、①支給開始日の属する月以前の継続した各月の標準報酬月額の平均額、②当該年度の前年度9月30日における(協会けんぽ、各健康保険組合ごとに)全被保険者の同月の標準報酬月額の平均額(協会けんぽの場合、30万円)、のいずれか少ないほうの額を用いて計算を行う。

〔傷病手当金の最長支給期間は通算1年6カ月に法改正〕

従来、傷病手当金の支給期間はその間に出勤して給与支払いがあった期間も含めて1年6カ月だった。しかし、2021（令3）年6月4日、「全世代対応型の社会保障制度を構築するための健康保険法等の一部を改正する法律」が成立、2022（令4）年1月1日以降、出勤に伴い不支給となった期間はその分延長されて通算1年6カ月まで支給されることになった(公務員等が加入する共済組合ではすでに通算化されている)。

〔休業中の給与や公的年金との併給調整〕

休業中に給与や公的年金などが支給されているときは併給調整がある。併

調整対象となる給付	傷病手当金の支給
給与	給与との差額分を支給
障害厚生年金	障害基礎年金を含む支給額との差額分を支給
障害基礎年金	障害基礎年金のみ受給している場合は併給調整なし ※障害基礎年金の受給者がその後会社に入社、障害基礎年金の支給事由の傷病により休業し、傷病手当金の受給要件に該当したケース
障害手当金（一時金）	障害手当金の額に達するまで傷病手当金は支給停止
老齢年金	在職中は併給調整なし。退職後は老齢年金（老齢基礎年金含む）との差額分を支給

(注)　1．支給事由が同一傷病でない場合は、傷病手当金と障害年金の併給調整はない
　　　　2．その他にも雇用保険の傷病手当、労災保険の休業給付との併給調整などもある
　　　　3．遺族年金と傷病手当金の併給調整はない

給調整される場合は、原則として傷病手当金が支給停止になり、傷病手当金の額のほうが多いときのみ差額分が傷病手当金として支給される。支給額は日額に換算して比較する。

★雇用保険の制度概要と基本手当の計算方法

Point

- ❏雇用保険は離職理由と被保険者期間によって支給額が異なる
- ❏通常は2年間に被保険者期間が通算12カ月以上必要
- ❏受給期間は離職の翌日から1年間だが一定の要件で延長が可能

■定年退職者には給付制限期間はない

雇用保険の離職者には離職理由によって3つの分類（一般受給資格者、特定受給資格者、特定理由離職者）がある。一般受給資格者の場合は7日間の待期期間と給付制限期間があるが、定年退職者および特定受給資格者、特定理由離職者の場合は7日間の待期期間のみで、給付制限期間はない。なお、

離職者の分類	離職理由	基本手当受給に必要な被保険者期間
一般受給資格者	自己都合退職や定年退職により離職した者	離職以前2年間に12カ月以上
特定受給資格者	倒産や解雇等により離職（会社都合退職）を余儀なくされ、「特定受給資格者の範囲」に該当する者	離職以前1年間に6カ月以上
特定理由離職者	特定受給資格者以外の者であって、期間の定めのある労働契約が更新されなかったことその他やむを得ない理由により離職（正当な理由のある自己都合退職）し、「特定理由離職者の範囲」に該当する者。病気や家庭の事情（介護、通勤困難等） ※2023（令5）年4月1日以降に退職した場合、特定理由離職者の範囲に「配偶者（事実婚含む）から身体に対する暴力やこれに準ずる心身に有害な影響及ぼす言動を受け、加害配偶者との同居を避けるため住所や居所を移転したことにより離職した者」が追加されている	

(注)「特定受給資格者及び特定理由離職者の範囲と判断基準」は厚生労働省ホームページ参照
(https://www.mhlw.go.jp/file/06-Seisakujouhou-11600000-Shokugyouanteikyoku/0000195729.pdf)

自己都合退職による退職の場合、従来の給付制限期間は3カ月間であったが、2020（令2）年10月1日以降に退職した場合は、5年間のうち2回までは給付制限期間※が2カ月間となる。

※さらに2025（令7）年4月以降、給付制限期間は2カ月間から1カ月間に短縮されるとともに、離職期間中や離職日前1年以内に自ら雇用の安定および就職の促進に資する教育訓練を行った場合、給付制限が解除される

■定年退職者（20年以上勤務）の基本手当の所定給付日数は150日

　一般的にいう失業給付は基本手当として支給される。基本手当の計算方法は、下表のとおりである。

　特別支給の老齢厚生年金(65歳前の老齢厚生年金)と基本手当は同時に受給することはできない。ハローワークで求職の申し込みを行った日の属する

〈基本手当の計算方法〉

> 基本手当支給額＝基本手当日額×所定給付日数
>
> 　　※基本手当日額は賃金日額(年齢により上限・下限あり)の45%～80%
> 　　　賃金日額＝離職前6カ月間の賃金総額(賞与除く)÷180日
>
> ●所定給付日数
>
> 〈一般の自己都合退職による離職者〉

被保険者期間	1年未満	10年未満	10年以上20年未満	20年以上
全年齢	──	90日	120日	150日

> 〈特定受給資格者、特定理由離職者〉

被保険者期間	1年未満	1年以上5年未満	5年以上10年未満	10年以上20年未満	20年以上
30歳未満		90日	120日	180日	──
30歳以上35歳未満		120日	180日	210日	240日
35歳以上45歳未満	90日	150日	180日	240日	270日
45歳以上60歳未満		180日	240日	270日	330日
60歳以上65歳未満		150日	180日	210日	240日

> 〈就職困難者〉障害者等

被保険者期間	1年未満	1年以上
45歳未満	150日	300日
45歳以上65歳未満		360日

月の翌月から失業給付の受給期間が経過した日の属する月（または所定給付日数を受け終わった日の属する月）まで、年金が全額支給停止となる。

なお、求職の申し込みをした後で基本手当を受けていない月（待期期間、2カ月の給付制限期間、失業認定を受けなかったため基本手当を受けなかった月など）がある場合、その月分についての年金は支給されるが、受給期間が経過した日（または所定給付日数を受け終わった日）つまり失業給付期間の終了後に調整が行われる。そのため、すぐには年金が支払われず、事後精算としてさかのぼって年金が支払われる（年金の支給再開時の最初の月に支給）。

基本手当の受給期間は、原則として離職日の翌日から1年間であり、申請の遅れにより所定給付日数に達していなくても1年間経過で打ち切られる。ただし、以下のような場合は申し出ることによって受給期間の延長ができる。延長できる期間は最長で3年間となっている。

①傷病等による受給期間の延長

病気やケガ、妊娠・出産・育児、介護等で引き続き30日以上働けない場合は、最大3年間（原則の1年間と合わせて4年間）、受給期間が延長できる。働くことができなくなった期間が30日を超えた日から早期（延長後の最後の日が申請期限）に手続きする。

②定年退職者等の受給期間の延長

60歳以上の定年退職者（雇用延長期間終了者も含む）が希望する場合、最大1年間（原則の1年間と合わせて2年間）、受給期間が延長できる。離職した日の翌日から2カ月以内に手続きする。

★労災保険の給付と公的年金との併給調整

Point

❑労災保険の給付には、療養、休業補償、障害、遺族などがある
❑労災年金と公的年金は労災年金に一定の併給調整（減額）がある

労災保険（労働者災害補償保険）の給付には、主に次ページの表のようなものがある。

Part2　法制度の改正動向と必須知識の整理

給付の種類		給付の事由と内容
療養（補償）給付	療養の給付	労災病院等で療養したとき（現物給付）
	療養費用の給付	労災病院等以外で療養したとき（現金給付）
休業（補償）給付		療養により労働できず、賃金を受けられない日が4日以上に及ぶとき（4日目より給付基礎日額の6割）。なお3日間の待期期間は連続していなくてもよい
障害（補償）給付	障害（補償）年金	傷病が治ゆ（症状固定）したとき、障害等級第1級（313日分）～第7級（131日分）の障害が残ったとき
	障害（補償）一時金	傷病が治ゆ（症状固定）したとき、障害等級第8級（503日分）～第14級（56日分）の障害が残ったとき
遺族（補償）給付	遺族（補償）年金	労災により死亡したとき（153日分～245日分）
	遺族（補償）一時金	遺族（補償）年金の対象となる遺族がいない等のとき（1,000日分）。このうち最先順位の遺族に支給
傷病（補償）年金		傷病が1年6カ月経過した日またはそれ以後、治ゆ（症状固定）しておらず、傷病等級（第1級〈313日分〉～第3級〈245日分〉）に該当するとき
介護（補償）給付		障害（補償）年金または傷病（補償）年金の受給者（第1級または第2級の一部）で、介護を要するとき

（注）　1．療養補償給付は業務災害、療養給付は通勤災害で、合わせて療養（補償）給付という（他の給付も同様）。給付内容は基本的に同じ
　　　　2．給付内容は給付基礎日額（労働基準法の平均賃金相当額）により計算。上記に加えて特別支給金が給付の種類に応じて加算される。例えば、休業（補償）給付は6割支給だが特別支給金2割と合わせて8割の支給となる

〈労災年金と公的年金との併給調整〉

調整対象となる年金	労災年金の支給率		
	障害（補償）年金	傷病（補償）年金	遺族（補償）年金
障害基礎年金＋障害厚生年金	0.73	0.73	――
遺族基礎年金＋遺族厚生年金	――	――	0.80
障害厚生年金	0.83	0.88	――
遺族厚生年金	――	――	0.84
障害基礎年金	0.88	0.88	――
遺族基礎年金	――	――	0.88

（注）　1．公的年金は全額支給され、労災年金が上記支給率に減額される。なお、特別支給金は減額されない
　　　　2．同一傷病でない場合や支給事由が異なる場合は併給調整されない。例えば、労災年金と老齢年金の併給調整はない

②重要項目と必須知識の整理

> ## B分野　確定拠出年金制度

(1) 確定拠出年金の仕組み

★確定拠出年金の掛金拠出限度額

> **Point**
>
> ❑企業型年金の法定拠出限度額は月額55,000円と月額27,500円
>
> ❑個人型年金の拠出限度額は「法定限度額－事業主掛金」（上限あり）
>
> ❑企業型と個人型の同時加入は月額拠出のみ（年単位拠出は不可）
>
> ❑マッチング拠出と個人型年金加入は加入者本人による選択

■目まぐるしく変更される確定拠出年金の掛金拠出限度額

　確定拠出年金の掛金拠出限度額のルールは、この数年で頻繁に変更されているので注意が必要である。2024（令6）年7月1日現在の限度額は図表2-8のようになっている。

　特に、企業型年金と個人型年金の同時加入の場合の限度額が大幅な変更を繰り返している。従来は、企業型年金と個人型年金の同時加入はできなかったが、2017（平29）年1月の法改正で導入が可能になった。ただし、企業型年金規約への定めと事業主掛金を月額35,000円（他の企業年金がある場合は月額15,500円）以下にすることが同時加入の要件だった。一方、同時加入の場合の個人型年金の掛金拠出限度額は、月額2万円（他の企業年金がある場合は月額12,000円）とされた。

　また、企業型年金にマッチング拠出がある場合は、加入者掛金（マッチング拠出の掛金）の拠出の有無にかかわらず、企業型年金加入者は個人型年金に加入できなかった。

　その後、年金制度改正法により、2022（令4）年10月からは、企業型年金規約による同時加入の定めは不要になり、事業主掛金の拠出限度額も法定限度額（月額55,000円〈他の企業年金がある場合は27,500円〉）まで設定が可能

Part2　法制度の改正動向と必須知識の整理

図表2-8　確定拠出年金の掛金の拠出限度額

〈企業型年金〉

企業年金等がない企業	月額55,000円（年間660,000円）※個人型併用の場合は各月拠出のみ	2024（令6）年12月より、企業年金等がある場合は、一律に月額27,500円（年間330,000円）ではなく、他の企業年金（確定給付企業年金など）の掛金額を算定して月額55,000円から控除した金額が企業型年金（事業主掛金）の拠出限度額となる（年間額も同様）
企業年金等がある企業	月額27,500円（年間330,000円）※個人型併用の場合は各月拠出のみ	

(注) 1. 企業年金等とは他の企業年金のことで、厚生年金基金、確定給付企業年金、石炭鉱業年金基金、私学共済の年金払い退職給付のみが該当（中退共、特退共、自社年金は対象外）
　　 2. 掛金は月額累計による年単位管理だが、個人型年金との併用（同時加入）ができるようにするためには、企業型（事業主掛金）・個人型とも各月拠出（月額限度額以内での毎月拠出）でなければならない

〈個人型年金〉

自営業者など（国民年金第1号被保険者、任意加入被保険者）		月額68,000円（年間816,000円）※国民年金基金等との合計額
企業従業員等	企業型年金、企業年金等なし	月額23,000円（年間276,000円）
	企業型年金のみあり(注)	月額55,000円から各月の事業主掛金を控除した残額の範囲内（上限20,000円）
	企業型年金、企業年金等あり(注)	月額27,500円から各月の事業主掛金を控除した残額の範囲内（上限12,000円）
	企業年金等のみあり、公務員	月額12,000円（年間144,000円）
専業主婦（国民年金第3号被保険者）		月額23,000円（年間276,000円）

(注) 掛金は月額累計による年単位管理（年間限度額を任意に決めた月に振り分けて拠出）だが、企業型年金との同時加入の場合は企業型（事業主掛金）・個人型とも各月拠出（月額限度額以内での毎月拠出）でなければならない。また、企業年金のマッチング拠出と個人型年金加入は個人による選択

になった。同時加入の個人型年金の掛金拠出限度額は、法定限度額と事業主掛金との差額となったが、上限2万円（他の企業年金ある場合は月額12,000円）が設定された。そのため、事業主掛金が月額35,000円（他の企業年金がある場合は月額15,500円）を超える設定の場合は上限までの個人型年金掛金の拠出はできなくなる。

　なお、改正前は年単位管理の掛金拠出（数カ月まとめて拠出等）でも同時加入が可能だったが、改正後は、事業主掛金、個人型年金掛金とも月額拠出でなければ同時加入ができなくなった。この場合の月額拠出とは、月額拠出限度額の範囲内の毎月拠出である。つまり、月額2万円の限度額の場合、1カ月目15,000円、2カ月目25,000円といった拠出は認められない。

　マッチング拠出については、加入者自身が個別に加入者掛金に拠出するか個人型年金に加入するかを任意に選択できることになった。企業単位での選

73

択とすることはできない。

　企業型年金の掛金については、さらに 2024（令 6）年 12 月から他の企業年金がある場合の事業主掛金の限度額の改正も予定されている。現在の一律月額 27,500 円を他の企業型年金の掛金相当額とみなすのではなく、個別に掛金相当額を算定することとなる。そのため、企業ごとに事業主掛金拠出限度額が異なってくる（→ p.91）。

★確定拠出年金の掛金拠出限度額の年単位管理

Point

❏限度額の基準は月単位だが、月単位の限度額の累計を年単位で管理

❏年単位管理は 12 月分から翌年 11 月分までの 1 年間で管理する

❏掛金は拠出期間の期末翌月に拠出し、期初に拠出する前納は不可

❏企業型と個人型の同時加入は月額拠出のみ（年単位拠出は不可）

■掛金拠出は月単位の限度額の累計を年単位で管理する

　確定拠出年金の掛金拠出は月単位で毎月拠出だったが、法改正により 2018（平 30）年 1 月からは、年単位の管理に変更された。これにより、年払いやボーナス時払いなど掛金の柔軟な拠出が可能になった。

　掛金拠出の法律の規定は、「各月につき拠出」から改正後は「年 1 回以上、定期的に拠出」となった。納付期限も企業型年金は「翌月末日まで」から「企業型年金規約に定める日」に、個人型年金は「翌月 26 日」から「拠出区分期間（毎月〈12 区分〉から年 1 回〈1 区分〉まで任意に設定できる）の最後の月の翌月 26 日」に変更された。（法 19 条、20 条、21 条他）

　掛金拠出の年単位管理でいう 1 年間（年間拠出限度額の範囲）とは 12 月分から翌年 11 月分となる（掛金拠出単位期間）。納付期限が翌月末になるため実際の拠出では 1 月から 12 月の納付で管理される。

　具体的な掛金設定の流れは、**図表 2-9** のとおりである。

・拠出区分期間を設定する場合は、最後の月の翌月に納付（拠出）する。例えば、12 月～ 5 月と 6 月～ 11 月の 2 区分の場合、第 1 期目は 6 月、第 2 期

図表2-9　年間拠出限度額と掛金設定の流れ

① 年間の拠出限度額を12等分した額が月間の限度額となる。累計額が月間限度額の総額を超えない範囲で任意に設定できる。

（例）年間拠出限度額276,000円÷12カ月＝23,000円（月間限度額）

12月分	1月分	2月分		……		10月分	11月分
23,000円	23,000円	23,000円				23,000円	23,000円

1カ月目の限度額

2カ月目の累計限度額（46,000円）

3カ月目の累計限度額（69,000円）

12カ月目の累計限度額（276,000円）※年間限度額

② まず、年間の拠出期間の区分（拠出区分期間）を決め、拠出額の配分を決める。以下の例の年間拠出限度額は276,000円とする。

（例1）拠出区分期間は12区分で毎月23,000円ずつ均等拠出

（例2）拠出区分期間は12区分で毎月10,000円ずつ拠出し、5月分（6月拠出）と11月分（12月拠出）は各78,000円上乗せ拠出する。

　※5月分までの累計限度額＝23,000円×6カ月＝138,000円
　　4月分までの累計拠出額＝10,000円×5カ月＝50,000円
　　5月分の拠出可能限度額＝138,000円－50,000円＝88,000円
　　5月分の拠出額＝10,000円＋78,000円＝88,000円
　※11月分までの累計限度額＝23,000円×12カ月＝276,000円
　　10月分までの累計拠出額＝188,000円
　　12月分の拠出可能限度額＝276,000円－188,000円＝88,000円
　　12月分の拠出額＝10,000円＋78,000円＝88,000円

（例3）拠出区分期間は「12月分から5月分」と「6月分から11月分」の2区分とし、1期目は126,000円、2期目は150,000円拠出する。

　※5月分までの累計限度額＝23,000円×6カ月＝138,000円
　　1期目の拠出額（6月拠出）＝126,000円
　※11月分までの累計限度額＝23,000円×12カ月＝276,000円
　　10月分までの累計拠出額＝126,000円（1期目の拠出額）
　　2期目の拠出可能限度額＝276,000円－126,000円＝150,000円
　　2期目の拠出額（12月拠出）＝150,000円

目は12月に納付する年2回の拠出となる。6月より前の月（4月など）に納付することはできない

・拠出額は拠出ごとに同額でなくてもよい。例えば、毎月拠出でも3カ月ごとに増額したり、年2回ボーナス月は増額するなどである。ただし、掛金拠出単位期間（1年間）で拠出配分をあらかじめ設定しておく必要がある

・拠出区分期間の区分や拠出額は均等でなくてもよい。例えば、12月～3月と4月～11月など任意に区分できる。また12月～5月と6月～11月の均等の2区分でも第1期は10万円、第2期は15万円などが可能である。ただし、拠出時の累計限度額の範囲でなければならない

・年間拠出限度額は各月の累計限度額となるので、拠出期間の期末にまとめて拠出することはできるが、期初にまとめて拠出する前納はできない。そのため、年1回拠出の場合は11月分（12月納付）に限られる

・拠出区分期間と拠出額はあらかじめ設定した区分や額で拠出しなければならない。そのため、2月分を拠出できなかったため3月にまとめて2カ月分を拠出するといった追納もできない。拠出できなかった月の分は累計限度額が積み上がらないほか、通算加入者等期間や通算拠出期間には算入されない。第1号加入者（自営業者など）が国民年金の保険料未納月である場合も同様である

・累計限度額と実際の掛金拠出額との差額は、拠出単位期間（1年間）内に限り繰り越せる。例えば12月分～5月分で10万円の差額がある場合、残りの6月分～11月分の拠出額に上乗せできる。ただし、掛金拠出単位期間（1年間）をまたがって繰り越すことはできない

・拠出区分期間と拠出額は年1回、変更できる

・個人型年金の掛金設定の下限5,000円以上も拠出区分期間内の月数の累計となるので拠出区分期間を毎月以外に設定した場合は注意が必要である。例えば、3カ月を拠出区分期間とした場合、「5,000円×3 = 15,000円」以上に掛金を設定する必要がある

・個人型年金の場合、国民年金基金連合会の毎月の手数料105円は拠出月についてのみ徴収されるので、6カ月を拠出区分期間としたような場合は拠出

月の1回のみ105円が徴収される

・マッチング拠出を実施している場合、事業主掛金と加入者掛金の拠出区分期間は同じでなくてもよい

・2022（令4）年10月より、企業型年金と個人型年金の同時加入の場合は事業主掛金、個人型年金掛金ともに各月の拠出限度額の範囲内での各月納付に限られることになった。各月納付になっていない場合は、各月納付に変更する必要がある

★確定拠出年金の老齢給付金の受給に関係する期間

Point

❏ 「通算加入者等期間」は老齢給付金の受給開始期間の判定基準
❏ 「通算拠出期間」は掛金の拠出期間の合計で、退職所得控除額を計算するときの勤続年数として使われる
❏ 「勤続年数」は入社日から退職日までの期間（加入期間ではない）

■通算加入者等期間は60歳まで、通算拠出期間は60歳以降も算入

確定拠出年金の老齢給付金の受給に関係する期間の定義は図表2-10のとおりである。

「通算加入者等期間」は老齢給付金の受給開始年齢の判定だけに使われる基準で、10年以上あれば60歳から老齢給付金の受給を開始できる。なお、通算加入者等期間は60歳到達月までしか算入されないため、60歳以降に確定拠出年金の加入期間（加入者、運用指図者）があっても、通算加入者等期間にはならない。60歳以降の新規加入者で、通算加入者等期間がない場合は、加入後5年を経過した時点で老齢給付金の請求を開始することができる。

「通算拠出期間」は実際に掛金を拠出した期間だけを算入する。退職所得控除額を計算するときは、通算拠出期間を勤続年数とみなす。紛らわしいが、事業主掛金の返還の判定に使われる「勤続年数」とは異なる。

なお、企業型年金と個人型年金の加入期間が重なっている場合は、重複期間は1つの加入期間として通算加入者等期間や通算拠出期間に算入する。

② 重要項目と必須知識の整理

図表2-10　確定拠出年金の受給に関係する期間の定義

通算加入者等期間	・加入者期間（企業型年金＋個人型年金）と運用指図者期間（企業型年金＋個人型年金）の合計期間 ※導入前の他制度からの資産移換部分の期間も含む ・60歳未満の期間のみ算入（60歳到達月は算入） ・老齢給付金の受給開始年齢の判定のみに使われる
通算拠出期間	・掛金の拠出期間の合計 ※導入前の他制度からの資産移換部分の期間も含む ・退職所得控除額計算の勤続年数（60歳以降含む）、脱退一時金の要件（5年以下）の判定に使われる
勤続年数 （勤続期間）	・入社日から退職日までの期間（転職するごとにリセットするので転職先では通算されない） ・事業主掛金の返還可否（3年未満）判定に使われる

〔複数の退職一時金受給での退職所得控除額への勤続年数算入の調整〕

　退職一時金の退職所得控除額計算では複数の退職一時金を受け取る場合には、勤続年数の調整（重複期間は除かれ1期間で算入する）が行われる。

　通常の退職一時金の勤続年数の調整は「前年以前4年以内」だが、確定拠出年金の場合は「前年以前19年以内」となる。

　これは、60歳で受給権を得ても75歳になるまで15年間給付を保留できることを考慮した措置である（4年＋15年＝19年）。2022（令4）年4月の70歳から75歳への受給開始可能年齢の拡大に伴い改正前の14年から19年となった。（所得税法30条・31条、所得税法施行令69条1項1号、同施行令70条）

　退職一時金と確定拠出年金の一時金を受給する場合、勤続年数を有利に使うには、確定拠出年金を先に受け取り、5年以上経ってから退職一時金を受け取るとよい。例えば、勤続年数が30年で、確定拠出年金の通算拠出期間が20年で重複している場合、確定拠出年金受給時に勤続年数20年を使い、5年以上経過後に退職一時金を受給すれば勤続年数30年が使える。退職一時金を先に受給した場合は、確定拠出年金受給時の勤続年数は重複により調整され、勤続年数はゼロ（退職一時金の退職所得控除を使い切っている場合）となる（退職所得控除は最低保障額の80万円）。

Part2　法制度の改正動向と必須知識の整理

★確定拠出年金の脱退一時金の支給要件

Point

❑企業型年金への請求は６カ月以内、個人型年金への請求は２年以内

❑通算掛金拠出期間５年以下または資産額25万円以下が要件の１つ

❑個人型年金に加入できない者（国民年金保険料免除者、日本国籍を有しない海外居住者など）が要件の１つ

企業型年金

〔**個人別管理資産額が１万5,000円以下の場合**〕

　以下の要件をすべて満たしたときに脱退一時金が受けられる。

(1) 確定拠出年金（企業型・個人型）の加入者または運用指図者でないこと

(2) 企業型年金の最後の<u>資格喪失日の翌月起算で６カ月以内</u>であること

〔**個人別管理資産額が１万5,000円を超える場合**〕

　以下の要件をすべて満たしたときに脱退一時金が受けられる。

(1) 60歳未満であること

(2) 確定拠出年金（企業型・個人型）の加入者または運用指図者でないこと

(3) 個人型年金に加入できない者であること

　　※国民年金の保険料免除者（産前産後免除、障害事由を除く）、日本国籍を有しない海外居住者など

(4) 日本国籍を有する海外居住者（20歳以上60歳未満）でないこと

(5) 確定拠出年金の障害給付金の受給権者でないこと

(6) 通算拠出期間が５年以下または個人別管理資産額が25万円以下であること

　　※上記５年には、他の企業年金等から制度移行により資産移換を受けて算入した期間含む
　　※上記25万円は、企業型年金で勤続３年未満の退職で事業主掛金返還があるときは、返還分を差し引いた残額

(7) 企業型年金の最後の<u>資格喪失日の翌月起算で６カ月以内</u>であること

個人型年金

〔**個人型年金の脱退一時金の支給要件**〕

① 60歳未満であること

79

②企業型年金加入者でないこと

③個人型年金に加入できない者であること

④日本国籍を有する海外居住者(20歳以上60歳未満)でないこと

⑤確定拠出年金の障害給付金の受給権者でないこと

⑥通算の掛金拠出期間が5年以下または個人別管理資産の額が25万円以下であること

⑦最後に企業型年金加入者または個人型年金加入者の資格を<u>喪失した日から起算して2年を経過していないこと</u>

　　(注) ①③④⑤⑥は企業型年金(個人別管理資産額1万5,000円超)の(1)(3)(4)(5)(6)の要件と同じ

★確定拠出年金の離転職時のポータビリティ

Point

❏確定拠出年金の資産は企業型年金へも個人型年金へも移換できる

❏企業型年金の資産は企業年金連合会へ移換できる（個人型は不可）

❏企業型年金の資産は6カ月以内に行わないと自動移換になる

■資産の移換先や移換時期が柔軟に選択できるようになった

確定拠出年金の個人別管理資産のポータビリティはここ最近で複数回にわたって改正されているので、混乱のないように整理しておきたい。2024(令6)年7月1日現在の確定拠出年金および企業年金間の資産移換の制度は図表2-11、図表2-12のようになっている。

2017(平29)年1月からは企業型年金と個人型年金の同時加入ができるようになったため、離転職の際の資産移換が非常に複雑になった。さらに、2018年5月の改正後にも確定給付企業年金への移換が可能になったことに伴い、確定拠出年金の移換ルールも緩和された。従来、企業型年金や個人型年金の資産は、転職先に企業型年金がある場合は移換に制約があったが、同時加入の要件緩和により転職前の資産は企業型年金や個人型年金への移換を自由に選択できるようになった。また、資産の移換は離転職時に行わなければならなかったが、任意の時点で行えるようになった。ただし、企業型年金の

Part2　法制度の改正動向と必須知識の整理

図表2-11　企業型年金加入者の離転職時の年金資産の移換（60歳未満）

転職先	加入制度	企業型年金資産の移換
企業型年金導入企業	転職先企業の企業型年金のみに加入	転職先企業の企業型年金に移換 ※個人型年金に移換（加入者、運用指図者）も可
	転職先企業の企業型年金と個人型年金に同時加入	転職先企業の企業型年金に移換 ※個人型年金に移換（加入者）も可
	転職先企業の企業型年金と確定給付企業年金に加入	転職先企業の企業型年金に移換 ※個人型年金に移換（加入者、運用指図者）も可 ※確定給付企業年金に移換も可（規約で認められている場合に限る）
企業型年金未導入企業または公務員	個人型年金（加入者、運用指図者）	個人型年金（国民年金基金連合会）に移換 ※確定給付企業年金があればそこに移換も可（規約で認められている場合に限る）
退職して自営業者（国民年金第1号被保険者）	個人型年金（加入者、運用指図者）	個人型年金（国民年金基金連合会）に移換
退職して専業主婦（国民年金第3号被保険者）	個人型年金（加入者、運用指図者）	個人型年金（国民年金基金連合会）に移換

(注) 1. 転職前に個人型年金（加入者、運用指図者）に資産がある場合は、転職先の企業型年金、確定給付企業年金へ移換することも、そのまま個人型年金の資産を継続することもできる
　　　2. 企業型年金の資産は、退職等の後、企業年金連合会への移換も可（個人型年金の資産は不可）
　　　3. 資格喪失日の翌月から6カ月以内に移換手続きをしなかったときの自動移換は、運用商品を解約して換金のうえ国民年金基金連合会（連合会が委託する特定運営管理機関）に資産が移され、資産から手数料が徴収される（移換手数料4,348円、管理手数料月額52円）

　資産は加入者資格喪失日（退職日の翌日）の翌月から6カ月以内に手続きをしないと自動移換になってしまう。

■離転職時の個人別管理資産の自動移換のルール

　企業型年金の個人別管理資産は、60歳未満で離転職するときには原則として移換手続きが必要である。移換手続きをしないで放置しておくと以下のようになる。

・資格喪失日（退職日の翌日）の翌月から起算して6カ月経過すると国民年金基金連合会に自動移換（強制移換）される
・自動移換時には現金化されて特定運営管理機関（国民年金基金連合会が委託する自動移換の記録を管理する運営管理機関）で管理される

2 重要項目と必須知識の整理

図表2-12　企業年金資産の制度間ポータビリティ

		転職先（移換先）の企業年金					
		厚生年金基金	確定給付企業年金	確定拠出年金		中退共	企業年金連合会
				企業型年金	個人型年金		
転職前（移換前）の企業年金	厚生年金基金	○	○	◎	◎	△ *1	◎
	確定給付企業年金	○	○	◎	◎	△ *2	◎
	確定拠出年金 企業型年金	×	○	◎	◎	△ *2	◎ *4
	確定拠出年金 個人型年金	×	○	◎	◎	×	×
	中小企業退職金共済（中退共）	×	△ *3	△ *3	×	○	×
	企業年金連合会	○	○	◎	◎	×	

(注) ◎＝本人の選択で移換可能、○＝受入れ側規約の規定で移換可能、×＝移換不可、
　　△＝制限あり
　　＊1 基金が解散した中小企業の場合に限る　＊2 合併等に限る
　　＊3 中小企業でなくなった場合および合併等に限る
　　＊4 企業型年金から企業年金連合会への移換は2022（令4）年5月から可能になった

・自動移換の期間中は資産の運用ができなくなり、手数料がかかるほか通算加入者等期間にも算入されない

　年々増え続ける自動移換対策として法改正が実施され、2018（平30）年5月からは、離転職後に新たに加入が確認された場合は、本人が移換手続きをしていなくても、新たに加入した制度（企業型・個人型同時加入の場合は、企業型年金〈Q&A233-2〉参照）に資産が移換されることになった。

〔自動移換が救済されるケース〕

資格喪失日の翌月から6カ月以内に他の企業型年金加入者や個人型年金加入者等になった場合	▷	6カ月経過時点で資産移換される
自動移換後（6カ月経過後）に他の企業型年金加入者や個人型年金加入者等になった場合	▷	確認された時点で資産移換される

(注) 確認される場合とは、本人情報（基礎年金番号、性別、生年月日、カナ氏名）が一致する場合

(2) その他

★営業職員の運営管理業務の規制緩和

Point

❏運用商品の選定は運営管理業務の専任職員しか行えない

❏運用商品の選定以外の運営管理業務は営業職員が兼務できる

2019（令元）年7月より、金融機関の営業職員による運営管理業務の兼務規制が緩和された。主な緩和内容は、以下のとおりである。

業務内容	運営管理業務専任職員	営業職員	
		改正前	改正後
運用商品（運用の方法）の選定	○	×	×
運用商品の提示および情報提供	○	×	○
運用商品の選定理由の説明 ※原則、すべての運用商品について行う	○	×	○
運用商品の内容の詳細な説明 ※原則、すべての運用商品について行う	○	×	○
運用商品の推奨	×	×	×
投資教育（制度の説明や運用商品の一般的な説明） ※これは運営管理業務ではない	○	○	○
個人型年金への加入の勧誘 ※これは運営管理業務ではない	○	○	○

確定拠出年金の運営管理機関は、もっぱら加入者等の利益のみを考慮して、中立的な立場で運営管理業務を行う必要がある。金融機関が運営管理機関である場合は、金融商品の販売等も行っており、営業職員が運営管理業務を兼務することは禁止されていた。法改正後は利益相反となる可能性の低い大部分の運営管理業務については、営業職員の兼務が可能になった。ただし、「運用商品の選定」については、自社商品等を選ぶといった利益相反の可能性が高いことから、引き続き専任職員しか行えない。なお、投資教育や個人型年金の勧誘などはもともと運営管理業務ではない。

2 重要項目と必須知識の整理

★確定拠出年金法の改正と加入対象者拡大 （2016〈平28〉6.3公布）

> **Point**
> ❑専業主婦や公務員などほぼ誰でも確定拠出年金に加入可能になった
> ❑企業型年金と個人型年金の同時加入が可能になった
> ❑掛金拠出が月単位管理から年単位管理に移行
> ❑中小企業では事業主が個人型年金への掛金上乗せが可能になった
> ❑運用の改善 （運用商品上限35本、元本確保型商品の提示義務廃止等）

■個人型年金への加入対象者の拡大 （2017〈平29〉1.1）

　従来、確定拠出年金に加入できなかった第3号被保険者や公務員などの個人型年金への加入が可能となった。企業型年金と個人型年金の同時加入（重複加入）も可能となった。これにより、海外居住者（後に改正→ p.88）と国民年保険料免除者以外は誰でも確定拠出年金への加入が可能となった。

　ただし、企業型年金加入者が個人型年金に同時加入する場合には、企業型年金規約に定めることが必要とされた（その後、2022〈令4〉年10月に規約の定めは撤廃）。なお、マッチング拠出を実施している企業型年金加入者は加入者掛金の拠出の有無にかかわらず個人型年金には加入できないとされた（その後、2022〈令4〉年10月の改正で、加入者掛金と個人型年金加入を本人が選択できることになった）。

　企業型年金と個人型年金の同時加入の場合、掛金の法定拠出限度額は改正前と同じだが、他の企業年金がない場合は「事業主掛金月額35,000円（年間42万円）、個人型年金掛金月額2万円（年間24万円）」、他の企業年金がある場合は「事業主掛金月額15,500円（年間186,000円）、個人型年金掛金月額12,000円（年間144,000円）」が拠出限度額とされた。その後、2022〈令4〉年10月の改正で、「法定限度額－事業主掛金＝個人型年金掛金（上限あり）」となった（ただし年単位拠出不可）。

■離転職時の際のポータビリティが多様化 （2018〈平30〉5.1）

　企業型年金と個人型年金の同時加入が可能になったことに伴い、離転職時

の DC 資産の移換（ポータビリティ）が多様化し非常に複雑になった。

特に、2018（平30）年5月からは、確定拠出年金の資産移換が大幅に緩和された。従来、転職先の企業型年金に加入する場合、転職前の企業型年金資産は転職後の企業型年金に移換しなければならず、個人型年金に移換することはできなかった（同時加入を認めていても個人型年金は新規加入）。また、個人型年金資産は転職先の企業型年金が同時加入を認めていなければ企業型年金に移換するか、個人型年金運用指図者として継続するかだった。

しかし、改正後（2018年5月1日以降）は、転職前の企業型年金資産・個人型年金資産とも、転職先の企業型年金に移換するか個人型年金を継続（転職前の企業型年金資産の場合は個人型年金へ移換）するかを選択できるようになった。転職先で確定給付企業年金への移換を認めている場合には、確定給付企業年金への移換も選択できる。

さらに、移換の時期は離転職時に限らず、申出により任意の時期にできるようになった。ただし企業型年金資産は資格喪失日の翌月から6カ月経過すると国民年金基金連合会へ自動移換されるので注意しなければならない。

自動移換についても、従来は企業型年金の資格喪失日の翌月から6カ月を経過すると国民年金基金連合会へ自動移換されていたが、2018年5月1日以降は、手続きをしなくても、①6カ月以内に転職先の企業型年金または個人型年金に加入した場合は6カ月経過時点で資産移換が行われる、②6カ月経過して国民年金基金連合会に自動移換された後でも、転職先の企業型年金または個人型年金に加入した場合は資産移換が行われるという扱いになった。

■確定拠出年金の掛金拠出を月単位から年単位管理に（2018.1.1）

改正前の確定拠出年金の掛金拠出は月単位となっていたが、年単位の管理に変更された（年単位管理の内容については、p.74参照）。しかし、2022（令4）年10月の企業型年金と個人型年金の同時加入の緩和により、年単位管理では同時加入ができなくなった。同時加入以外の場合は、改正後も年単位管理による掛金拠出が可能である。

2 重要項目と必須知識の整理

■個人型年金加入者への事業主の追加掛金納付 (2018.5.1)

　個人型年金へ加入している従業員について、中小企業(従業員100人以下。2020〈令2〉年10月からは300人以下に拡大)の事業主の追加掛金納付が可能となった(個人型年金への中小事業主掛金納付制度；愛称「iDeCo ＋」〈イデコプラス〉)。

・企業年金を実施していない中小企業が対象
　※ここでいう企業年金とは、企業型年金、確定給付企業年金、厚生年金基金。なお、公務員と私学厚年は年金払い退職給付が企業年金とみなされる

・事業主掛金納付を導入する場合は労働組合等の同意が必要

・事業主掛金は定額のみ(一定の資格を設けた場合は資格別設定は可能)

・個人型年金加入者は、個人型年金の拠出限度額(月額23,000円相当)と事業主掛金との差額の範囲内で自分の掛金を任意に設定できる
　(例)事業主掛金月額10,000円の場合、加入者掛金は月額5,000円以上13,000円以内

・掛金は加入者掛金と事業主掛金を合わせて事業主が納付

■中小企業向け簡易型DC制度を創設 (2018.5.1)

　従業員100人以下(2020年10月からは300人以下に拡大)の中小企業を対象に簡易企業型年金制度が創設された。設立手続等が大幅に緩和されたことにより、実施企業の事務負担等が軽減される。

・第1号等厚生年金被保険者(一般厚年〈会社員〉、私学厚年)が100人(現300人)以下の中小企業が対象(導入は労働組合等の同意が必要)

・通常の企業型年金のような一定の資格を定めることは不可(全員加入)

・事業主掛金は定額のみ

・加入者掛金は1つでもよい

・運用商品の提供は2本以上35本以下

・制度導入時の提出書類は企業型年金規約等に簡素化し、運営管理機関委託契約書、資産管理契約書等は省略できる

■確定拠出年金の運用の改善 (2018.5.1)

　運用商品数が多すぎるため加入者の運用商品選択の障害になっていること

から、運用商品数の抑制等が行われた。また、あらかじめ定められた指定運用方法により分散投資効果が期待できる商品設定ができる規定を整備する。

・運用商品提供数は 35 本以内
・提示商品はリスク・リターン特性の異なる 3 つ以上（簡易企業型年金は 2 つ以上）の商品（元本確保型商品が含まれていなくてもよい）
　※元本確保型商品を提示する場合には、それ以外に 2 つ以上（簡易企業型年金は 1 つ以上）の提示が必要
・商品除外規定は、運用商品を廃止する場合、従来の「選択者（当該商品を選択している者）全員の同意が必要」から<u>3 分の 2 の同意が必要</u>に緩和
・指定運用方法（デフォルト商品）の規定では、特定期間（最初の掛金納付日から 3 カ月以上で規約で定める期間）、特定期間経過後に指定運用方法の適用を通知、さらに猶予期間（特定期間経過日から 2 週間以上で規約に定める期間）を経過しても運用指図がない場合、指定運用方法での運用が開始できる。改正前は掛金納付時点で運用指図がないとデフォルト商品での運用が開始できた
・継続投資教育を改正前の「配慮義務」から<u>努力義務</u>へ強化

■確定拠出年金からのポータビリティ拡充（2018.5.1）

　確定拠出年金から確定給付企業年金や中小企業退職金共済制度（中退共）への資産移換（年金資産の持ち運び）が可能となった（ポータビリティの拡充）。改正前は確定給付企業年金から確定拠出年金への資産移換は認められていたが、確定拠出年金の資産を確定給付企業年金へ移換することはできなかった。

・改正後も個人型年金と中退共間の資産移換はできない
・確定給付企業年金や企業型年金から中退共への資産移換は、企業の合併等の場合に限られる
・中退共から確定給付企業年金や企業型年金への資産移換は、改正前は中小企業でなくなった場合だけだったが、企業の合併等の場合も可能となった

②　重要項目と必須知識の整理

★年金制度改正法の企業年金関連の主な改正内容（2020〈令2〉6.5公布）

Point

❑ 確定拠出年金の受給開始時期が60歳から75歳までの範囲に拡大

❑ 確定拠出年金の加入可能年齢引き上げ（企業型70歳未満、個人型65歳未満）

❑ 確定拠出年金の脱退一時金が短期滞在外国人も受給可能に

■確定給付企業年金の見直し（2020〈令2〉6.5）

　従来60歳から65歳までの受給開始時期（年齢要件）の設定範囲を60歳から70歳までの範囲に拡大。

■確定拠出年金の受給開始時期の拡大（2022〈令4〉4.1）

　確定拠出年金の老齢給付金の受給開始は60歳から70歳の間で可能だったが、60歳から75歳の間に拡大。

■確定拠出年金の加入可能年齢の引き上げ（2022〈令4〉5.1）

企業型年金：改正前65歳未満→原則70歳未満（第1号等厚生年金被保険者）

　　※第1号等厚生年金被保険者とは、企業従業員と私学共済の厚生年金保険被保険者で公務員は除かれる（法2条6項）

　　※ただし、規約によって60歳以上70歳未満の範囲で資格喪失年齢を定めることができる。資格喪失年齢は定年年齢と一致させる必要はない

　　※改正前は60歳以上の加入は60歳時の継続加入者に限られていたが、制約が撤廃され、60歳以上の転職者なども加入可能になる。ただし、企業型年金の老齢給付金（年金、一時金）の裁定請求をした者は企業型年金には加入できない（個人型年金への加入は可能）

個人型年金：改正前60歳未満→65歳未満（60歳以上で加入できるのは厚生年金保険被保険者の会社員等以外は国民年金任意加入被保険者に限られる）

※改正前は、海外居住者は国民年金任意加入被保険者であっても個人型年金に加入できなかったが、海外居住者(20歳以上65歳未満)の国民年金任意加入被保険者も個人型年金に加入可能となる

※個人型年金の老齢給付金(年金、一時金)の裁定請求をした者は個人型年金には加入できない(企業型年金への加入は可能)

■確定拠出年金の脱退一時金の受給要件見直し (2022.5.1)

改正前に脱退一時金が受給できるのは、国民年金の保険料免除者にほぼ限られていた(企業型年金では個人別管理資産額1.5万円以下の例外あり)。改正(→改正後の受給要件はp.79)により、保険料免除者の要件が「個人型年金に加入できない者であること」となったため、保険料免除者に加えて「日本国籍を有しない海外居住者」も該当することになった。つまり、短期滞在の外国人も帰国時に脱退一時金が受けられるようになった。

外国人が帰国する場合、一定の要件を満たせば公的年金の脱退一時金が受給できる。しかし、確定拠出年金では国民年金の保険料免除者が要件となっていたことから脱退一時金を受給できなかった。改正により、公的年金に合わせて確定拠出年金の脱退一時金も受給できるようになった。

■企業型年金加入者の個人型年金加入要件の緩和 (2022.10.1)

規約の定めが不要になり、事業主掛金の上限引き下げを行わなくても、企業型年金加入者は全体の拠出限度額(企業型年金のみの場合月額55,000円、他の企業年金がある場合月額27,500円)と事業主掛金の差額の範囲内で個人型年金に加入できるようになった。ただし、同時加入の場合の個人型年金の拠出限度額は2万円(他の企業年金がある場合は12,000円)となる。個人型年金の掛金は企業型年金の事業主掛金との差額であるため、事業主掛金が35,000円(他の企業年金がある場合は15,500円)を超えると個人型年金の拠出限度額も減っていく。

マッチング拠出のある企業型年金の加入者については、従来、個人型年金に加入できなかったが、改正後はマッチング拠出と個人型年金加入の選択が

できるようになった。

なお、これら企業型年金と個人型年金の同時加入では企業型年金・個人型年金ともに月額拠出限度内の各月拠出掛金に限られる。そのため、年単位管理拠出の掛金になっている場合は企業型年金と個人型年金の同時加入はできなくなった。年単位管理拠出の場合は、各月納付に変更すれば同時加入ができる。

■その他の確定拠出年金の各種見直し

〔確定拠出年金の中小企業向け制度の企業規模拡大〕 2020（令2）10.1

・中小事業主掛金納付制度（イデコプラス）の企業規模（改正前従業員 100 人以下）を従業員 300 人以下に拡大

・簡易企業型年金の企業規模（改正前従業員 100 人以下）を従業員 300 人以下に拡大

〔企業型年金から企業年金連合会への資産移換など〕 2022（令4）5.1

改正により、次の 2 つのポータビリティの拡充が行われた。

① 退職者の企業型年金の年金資産を企業年金連合会に移換し通算企業年金とすることが可能となった

※改正前は確定給付企業年金等の年金資産を企業年金連合会に移換することしかできなかった。移換された確定給付企業年金等の年金資産を確定拠出年金（企業型年金、個人型年金）に移換することは可能だった

② 確定給付企業年金が終了（廃止）された場合、個人型年金に確定給付企業年金の年金資産が移換できるようになった

※改正前は退職時に確定給付企業年金の年金資産を確定拠出年金（企業型年金、個人型年金）に移換することしかできなかった

〔国基連の企業年金連合会への継続投資教育委託〕 2020.6.5

企業型年金を実施する事業主は運営管理機関だけでなく、企業年金連合会へも継続投資教育を委託できる。しかし、国基連（国民年金基金連合会）の場合は、運営管理機関には委託できるが、企業年金連合会への委託は認められていなかった。改正後は、国基連も企業年金連合会へ継続投資教育を委託で

きるようになった。

〔運営管理機関の登録事項の簡素化〕2020.6.5

　運営管理機関の登録事項に役員の住所等が含まれていたが、類似の業法で現在は削除されていることから、確定拠出年金の運営管理機関の登録事項からも削除された。

〔企業型年金規約の軽微な変更の届出改善〕2020.10.1

　企業型年金の規約変更には労使合意と厚生労働大臣の承認が必要だが、「軽微である場合」「特に軽微である場合」には以下のように簡略化できた。

・軽微である場合→労使合意は必要だが届出のみで可

・特に軽微である場合→労使合意は不要で届出のみで可

　改正により、「軽微な変更」「特に軽微な変更」のうち、省令で定めるものについては届出が不要となった（例：「資産管理機関や運営管理機関の名称及び住所の変更」「市区町村の名称の変更に伴う事業主の住所や事業所の所在地の変更」「運営管理業務を委託する運営管理機関の名称、住所の変更」）。

〔企業型年金拠出限度額に他制度掛金を反映〕2024〈令6〉12.1

　現行では、他制度（他の企業年金）がある場合は企業型年金掛金の拠出限度額は月額55,000円から一律に半額の27,500円を控除している。改正後は他の企業年金（確定給付企業年金、厚生年金基金、私学共済の年金払い退職給付、石炭鉱業年金基金）の掛金相当額を算定し、月額55,000円から他の企業年金の掛金相当額を控除した金額が企業型年金の拠出限度額となる。

　この改正の結果、他制度（企業型年金を除く）に加入していると、他制度掛金相当額によっては、個人型年金の掛金の上限が小さくなる場合や、個人型年金の掛金の最低額（5,000円）を下回り、掛金の拠出ができなくなる場合がある。

　個人型年金の掛金を拠出できなくなった場合（「55,000円からDB等の他制度掛金相当額を控除した額」が個人型年金の掛金の最低額を下回る場合）は、資産額が一定額（25万円）以下である等の脱退一時金の支給要件を満たすようになり、脱退一時金を請求することができるようにもなる。

② 重要項目と必須知識の整理

〈企業型年金の拠出限度額の見直し〉

	2024年11月30日まで	2024年12月1日以降
企業型年金のみに加入する場合	月額55,000円	月額55,000円からDB等の他制度掛金相当額を控除した額
企業型年金とDB等の他制度に加入する場合	月額27,500円（55,000円から一律27,500円を控除）	

〈企業年金等に加入する者の個人型年金の拠出限度額の見直し〉

	2024年11月30日まで	2024年12月1日以降
企業型年金のみに加入する場合	月額55,000万円−各月の企業型年金の事業主掛金額 ※月額20,000円を上限	月額55,000円−（各月の企業型年金の事業主掛金額＋DB等の他制度掛金相当額） ※月額20,000円を上限
企業型年金とDB等の他制度に加入する場合	月額27,500円−各月の企業型年金の事業主掛金額 ※月額12,000円を上限	
DB等の他制度のみに加入する場合（公務員含む） ※公務員は年金払い退職給付が他制度とみなされる	月額12,000円	

Part2　法制度の改正動向と必須知識の整理

■確定拠出年金で注意する最近の改正部分の比較

　確定拠出年金の法制度改正では、2016（平28）6.3公布の改正法の内容が年金制度改正法（2020〈令2〉6.5公布）により短期間で変更されているものがあるので注意したい。主なものは以下のとおりである。混乱しないように確認しておいてほしい。

2016年6月3日公布	2020年6月5日公布
企業型年金と個人型年金の同時加入には企業型年金規約の定めが必要 ※2017（平29）年1月1日施行	企業型年金と個人型年金の同時加入に企業型年金規約の定めが不要になる ※2022（令4）年10月1日施行
企業型年金と個人型年金の同時加入の場合の掛金拠出限度額は事業主掛金（月額35,000円または15,500円）、個人型掛金（月額20,000円または12,000円） ※2017（平29）年1月1日施行	企業型年金と個人型年金の同時加入の場合の掛金拠出限度額は事業主掛金（月額55,000円または27,500円が限度額）との差額が個人型掛金（月額20,000円または12,000円が限度額）となる。ただし、同時加入では事業主掛金・個人型掛金とも月額拠出に限られ、年単位管理拠出は不可となる ※2022（令4）年10月1日施行 さらに、他制度掛金が一律月額27,500円から個別に掛金相当額を算定することに伴い、法定限度額（55,000円）から事業主掛金と他制度掛金を差し引いた額が企業従業員等の個人型年金の拠出限度額となる ※2024（令6）年12月1日施行
マッチング拠出実施企業では企業型年金と個人型年金の同時加入はできない ※2017（平29）年1月1日施行	マッチング拠出と個人型年金は加入者個人が選択できるようになる ※2022（令4）年10月1日施行
転職先が同時加入不可の場合に個人型年金に資産移換した場合は個人型年金運用指図者となる ※2018（平30）年5月1日施行	転職した場合に個人型年金に資産移換した場合は個人型年金加入者または個人型年金運用指図者となれる ※2022（令4）年10月1日施行
簡易企業型年金、中小事業主掛金納付制度の対象は従業員100人以下の企業 ※2018（平30）年5月1日施行	簡易企業型年金、中小事業主掛金納付制度の対象は従業員300人以下の企業 ※2020（令2）年10月1日施行

年金確保支援法	2020年6月5日公布
企業型年金の加入年齢を規約に定めれば65歳到達まで可能にする。ただし60歳時の継続雇用者に限る ※2014（平26）年1月1日施行	企業型年金加入年齢を70歳未満とする。60歳以上の加入者は60歳時の継続雇用者に限らない ※2022（令4）年5月1日施行

93

2 重要項目と必須知識の整理

C分野　老後資産形成マネジメント

(1) 金融商品の仕組み

★デュレーションの意味と特徴

Point

❏デュレーションとは債券のリスク尺度を表し２つの意味がある

❏デュレーションの値は「年」で表示する

❏デュレーションを使って債券価格の変化を求めることができる

■デュレーションには２つの意味がある

　デュレーションとは、債券のリスク尺度(金利変化に対する債券価格の変動の影響度合い)のことで、「元本の平均回収期間(マコーレー・デュレーション)」と「金利感応度(修正デュレーション)」の２つの意味がある。デュレーションの値は一般的に「年」を単位として表示される。

デュレーションの特徴として、以下のようなものがある。

①　債券のデュレーションは残存期間よりも短い

　※割引債(ゼロクーポン債、ディスカウント債)のデュレーションは残存期間に等しい

②　残存期間が長いほどデュレーションは大きくなる

③　クーポンが大きいほどデュレーションは小さくなる

④　市場金利が上昇するほどデュレーションは小さくなる

■債券価格とデュレーション

〔債券価格の求め方〕

　債券価格(時価)は、償還金額(額面)と毎年のクーポン(利子)が決まっているため、将来のキャッシュフロー (毎年の残高)の現在価値を合計することによって求められる。計算式(年１回利払い、確定利付債)は以下のとおりであるが、年金現価の計算式の最後に額面を加えたものと同じになる。

94

$$P = \frac{C}{1+r} + \frac{C}{(1+r)^2} + \cdots + \frac{C+F}{(1+r)^n}$$

P：価格　　C：クーポン額(単利の利子)　F：額面

r：複利最終利回り　　　n：期間(年数)

この式から、複利最終利回り(r)が小さければ債券価格(P)が大きくなり、複利最終利回り(r)が大きければ債券価格(P)が小さくなることがわかる。

〔マコーレー・デュレーション〕

マコーレー・デュレーションは、残存期間を各年のキャッシュフロー（各年の残高）の現在価値で加重平均したものととらえ、投資金額(元本)の平均回収期間を表す。マコーレー・デュレーションの計算式は、以下のとおりである。

$$D = \left[\frac{1C}{1+r} + \frac{2C}{(1+r)^2} + \cdots + \frac{n(C+F)}{(1+r)^n} \right] \div P$$

D：マコーレー・デュレーション(単位：年)

〔修正デュレーション〕

マコーレー・デュレーション(D)を(1 + r)で割ったものを修正デュレーション(Dmod)といい、金利に対する感応度を示す。すなわち、一定の利回りの変化に対する債券価格の変動の大きさを示すものである。

$$Dmod = \frac{D}{1+r}$$

修正デュレーションが大きいほど金利変動に対する債券価格の変動率(金利感応度)が大きくなる。債券のリスク指標としては、修正デュレーションが使われる。計算式からわかるように、修正デュレーションはマコーレー・デュレーションより小さくなる。

〔金利変化による債券価格の変化〕

デュレーションを使って、以下の計算式により金利変化による債券価格の変化を求めることができる。

2 重要項目と必須知識の整理

$$\varDelta P = -\frac{1}{1+r} \times D \times \varDelta r \times P$$

⊿P：価格変化　　　　D：マコーレー・デュレーション　　　　r：複利最終利回り

⊿r：金利の変化　　　P：債券価格

（計算例）債券価格102円、デュレーション2.8年、複利最終利回り3％
　　　　　のとき、金利が1％下がった場合

$$\varDelta P = -\frac{1}{1+0.03} \times 2.8\,年 \times (-0.01) \times 102\,円 \fallingdotseq 2.77\,円$$

　102円＋2.77円＝104.77円（債券価格上昇）

※金利が上昇すれば債券価格は下がり、金利が下がれば債券価格は上昇する

★NISAの仕組みと特徴

Point

❑株式等の売却益や配当金が非課税で受け取れる投資優遇制度

❑18歳以上の国内居住者が利用でき投資期間は無期限

❑「成長投資枠」と「つみたて投資枠」は併用できる（年間360万円）

❑投資金額の限度は1,800万円で売却すれば再利用可能

■株式関連の売却益や配当金が非課税となる税制優遇制度

　NISA（ニーサ：少額投資非課税制度）とは、個人の老後資産づくりを支援する税制優遇制度で、確定拠出年金とも併用できる。確定拠出年金との違いは、投資金額には、確定拠出年金の掛金拠出ような所得控除はないが、投資商品の譲渡益（売却益）や配当金（分配金）は非課税で受け取ることができる。18歳以上の国内居住者であれば誰でも利用することができ、確定拠出年金のような年齢上限はない。

　NISAは2024（令6）年1月から大幅に内容が変更された。新NISAの制度概要は図表2-13のとおりである。NISAでは通常のつど買いによる一括投資も可能だが、老後資産づくりの観点から積立てによる長期投資に主眼が

96

Part2　法制度の改正動向と必須知識の整理

図表2-13　NISAの制度概要

		成長投資枠	つみたて投資枠
口座資格者		18歳以上の日本国内居住者　※1月1日現在の年齢	
口座開設		1人1口座（金融機関の変更は年単位で可）	
非課税対象資産		上場株式・株式投資信託等の譲渡益や配当金（分配金） ※整理・監理銘柄の株式、信託期間20年未満、高レバレッジ型、毎月分配型の投資信託などは除外	一定の要件（金融庁の基準）を満たす投資信託等の譲渡益や配当金（分配金） ※289本（2024.5.15時点）
投資（購入）方法		都度購入（スポット投資）、積立購入とも可	定期的に継続した買付（積立）に限る
		成長投資枠とつみたて投資枠は併用可能	
非課税投資枠（利用限度額）	年間 ※1月1日〜12月31日	毎年240万円	毎年120万円
		両方の合計で360万円	
	保有限度額（総額）	両方の合計で1,800万円（成長投資枠は1,200万円） ※1,800万円を超過した場合、売却すれば翌年以降に空きの投資枠分だけ非課税投資可能 ※年間・総額とも保有限度額は買付け残高（簿価残高）を基準に管理	
	投資期間	保有期間に期限なし	

（注）1．2024（令6）年1月より旧NISAが大幅に変更され、新NISAが開始になった
　　　2．旧NISAは、別建てで投資期限まで投資可能（一般NISA最長2027年、つみたてNISA最長2042年まで）。旧NISAの資産を新NISAへロールオーバー（移換）することは不可

置かれている。

　非課税投資は、個別株式や株式投資信託などへの幅広い投資ができる「成長投資枠」と厳選された投資信託の積立てに限定されている「つみたて投資枠」がある。株式投資が主な対象となり、国債や公社債投資信託、社債などへの個別投資はできない。預貯金などの貯蓄も対象外である。

　成長投資枠では、個別の上場株式や株式投資信託を年間240万円まで購入でき、積立投資もできる。一方、つみたて投資枠は、年間120万円までで投資信託の積立投資に限定されている。成長投資枠とつみたて投資枠は併用でき（年間360万円）、配当金や分配金が非課税で受け取れるほか、途中で売却した場合は譲渡益（売却益）が非課税になる。ただし、損失が出た場合でも、損失の繰越控除（3年間）や他の課税口座との損益通算はできない。

97

(2) 資産運用の基礎知識・理論

★リスク指標としての分散と標準偏差

> **Point**
> ☐ リスクとは平均値からの乖離度であり一般的に標準偏差で表す
> ☐ 標準偏差は分散を平方根して求められる値である

投資のリスクの指標としては、標準偏差が使われるが、標準偏差は分散を平方根したものである。

〔分散〕

投資におけるリスクとは、平均値からの乖離度（ぶれ、ばらつきの度合い）である。ばらつきが大きければリスクは大、ばらつきが小さければリスクは小と評価される。つまり平均値に近いほどリスクは小さいことになる。

リスクの概念を理解するために図表2-14の事例を考えてみる。まず、1年目から5年目まで、年ごとに平均リターン（2.2％）からどのくらい離れているかをみる。各年におけるリターンと平均リターンとの差を「偏差」といい、年ごとのばらつきを示す。各年の偏差を合計した数値を全体の年数で割

図表2-14 平均リターンと平均からのばらつき

〈リターン実績〉

1年目	2年目	3年目	4年目	5年目
2％	-3％	-1％	5％	8％

5年間の平均リターンは、「｛2％＋（-3％）＋（-1％）＋5％＋8％｝÷5年＝2.2％」となる。

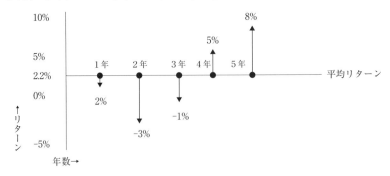

れば、偏差の平均が求められる。計算式は「｛（1年目のリターン－平均リ
ターン）＋（2年目のリターン－平均リターン）＋……＋（n年目のリターン－
平均リターン）｝　÷年数」である。

　ところが、実際の数値を入れて計算すると「（｛（2％－2.2％）＋（－3％
－2.2％）＋（－1％－2.2％）＋（5％－2.2％）＋（8％－2.2％）｝　÷5年＝
0」となってしまう。これは、平均リターンより大きい数値と小さい数値の
それぞれの合計（絶対値）が等しくなり、プラス側とマイナス側で打ち消し
合ってしまうためである。

　そこで、偏差を2乗して合計の平均を求めてみる。

　　｛（－0.2％）^{2}＋（－5.2％）^{2}＋（－3.2％）^{2}＋（2.8％）^{2}＋（5.8％）^{2}｝÷5年

　　＝（0.4％^{2}＋27.04％^{2}＋10.24％^{2}＋7.84％^{2}＋33.64％^{2}）÷5年＝15.832％^{2}

　このように、偏差を2乗することによって偏差の平均値（全体のリスク）を
求めることができる。2乗した数字の平均値（偏差の2乗の平均値）が「分
散」である。分散は偏差を2乗して＋－の影響をなくしたものである。

〔標準偏差〕

　分散はリスクを表すが、2乗しているため、単位は「％^{2}」となる。ばら
つきをイメージするには単位を元の数値とそろえたほうがわかりやすいの
で、平方根で戻してやれば単位も元の％に戻る。分散を平方根で戻したもの
が「標準偏差」になる。すなわち、標準偏差とは、分散の平方根である。投
資のリスク指標としては、標準偏差が使われるのが一般的である。

　上記事例の分散（15.832％^{2}）から、以下のように標準偏差が計算できる。

リスク（標準偏差）＝$\sqrt{15.832\%^2}$＝3.9789……≒3.979％

標準偏差を公式で示すと以下のようになる。

$$標準偏差（\%）＝\sqrt{\frac{(r_1-r)^2+(r_2-r)^2+\cdots\cdots+(r_n-r)^2}{n}}$$

　r：平均リターン

　r_1、r_2、……r_n：各期のリターン　　　n：期間

2 重要項目と必須知識の整理

★正規分布図と標準偏差

> **Point**
> ❑ 投資のリスクは正規分布に従うことを前提として計算される
> ❑ 期待リターンのリスク（標準偏差）の範囲が正規分布図でわかる

投資理論では、将来のリターンのばらつきは正規分布に従うことを前提としている。正規分布は期待リターン（将来の予想リターンの平均値）に対して左右対称に山形の曲線で分布する。中心（期待リターン）から近い（リスクが

図表2-15　標準偏差と正規分布図との関係

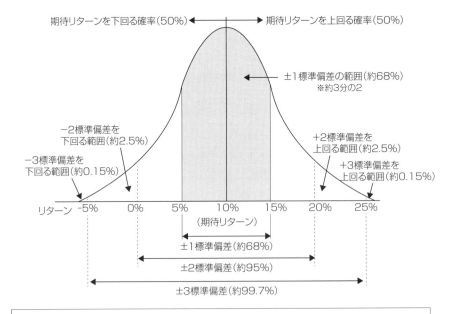

〔期待リターンが10％、標準偏差が5％である場合〕
　　実際のリターンが±1標準偏差（5％〜15％）の範囲に入る確率は約68％
　　実際のリターンが±2標準偏差（0％〜20％）の範囲に入る確率は約95％
　　実際のリターンが±3標準偏差（−5％〜25％）の範囲に入る確率は約99.7％

低い）ほど山が高くなり、遠い（リスクが高い）ほど山が低くなる。正規分布図とリスク（標準偏差）との関係は**図表 2-15** のようになる。

② 重要項目と必須知識の整理

(3) 確定拠出年金を含めた老後の生活設計

★退職給付（一時金、年金）に関する税制

Point

- 確定拠出年金（老齢給付金）の退職所得控除額計算では、掛金を拠出した期間（60歳以降も含む）のみを勤続年数とみなす
- 公的年金等控除額は65歳未満で最低60万円、65歳以上で最低110万円（公的年金等以外の所得が1,000万円以下の場合）

■退職給付の一時金受給に関する税制

退職給付（退職一時金、確定拠出年金の老齢給付金等）は、一時金で受給した場合は退職所得、年金で受給した場合は雑所得（公的年金等に係る雑所得）として課税される。

一時金で受給した場合の退職所得の税額の計算方法は図表2-16のとおりである。退職所得は他の所得とは合算されない分離課税となる。

■退職給付の年金受給に関する税制

退職給付を年金で受給した場合は雑所得として所得税が課税されるが、他の所得と合わせた総合課税となる。「公的年金等に係る雑所得」には公的年金等控除が適用されるが、公的年金等控除額の計算方法は図表2-17のとおりである。

「公的年金等に係る雑所得以外の所得」とは総合課税の対象となる所得（公的年金等に係る雑所得以外の雑所得、給与所得、一時所得、不動産所得など）のことだが、分離課税である退職所得（住民税の計算では含まれない）なども含まれる。

102

図表2-16　退職所得税額の計算方法

＜税額の計算式＞

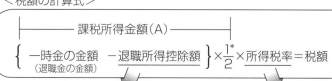

勤続年数	退職所得控除額
20年以下	40万円×勤続年数 ※80万円未満のときは80万円
20年超	800万円＋〔70万円×（勤続年数－20年）〕

課税所得金額(A)	税率	控除額	税　額
195万円以下	5%	—	(A)×5%
195万円超 330万円以下	10%	9.75万円	(A)×10% －9.75万円
330万円超 695万円以下	20%	42.75万円	(A)×20% －42.75万円
695万円超 900万円以下	23%	63.6万円	(A)×23% －63.6万円
900万円超 1,800万円以下	33%	153.6万円	(A)×33% －153.6万円
1,800万円超 4,000万円以下	40%	279.6万円	(A)×40% －279.6万円
4,000万円超	45%	479.6万円	(A)×45% －479.6万円

（注）　1．勤続年数の端数は1年に切り上げ
　　　　2．確定拠出年金の加入期間（掛金拠出期間のみ）を勤続年数とみなす
　　　　3．障害者となったことを理由とした退職の場合は、控除額に100万円加算

※勤続年数5年以内の場合、以下の場合は2分の1を乗じないで計算する。
　①法人役員等（法人役員のほか公務員、国会議員、地方議会議員も含む）
　②法人役員等以外の一般従業員（300万円を超える部分のみ）
　　300万円以下の部分……2分の1を乗じる
　　300万円超の部分………2分の1を乗じない
　　（例）退職所得の収入1,000万円、勤続年数5年の場合
　　　　　150万円＋{退職所得の収入－（300万円＋退職所得控除額）}
　　　　＝150万円＋{1,000万円－（300万円＋200万円）}
　　　　＝650万円（退職所得〈課税所得〉）

2 重要項目と必須知識の整理

図表2-17　公的年金等控除の額

〔65歳未満〕

公的年金等の収入金額（B）	公的年金等に係る雑所得以外の所得に係る合計所得金額		
	1,000万円以下	1,000万円超2,000万円以下	2,000万円超
130万円以下	60万円	50万円	40万円
130万円超410万円以下	(B)×25%+27万5,000円	(B)×25%+17万5,000円	(B)×25%+7万5,000円
410万円超770万円以下	(B)×15%+68万5,000円	(B)×15%+58万5,000円	(B)×15%+48万5,000円
770万円超1,000万円以下	(B)×5%+145万5,000円	(B)×5%+135万5,000円	(B)×5%+125万5,000円
1,000万円超	195万5,000円	185万5,000円	175万5,000円

〔65歳以上〕

公的年金等の収入金額（B）	公的年金等に係る雑所得以外の所得に係る合計所得金額		
	1,000万円以下	1,000万円超2,000万円以下	2,000万円超
330万円以下	110万円	100万円	90万円
330万円超410万円以下	(B)×25%+27万5,000円	(B)×25%+17万5,000円	(B)×25%+7万5,000円
410万円超770万円以下	(B)×15%+68万5,000円	(B)×15%+58万5,000円	(B)×15%+48万5,000円
770万円超1,000万円以下	(B)×5%+145万5,000円	(B)×5%+135万5,000円	(B)×5%+125万5,000円
1,000万円超	195万5,000円	185万5,000円	175万5,000円

(注) 1. 65歳の区分はその年の12月31日現在の年齢による
2. 公的年金等控除のほかにも基礎控除、配偶者控除などがあり、その年の所得からすべての控除を差し引いた額に課税される
3. 2020年分から公的年金等控除額が10万円引き下げられた（「70万円→60万円」「120万円→110万円」上表の灰色部分）。さらに、他の合計所得区分も新設された。なお、基礎控除が38万円から48万円に引き上げられたため、他の合計所得金額が1,000万円以下の場合は税負担は変わらない

Part2　法制度の改正動向と必須知識の整理

★遺言の種類と遺言書の方式

> **Point**
> ❏主として「自筆証書遺言」と「公正証書遺言」がある
> ❏自筆証書遺言書でも法務局で保管してもらえる

〔遺言書の方式〕

遺言の種類	自筆証書遺言	公正証書遺言	秘密証書遺言
作成方法	本人が遺言の全文・日付・氏名を自書（パソコン、代筆不可）し、押印する ※財産目録はパソコン等での作成も可	本人と証人２人で公証役場に行き、本人が遺言内容を口述して公証人に記述してもらう	遺言内容を記載（パソコン、代筆も可）して自署・押印・封印し、公証役場で存在を証明してもらう
証人	不要	２名以上	２名以上
検認	必要 ※法務局で保管する場合は不要	不要	必要
開封	封印がある場合は家庭裁判所で相続人等の立ち会いのもとに開封	開封手続きは不要	家庭裁判所で相続人等の立ち会いのもとに開封
メリット・デメリット	・費用がかからない ・遺言の存在と内容を秘密にできる ・自宅などでの保管は紛失や偽造・変造、要件不備のおそれがある	・原本は公証役場に保管なので安心 ・遺言の存在と内容を明確にできる ・自筆証書遺言に比べ費用がかかる	・遺言の存在を明確にでき、遺言内容を秘密にできる ・紛失や偽造・変造、要件不備のおそれがある

（注）検認とは、相続人に対して遺言の存在と内容を知らせ遺言書の要件を家庭裁判所に確認してもらう手続き

〔自筆証書遺言書保管制度〕

・申請すれば法務局（遺言書保管所）で自筆証書遺言書を保管してもらえる

・保管時に遺言書の形式チェック（署名、押印、日付の有無など必要事項が整っているかどうか）をしてもらえるので形式不備で無効になる心配がない（内

容チェックはしない)

・相続人等(相続人、受遺者、遺言執行者など)は相続開始後、以下の請求が可能(遺言者の生存中は不可)
遺言書保管事実証明書の交付、遺言書の閲覧、遺言書情報証明書の交付

・相続人等の一人が遺言書の閲覧か遺言書情報証明書の交付を受けると他の相続人等に遺言書の保管を通知(相続人等全員が遺言書の存在を知る)

・遺言者があらかじめ指定(推定相続人等のうち1名に限る)しておけば、法務局(遺言書保安官)が遺言者の死亡を確認した場合、指定された通知対象者に遺言書の保管を通知する(死亡時の通知)

■相続関連の最近の改正

その他、相続関連でも最近大きな改正があったので、参考程度に押さえておきたい。

・暦年課税の贈与額の相続財産への加算が相続前3年から7年へ段階的に拡大(2024年1月1日)

・相続時精算課税に年間110万円の基礎控除が新設(2024年1月1日)

・不動産の相続登記の義務化(2024年4月1日)

Part

3

基礎編
（四答択一式問題）

※解答にあたって必要な場合は、368・369ページの係数表を使用すること

A分野　年金・退職給付制度等

① 公的年金

《問1》 国民年金の被保険者資格に関する次の記述のうち最も適切なものはどれか。

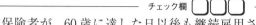

1) 厚生年金保険の被保険者が、60歳に達した日以後も継続雇用され、厚生年金保険の被保険者であり続ける場合でも、60歳に達した日に国民年金の被保険者資格を喪失する。
2) 国民年金の被保険者は死亡した日に被保険者資格を喪失する。
3) 外国国籍を有する20歳の者が、日本国内に住所を有することとなった場合、国民年金の第1号被保険者とはならない。
4) 65歳以上の厚生年金保険被保険者で老齢基礎年金の受給資格を満たしていない者は国民年金第2号被保険者となる。

■ 解答・解説

1)不適切。65歳未満の厚生年金保険の被保険者は、国民年金の被保険者(第2号被保険者)である。ただし、20歳前および60歳～64歳の期間部分は老齢基礎年金の年金額計算期間から除かれる。なお、65歳以上の厚生年金保険の被保険者は、老齢または退職を支給事由とする給付の受給権を有しない場合に限り、国民年金の被保険者となる。(国年法7条)
2)不適切。「死亡した日」ではなく死亡した日の翌日である。(国年法9条)
3)不適切。国籍に関係なく、20歳以上60歳未満の者は、日本国内に住所を有するに至った日に第1号被保険者に該当する。(国年法8条)
4)最も適切(国年法附則3条)。受給資格に達した日に受給権が発生し、国民

Part3　基礎編（四答択一式問題）

年金第２号被保険者資格を喪失する。

正解 ⇨ 4

《問2》　厚生年金保険の事業所および被保険者に関する次の記述のうち　最も適切なものはどれか。

チェック欄 □□□

1)　従業員５人未満の法人や個人の事業所は厚生年金保険の適用事業所ではないが、従業員の２分の１以上の同意を得れば厚生年金保険の適用事業所となることができる。

2)　パート等が厚生年金保険に加入できる要件は、その企業の一般社員のおおむね４分の３以上の労働時間（１日の労働時間および１カ月の労働日数）であることである。

3)　厚生年金保険の適用事業所でない事業所で働く70歳未満の従業員は事業主の同意がなくても個人で厚生年金保険に加入することができる。保険料は全額本人負担であるが、事業主の同意があれば保険料を事業主と折半とすることができる。

4)　70歳時点で老齢基礎年金の受給資格期間を満たしていない厚生年金保険適用事業所の従業員は、事業主の同意がなくても個人で受給資格期間を満たすまで厚生年金保険に加入できる。保険料は全額本人負担であるが、事業主の同意があれば保険料を事業主と折半にできる。

■ 解答・解説

◇企業従業員等の社会保険の加入要件（→ p.43）

1)不適切。法人事業所は従業員の人数に関係なく強制適用事業所である（厚年法６条１項２号）。個人事業所は従業員５人未満の場合は、任意適用事業所となる（個人事業の農林水産業、サービス業などは５人以上でも任意適用事業所）。なお、法人の場合は事業主（社長）１人でも厚生年金保険被保険者となるが、個人事業主は適用事業所となっても厚生年金保険被保険

109

者とはならない(国民年金第1号被保険者)。

2)不適切。厚生年金保険(社会保険)に加入できる要件は、「1週間の所定労働時間および1カ月の所定労働日数が一般社員の4分の3以上」である。なお、2016(平28)年10月からは、パート等の社会保険の適用拡大が段階的に実施されており、従業員規模の要件に該当する企業では4分の3要件にかかわらず、一定要件を満たす短時間労働者にも社会保険が適用される。

3)不適切。このように、厚生年金保険のない事業所(従業員5人未満の個人事業所など)で働く従業員で個人で厚生年金保険に加入している者を「任意単独被保険者」という。事業主の同意がなければ任意単独被保険者になることはできず、事業主は任意単独被保険者になることを同意した場合は保険料の折半負担が義務づけられている。(厚年法10条、82条1項、2項)

4)最も適切。このように70歳時点で老齢基礎年金の受給資格期間を満たせず70歳以上で個人で厚生年金保険に加入している者を「高齢任意加入被保険者」という。適用事業所の場合、事業主の同意は不要だが、保険料を折半するには事業主の同意が必要となる(厚年法附則4条の3第7項)。なお、適用事業所でない場合は、厚生年金保険への加入は事業主の同意が必要となる(厚年法附則4条の5)。

正解 ⇨ 4

Part3　基礎編（四答択一式問題）

《問3》　国民年金の任意加入被保険者に関する次の記述のうち　不適切なものはどれか。。

― チェック欄 □□□ ―

1)　60歳以降の国民年金の任意加入では、申出が遅れても最大2年間さかのぼって加入することができる。

2)　厚生年金保険の被保険者である夫の被扶養配偶者で、国民年金第3号被保険者である妻は、外国に住所を有することになっても第3号被保険者のままで任意加入の必要はない。

3)　海外に住所を有する国民年金任意加入被保険者が保険料を滞納した場合、2年間が経過すると被保険者資格を喪失する。

4)　国民年金任意加入被保険者が特別支給の老齢厚生年金を受給しても任意加入を続けることができる。

■ 解答・解説

1)不適切。任意加入は申出した月から加入となり、さかのぼって加入することはできない。（国年法附則5条3項）

2)適切。従来、第3号被保険者には国内居住要件がなかったが、法改正により2020（令2)年4月からは国内居住要件が導入された。ただし、海外赴任への同行配偶者などは例外として従来どおり第3号被保険者のままでいられることとなった（《問21》2)解説参照）。（国年法7条）

3)適切（国年法附則5条9項4号）。なお国内居住の任意加入被保険者が保険料を滞納したときは督促状の指定期限の翌日が資格喪失日になる（国年法附則5条7項4号）。海外の任意加入被保険者には督促状は送付されない。

4)適切（国年法附則5条6項）

正解 ⇨ 1

A 分野　年金・退職給付制度等

《問4》　国民年金の保険料に関する次の記述のうち、適切なものはどれか。

チェック欄 ☐☐☐

1)　付加保険料は、60歳以上70歳未満の任意加入被保険者でも納めることができる。
2)　保険料全額免除期間のうち、2003（平15）年3月以前の部分は3分の1、同年4月以降の部分は2分の1の年金が支給される。
3)　国民年金の2年度分の保険料をまとめて納める「2年前納」の場合、毎月納付する場合に比べ、2年間で1カ月分程度の割引になる。
4)　免除を受けた期間の保険料は5年以内であれば後から納めて通常の保険料納付済期間に戻せる。

■ 解答・解説

1)不適切。「60歳以上70歳未満」ではなく60歳以上65歳未満である。65歳以上の任意加入被保険者は受給資格期間を得るための特例措置なので増額目的の付加保険料納付はできない。（国年法附則5条10項）

2)不適切。「2003（平15）年」ではなく、2009（平21）年である。国庫負担割合の3分の1から2分の1への引き上げに伴って変更された。（国年法27条、平16改正法〈法104号〉附則9条、10条）

3)適切。国民年金保険料の前納割引制度は、このほか1年前納、6カ月前納、早割（口座振替のみ）がある。早割とは、納付期限（翌月末）よりも1カ月早く（当月末口座振替）納める方法である。納付方法は、口座振替・現金納付・クレジットカード納付があり、口座振替は現金納付・クレジットカード納付より割引率が高い。なお、前納（6カ月、1年、2年）は2024（令6）年4月分から途中月から開始可能になった（割引率は残りの期間に応じて決まる）。

4)不適切。免除や納付猶予の追納は「5年以内」ではなく10年以内で可能である（国年法94条1項）。なお、2年より前の期間の追納には追納加算額が加算される（免除の翌年度起算で3年度目から年度ごとの加算額で加算）。

正解 ⇨ 3

112

Part3　基礎編（四答択一式問題）

《問5》　国民年金の保険料免除等に関する次の記述のうち、最も不適切なものはどれか。

チェック欄 ☐☐☐

1) 全額免除の所得基準は単身世帯の場合、67万円が目安である。
2) 保険料免除・納付猶予の審査では、原則として本人、配偶者、世帯主の所得が対象となる。
3) 失業による特例免除の審査では前年の本人所得は除かれる。
4) 法定免除の場合、法定免除期間に保険料を納付することもできる。

■ 解答・解説

1)適切。全額免除では、前年所得が「（扶養親族等の数＋1）×35万円＋32万円」（税制改正により2021年度分から「22万円→32万円」に変更）の範囲内が審査の目安となっている。単身世帯の場合は扶養親族がいないので「35万円＋32万円＝67万円」になる。なお、アルバイトなど給与所得者の場合は給与所得控除55万円（税制改正により2021年度分から「65万円→55万円」に変更）があるので「67万円＋55万円＝122万円」が年収ベースの目安（税制改正前と同じ）となる。（国年法施行令6条の7）

2)最も不適切。保険料免除（全額免除、4分の1免除、半額免除、4分の3免除）の場合は、本人、配偶者、世帯主の所得が対象となるが、納付猶予の場合は、本人と配偶者の所得だけが対象となる。また、学生納付特例では本人所得だけが対象である。（国年法90条1項）

3)適切。失業による免除申請（全額免除、4分の1免除、半額免除、4分の3免除）を「失業等の特例免除」といい、本人所得は審査対象から除かれ、配偶者と世帯主の所得だけが対象となる。本人の前年所得を対象とすると退職前の収入が対象になるので所得基準の審査として適切でないためである。なお、失業等の特例免除の申請は前年度の失業でも対象となる。

4)適切。法定免除は申請免除と異なり、届出だけで免除になる。障害基礎年金の受給権者や生活保護受給者などが対象となる。従来は法定免除期間に保険料を納めた場合は還付されていたが、2014（平26）年4月より保険料

113

納付が可能になり、保険料を納付した場合には保険料納付済期間（一部免除期間も可）とすることができる。（国年法89条2項）　　　　正解 ⇨ 2

《問6》 次の記述のうち、合算対象期間（カラ期間）に該当するものはいくつあるか。1)〜4)のなかから選びなさい。

──────────────── チェック欄 ☐☐☐ ──

ア) 日本国内に住所を有さず、かつ、日本国籍を有していた期間のうち、1961（昭36）年4月1日から1986（昭61）年3月31日までの20歳以上60歳未満の期間

イ) 1986（昭61）年3月以前のサラリーマン（公務員含む）の配偶者、1991（平3）年3月以前の昼間学生が、任意加入したものの保険料を払わなかった未納期間(20歳以上60歳未満に限る)

ウ) 1961（昭36）年4月1日から1991（平3）年3月31日までの間で20歳以上60歳未満の学生が、任意加入していなかった期間

1) 1つ　　2) 2つ　　3) 3つ　　4) なし

■ 解答・解説

ア) 該当する。1961年4月1日から1986年3月31日までの間に海外に居住していた場合は、国民年金に加入できなかったため(任意加入が可能になったのは1986年4月から)、合算対象期間となる。（昭和60年改正法附則8条）

イ) 該当する。これら国民年金の加入が任意だった者が、任意加入したものの保険料を払わず未納になった場合は未納期間の扱いだったが、2014（平26)年4月の法改正により合算対象期間となった。任意加入の未納期間を加えることで受給資格期間を満たす場合は、2014年4月1日以降に受給権が発生する。なお、60歳以降の任意加入の未納期間は合算対象期間とならない。

ウ) 該当する。20歳以上60歳未満の学生は、1991（平3）年3月31日まで任

Part3　基礎編（四答択一式問題）

意加入の対象者であったため、任意加入しなかった期間は、合算対象期間となる。（昭60改正法附則8条）　　　　　　　　　　　正解 ⇨ 3

《問7》　国民年金の第1号被保険者に対する独自給付に関する次の記述のうち、適切なものはどれか。

チェック欄 ⬜⬜⬜

1)　付加保険料を3年以上納付すれば死亡一時金を受けるときに納付期間に応じた額の付加年金が加算される。

2)　寡婦年金は、死亡した夫が国民年金第1号被保険者として保険料納付済期間、保険料免除期間、合算対象期間の合計が10年以上あり、その他の要件を満たす場合に支給される。

3)　死亡一時金は、国民年金第1号被保険者の保険料納付済期間と保険料免除期間が合計3年以上あり、その他の要件を満たす場合に支給される。

4)　死亡一時金は、死亡日の翌日から2年を経過すると受けられなくなる。

■ 解答・解説

1)不適切。付加保険料を3年以上納付していた場合に死亡一時金に付加年金が加算されるが、一律8,500円の加算である。（国年法52条の4第2項）

2)不適切。寡婦年金の受給に必要な期間は、保険料納付済期間と保険料免除期間の合計期間であり、合算対象期間は含まれない。なお、2017（平29）年8月からの受給資格期間10年への短縮により寡婦年金の受給に必要な期間も合計10年となった。遺族年金の長期要件が25年のままであるのと異なるので注意してほしい。（国年法49条1項）

3)不適切。保険料免除期間のうち全額免除期間は含まれない。また、4分の1免除期間は4分の3、半額免除期間は2分の1、4分の3免除期間は4分の1に換算した期間と保険料納付済期間の合計が36カ月（3年）以上あることが必要である。つまり、実際に保険料を納付した正味の期間の合計

115

A分野　年金・退職給付制度等

となる。(国年法52条の2第1項)

4) 適切(国年法102条4項)　　　　　　　　　　　　　　　　　　　　正解 ⇨ 4

《問8》　老齢基礎年金の繰上げ支給および繰下げ支給に関する次の記述のう
　　　　ち適切なものはいくつあるか。1)〜4)のなかから選びなさい。

――――――――――――――――――――――――――――― チェック欄 ☐☐☐ ―

　ア)　老齢基礎年金の繰上げ支給を請求した場合、振替加算も一緒に
　　　繰上げ支給の対象となる。

　イ)　老齢基礎年金の繰上げ支給を請求した場合、一緒に付加年金は
　　　繰上げ支給されるが、寡婦年金の受給権は消滅する。

　ウ)　65歳以降に障害基礎年金の受給権が発生すると老齢厚生年金の
　　　繰下げができなくなる(66歳以降は発生時点までの繰下げは可)。

　エ)　65歳前の老齢厚生年金の支給を受けた者は、老齢基礎年金の繰
　　　下げ支給の対象にはならない。

　　1)0　　　2)1つ　　　3)2つ　　　4)3つ

■ 解答・解説

ア)不適切。振替加算は、繰上げ支給の対象にならず、65歳から支給される。
　(昭60改正法附則14条)

イ)適切。繰上げ請求では、付加年金は支給対象(ただし、老齢基礎年金と同
　じ率で減額)だが、寡婦年金の受給権は消滅する。(国年法附則9条の2)

ウ)不適切。繰下げ請求は65歳以降に老齢年金以外の他の年金(障害年金、
　遺族年金)の受給権が発生するとそれ以降の増額はできなくなる。ただし、
　障害基礎年金の受給権発生の場合は、老齢厚生年金の繰下げは可能であ
　る。(国年法28条、厚年法44条の3第1項)

エ)不適切。65歳前の老齢厚生年金の支給を受けた場合でも、老齢基礎年金
　や65歳以降の老齢厚生年金の繰下げ支給の対象となる。(国年法28条)

　　　　　　　　　　　　　　　　　　　　　　　　　　　　　　　正解 ⇨ 2

116

Part3 基礎編（四答択一式問題）

《問9》 年金の記録のお知らせや裁定（年金請求）に関する方法の次の記述のうち、不適切なものはどれか。

―――――――――――――――― チェック欄 ☐☐☐ ―

1) 「ねんきん定期便」は、35歳、45歳、59歳の節目の年を除き圧縮ハガキで送付され、保険料納付状況、標準報酬月額・標準賞与額などは過去1年間分を掲載している。

2) 1961（昭36）年4月1日生まれの男性宛てに、事前送付の「ねんきん請求書」が受給権の発生する64歳の3カ月前に送付される。

3) 国民年金第3号被保険者期間に初診日がある傷病による障害基礎年金の年金請求書の提出先は、原則として住所地の市区町村窓口である。

4) 1日生まれの特別支給の老齢厚生年金の受給者が65歳に達し、老齢基礎年金と老齢厚生年金を受給する場合は、ハガキ形式の年金請求書を誕生日の前月の末日までに日本年金機構に提出する。

■ 解答・解説

1) 適切。節目年齢では、過去の全期間の記録が封書で送付されている。なお、2013（平25）年度以降は58歳の節目年齢が59歳に変更された。

2) 適切。事前送付の「ねんきん請求書」は受給権の発生する3カ月前に送付される。1961年4月2日生まれの男性は64歳から特別支給の老齢厚生年金の報酬比例部分が支給開始になるため、64歳になる3カ月前に日本年金機構から自宅宛てに送付される。

3) 不適切。国民年金第3号被保険者期間中に初診日がある場合の障害基礎年金の裁定請求書の提出先は年金事務所（または街角の年金相談センター）となる。第1号被保険者の期間中や20歳前に初診日がある傷病による場合の提出先は年金事務所ではなく、市区町村になる。（国年法施行令1条の2）

4) 適切。日本年金機構への提出（ハガキの返送）は65歳到達月の末日までである。通常は誕生月末日だが、65歳到達月とは誕生日の前日であるため、1日生まれの者は誕生日の前月末日までの提出になる。　　　正解 ⇨ 3

117

A 分野　年金・退職給付制度等

《問 10》　障害基礎年金と障害厚生年金に関する次の記述のうち適切なものは
　　　　　いくつあるか。1）〜4）のなかから選びなさい。

チェック欄 □□□

　　ア）　障害基礎年金は、初診日から起算して 1 年を経過した日（障害認
　　　　定日）における障害等級が 1 級および 2 級の者に支給する。
　　イ）　障害基礎年金または障害厚生年金の受給者の障害の程度が増進
　　　　した場合、1 年経過しなくても年金額の改定請求ができることが
　　　　ある。
　　ウ）　障害厚生年金の配偶者の加算は、受給権が発生した後、結婚に
　　　　より加算要件を満たす場合にも、届出により新たに加算される。
　　エ）　保険料納付済期間と保険料免除期間の合算期間が、被保険者期
　　　　間の 4 分の 3 以上あることが障害基礎年金の支給要件の 1 つであ
　　　　る。

　　　1）0　　　2）1 つ　　　3）2 つ　　　4）3 つ

■ 解答・解説

ア）不適切。障害基礎年金は、初診日から起算して 1 年 6 カ月を経過した日、
　またはその期間内にその傷病が治った（症状が固定した）場合においては、
　その治った日を障害認定日として、障害等級 1 級および 2 級の者に支給
　する（国年法 30 条）。障害認定日の基準は障害厚生年金も同じである。

イ）適切。従来は、障害の程度が増進した場合、1 年経過しないと額改定請
　求（年金額の改定請求）ができなかった。しかし、年金確保支援法により、
　2014（平 26）年 4 月からは、障害の程度が増進したことが明らかである
　場合は、1 年の待機期間を待たずに即時請求することが可能になった。
　なお、即時請求可能な障害の程度の増進は厚生労働省令（厚年法施行規則
　47 条の 2 の 2）で例示された項目に限られる。

ウ）適切。障害厚生年金では配偶者、障害基礎年金では子を対象とする加算
　がある。さらに、2011（平 23）年 4 月から受給権が発生した後に結婚や

118

Part3　基礎編（四答択一式問題）

子の出生等により加算要件を満たす場合にも、届出により新たに加算されることになった。（国年法 33 条の 2 第 2 号、厚年法 50 条の 2 第 3 号）

エ）不適切。「4 分の 3 以上」ではなく 3 分の 2 以上あることが要件となっている。（国年法 30 条）　　　　　　　　　　　　　　　　　　　正解 ⇨ 3

《問 11》　厚生年金保険の保険料、被保険者資格に関する次の記述のうち、適切なものはどれか。

チェック欄 □□□

1)　育児ための休業では、最大満 2 歳になるまで厚生年金保険料が労使とも免除となる。

2)　60 歳を過ぎて退職後継続して再雇用される者については、標準報酬月額をすぐに変更できるが、定年退職以外の理由でも認められる。

3)　厚生年金保険の被保険者資格は、退職または死亡した日の翌日に喪失し、65 歳に達したときには、65 歳に達した日に喪失する。

4)　臨時に使用される者であって 2 カ月以内の期間を定めて雇用された者を当該期間を超えて雇用を継続する場合は、最初に雇い入れられた日に遡って被保険者となる。

■ 解答・解説

1)不適切。育児・介護休業法による育児休業は子が最大満 2 歳になるまでだが、厚生年金保険料は育児休業等（育児休業および育児休業に準ずる休業）期間が対象なので、最大満 3 歳になるまで労使とも免除となる。

2)適切。事業主から被保険者資格喪失届、被保険者資格取得届を同時に提出することを「同日得喪」といい、60 歳を過ぎて退職後継続して再雇用される者については、使用関係がいったん中断したとみなし、標準報酬月額をすぐに変更することができる。60 歳以降の継続雇用であれば定年退職に理由は限られず、65 歳以降でも可能である。

3)不適切。「65 歳」ではなく 70 歳に達した日に被保険者の資格を喪失する。

119

(厚年法14条)
4) 不適切。遡らずに契約期間(最大2カ月)を超えて引き続き使用されるに至った場合、<u>そのときから被保険者の資格を取得する</u>(厚年法12条)。例えば、1カ月契約なら1カ月を超えたときから資格を取得する。

正解 ⇨ 2

《問12》 65歳前の老齢厚生年金に関する次の記述のうち、適切なものはどれか。

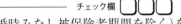

1) 1カ月以上の被保険者期間(離婚時みなし被保険者期間を除く)を有し、かつ老齢基礎年金の受給資格期間を満たしている場合に、65歳前の老齢厚生年金の支給対象となる。
2) 1962(昭37)年4月1日生まれの女性(第1号厚年)は、62歳から報酬比例部分を受給し、65歳から報酬比例部分にあたる老齢厚生年金と老齢基礎年金を受給できる。
3) 1960(昭35)年4月2日生まれの男性で、被保険者でなく、かつ傷病により障害等級に該当する程度の障害の状態にある者は、60歳から定額部分と報酬比例部分の合計額が支給される者に該当する。
4) 1960(昭35)年4月2日生まれの男性で、被保険者でなく、かつ被保険者期間が43年以上ある者は、64歳から定額部分と報酬比例部分の合計額が支給される者に該当する。

■ 解答・解説
1) 不適切。「1カ月以上」ではなく<u>1年以上</u>の被保険者期間を有していることが必要である。(厚年法附則8条)
2) 適切。第1号厚年(民間会社の従業員)で生年月日が1960(昭35)年4月2日から1962(昭37)年4月1日までの女性は、62歳から報酬比例部分を受給し、65歳から老齢厚生年金、老齢基礎年金を受給できる。

Part3　基礎編（四答択一式問題）

3)不適切。被保険者でなく（つまり退職している）、かつ傷病により障害等級
　3級以上に該当する障害の状態にある者は、報酬比例部分支給開始時から
　定額部分と報酬比例部分を合わせた特別支給の老齢厚生年金が支給される
　（障害者の特例）。1960年4月2日生まれの男性の場合、報酬比例部分の
　支給開始は64歳であるから、64歳から定額部分と報酬比例部分を合わせ
　た老齢厚生年金が支給される。（厚年法附則9条の2）

4)不適切。被保険者期間は「43年以上」ではなく<u>44年以上</u>必要である（長
　期加入者の特例）。（厚年法附則9条の3）　　　　　　　正解 ⇨ 2

121

A分野　年金・退職給付制度等

《問13》　在職老齢年金に関する次の記述のうち不適切なものはどれか。

チェック欄 ☐☐☐

1)　65歳前の在職老齢年金で、年金(基本月額)が12万円、賃金(総報酬月額相当額)が38万円の場合、支給停止額は11万円である。

2)　在職老齢年金における総報酬月額相当額で対象となる標準賞与額の期間は4月の場合、4月から前年5月までの1年間である。

3)　65歳以降の在職老齢年金制度においては、総報酬月額相当額にかかわらず、老齢基礎年金は支給停止の対象にはならず全額支給される。

4)　70歳以上の者には60歳台後半の在職老齢年金制度と同じ仕組みで支給制限が適用されるが、退職後に年金額は増えない。

■ 解答・解説

1)不適切。法改正により2022（令4)年4月からは、支給停止の基準額は28万円から47万円(2024年度は50万円)に変更され、65歳以降の基準と同じになった。したがって、基本月額と総報酬月額相当額の合計は「12万円＋38万円＝50万円」となり、支給停止額はゼロである。

2)適切。その月以前の1年間の標準賞与額である。(厚年法46条)

3)適切。65歳以降の在職老齢年金制度における年金の支給調整対象は、老齢厚生年金(経過的加算を除く)であり、老齢基礎年金と経過的加算は対象外である。なお、65歳前(特別支給の老齢厚生年金)の場合、定額部分は支給調整対象となる。(厚年法46条)

4)適切。70歳以上の者は年金の支給調整はあるが厚生年金保険被保険者ではなくなるので、保険料は徴収されない。そのため、70歳以降の在職期間は年金額に反映されない。なお、2007（平19)年4月1日において70歳以上の者(1937〈昭12〉年4月1日生まれ以前)には在職老齢年金制度の支給制限は適用されなかったが、2015（平27)年10月1日からは受給中の者も含めて適用されるようになった。(平16年改正法附則43条、厚年法46条)

正解 ⇨ 1

Part3　基礎編（四答択一式問題）

《問 14》　遺族基礎年金および遺族厚生年金に関する次の記述のうち不適切
　　　　　なものはどれか。

――― チェック欄 □□□ ―――

1)　父子家庭の遺族基礎年金は、要件を満たしていれば第 3 号被保険
　者の妻の死亡でも支給される。
2)　妻の死亡時に夫が 50 歳以上の場合、夫が遺族基礎年金受給中は
　55 歳から 60 歳になるまで夫に遺族厚生年金も支給される。
3)　遺族厚生年金の生計維持に関する認定において、将来にわたって
　年間 850 万円以上の収入を有すると認められる場合は、生計維持関
　係がないと判断される。
4)　夫の死亡時に 25 歳で 3 歳の子を養育している妻が遺族基礎年金
　と遺族厚生年金を受給し、1 年後に子が死亡した場合、妻の遺族厚
　生年金は、子の死亡日から 5 年間の有期給付となる。

■ 解答・解説

1)適切。年金機能強化法により 2014（平 26）年 4 月から夫（父子家庭）へも遺
　族基礎年金が支給されるようになった。死亡した妻は第 3 号被保険者でも
　よいが、夫は生計維持要件（年収 850 万円未満）を満たす必要がある。

2)不適切。「50 歳以上」ではなく 55 歳以上である。遺族厚生年金の遺族に
　なれるのは妻の場合は年齢制限がないが、夫の場合は妻の死亡時に 55 歳
　以上で、なおかつ 60 歳になるまでは支給停止である。法改正で夫も遺族
　基礎年金を受給できるようになったことに伴い、2014（平 26）年 4 月より、
　妻の死亡時に夫が 55 歳を過ぎていれば、夫が遺族基礎年金受給中は 55 歳
　から 60 歳になるまでの間も遺族厚生年金が支給停止にならずに支給され
　るようになった。

3)適切（厚年法 59 条、厚年法施行令 3 条の 10 など）

4)適切。30 歳前に遺族基礎年金を受給している妻でも、30 歳前に遺族基礎
　年金の受給権が消滅した場合は、遺族厚生年金は遺族基礎年金の受給権消
　滅日から 5 年間の有期給付になる。（厚年法 63 条 1 項 5 号ロ）　正解 ⇨ 2

123

A分野　年金・退職給付制度等

《問 15》　離婚時の年金分割に関する次の記述のうち適切なものはどれか。

――――――――――――――― チェック欄 ◯◯◯ ―

1)　離婚時の厚生年金の分割に際して、当事者またはその一方は、厚生労働省令に定めるところにより、家庭裁判所に対して、年金分割請求を行うために必要となる所定の情報の提供を請求することができる。

2)　離婚成立から2年6カ月経過した場合は、当事者間の合意があっても、厚生年金の分割を請求することはできない(他の要件は満たしているものとする)。

3)　第3号被保険者期間についての厚生年金の分割(3号分割制度)の場合、特定被保険者の同意が必要であり、分割の割合は2分の1である。

4)　3号分割制度では、2008(平20)年4月1日以降の第3号被保険者期間が対象となるが、対象とならない第3号被保険者期間については、条件に該当すれば合意分割制度のルールで分割することができる。

■ 解答・解説

1)不適切。「家庭裁判所」ではなく、日本年金機構理事長に対して、標準報酬改定請求を行うために必要な情報の提供を請求することができる。(厚年法78条の4)

2)不適切。「2年6カ月経過」ではなく、2年経過である。2年を経過したときは、当事者間の合意があっても分割請求できない。(厚年法78条の2)

3)不適切。特定被保険者とは分割されるほうの被保険者(一般的には夫)のことをいい、同意は不要である。(厚年法78条の14)

4)適切。3号分割制度が導入される前の2008年3月以前の第3号被保険者期間は合意分割制度が適用される。(厚年法施行令3条の12の12)

正解 ⇨ 4

Part3　基礎編（四答択一式問題）

《問 16》　支給開始年齢、繰上げ受給などについて、次の記述のうち不適切
　　　　　なものはどれか。

――――――――――――――――――――――――――― チェック欄 ☐☐☐ ―
　1)　1960（昭 35）年 4 月 2 日生まれの男性は、特別支給の老齢厚生年
　　　金の報酬比例部分が 64 歳から支給されるが、60 歳に繰り上げても
　　　加給年金は 65 歳からの支給である。
　2)　1961（昭 36）年 4 月 1 日生まれの男性が、特別支給の老齢厚生年
　　　金の報酬比例部分を 63 歳に繰り上げると老齢厚生年金（報酬比例部
　　　分）は 6％減額、老齢基礎年金も同時に繰上げで 12％減額される。
　3)　1960 年 4 月 2 日生まれの公務員だった女性は、特別支給の老齢
　　　厚生年金の報酬比例部分は 62 歳から支給される。
　4)　老齢厚生年金を繰上げ受給した場合、65 歳前の在職老齢年金で
　　　は繰上げ受給の老齢基礎年金は支給停止の対象にはならない。

■ 解答・解説
1)適切。なお、加給年金や振替加算は減額されずに支給される。
2)適切。2020（令 4）年 4 月からの減額率 0.4％への緩和は 1962（昭 37）年 4
　月 2 日生まれ以降の者が対象で、本肢の生年月日の者の減額率は改正前の
　1 カ月につき 0.5％である。よって 64 歳支給開始の老齢厚生年金（報酬比
　例部分）は 0.5％ × 12 カ月 = 6％減額、老齢基礎年金は 0.5％ × 24 カ月 =
　12％減額になる。
3)不適切。旧特別支給の退職共済年金の支給開始年齢は、男女とも特別支給
　の老齢厚生年金の男性（第 1 号厚年）と同じである。よって 1960 年 4 月 2
　日生まれの女性は 64 歳から特別支給の老齢厚生年金（旧特別支給の退職共
　済年金部分含む）が支給される。なお、厚生年金と共済年金の一元化後も、
　旧共済年金の女性（第 2 号厚年～第 4 号厚年）の支給開始年齢は旧厚生年金
　（第 1 号厚年）の男性と同じのままで変更はされない。
4)適切。65 歳前の在職老齢年金では、定額部分は支給停止の対象となるが、
　繰上げ受給の老齢基礎年金は支給停止の対象にはならない。　　正解 ⇨ 3

A 分野　年金・退職給付制度等

《問 17》　年金額の改定について、次の記述のうち適切なものはどれか。

─── チェック欄 ☐☐☐ ───

1)　賃金変動率がプラスで、物価変動率がマイナスの場合は、新規裁定者は賃金変動率、既裁定者は物価変動率で改定する。
2)　賃金・物価とも変動率がプラスで、物価変動率が賃金変動率を上回る場合は、新規裁定者・既裁定者とも物価変動率で改定する。
3)　賃金変動率がマイナスで物価変動率がプラスの場合は、新規裁定者・既裁定者とも物価変動率で改定する。
4)　賃金・物価とも変動率がマイナスで、物価変動率が賃金変動率を上回る場合は、新規裁定者・既裁定者とも物価変動率で改定する。

■ 解答・解説

◇年金額改定ルールとマクロ経済スライドの仕組み（→ p.40）

1)適切（国年法 27 条の 4、27 条の 5、厚年法 43 条の 2、43 条の 3）

2)不適切。新規裁定者・既裁定者とも賃金変動率で改定する。2024（令 6）年度の年金額は、このケースに該当する。賃金変動率 3.1％、物価変動率 3.2％のプラスだったため、新規裁定者・既裁定者とも賃金変動率で改定された。賃金変動率は 3.1％だがスライド調整率 0.4％が差し引かれるため、「3.1％ － 0.4％ ＝ 2.7％」の改定率（増額改定）となった。なお、68 歳の既裁定者は新規裁定者と同じ年金額となる。

3)不適切。新規裁定者・既裁定者とも賃金変動率で改定する（減額改定）。マクロ経済スライドは実施されず、キャリーオーバーとなる。

4)不適切。新規裁定者・既裁定者とも賃金変動率で改定する（賃金変動率による減額改定）。マクロ経済スライドは実施されず、キャリーオーバーとなる。1)～ 4)でわかるように、現役世代（新規裁定者）の改定率より受給者（既裁定者）の改定率が上回らないように調整される。長期的な給付と負担のバランスを保つための措置である。

正解 ⇨ 1

Part3　基礎編（四答択一式問題）

《問18》　被用者年金一元化に関する次の記述のうち、適切なものはどれか。

――― チェック欄 □□□ ―――

1)　一元化時点では民間企業従業員、公務員、私立学校教職員の保険料率が異なっていたが、民間企業従業員が上限の18.3％に達した2017（平29)年9月に公務員や私立学校教職員の保険料も統一された。

2)　会社員（第1号厚年）と私立学校教職員（第4号厚年）の加入期間がある場合、一元化後は老齢厚生年金の繰上げや繰下げの請求は同時に行わなければならない。

3)　一元化後は年金額（年額）が100円単位から1円単位に変わったが、中高齢寡婦加算や寡婦年金は100円単位のままである。

4)　一元化前の婚姻期間中に共済組合加入期間（公務員）と厚生年金被保険者期間（会社員）がある場合、一元化後の離婚分割では、一元化前の部分についてはどちらか一方だけを分割対象にすることもできる。

■ 解答・解説

◇被用者年金一元化による変更事項（→ p.46)

1)不適切。厚生年金保険料率が18.3％（1,000分の183）の上限に達する時期は、民間企業従業員が2017（平29)年9月、公務（国家公務員、地方公務員）が2018（平30)年9月、私立学校教職員が2027（令9)年4月とそれぞれ時期が異なる。

2)適切。第1号厚年を受給し、第4号厚年は繰下げするといったことはできない。

3)不適切。中高齢寡婦加算は100円単位(100円未満四捨五入)だが、寡婦年金は1円単位（1円未満四捨五入)である。寡婦年金は死亡した夫の国民年金第1号被保険者期間に相当する老齢基礎年金額の4分の3で計算するので、満額以外の老齢基礎年金が1円単位となるのと同じ計算になる。同様に満額が100円単位でも満額をもとに計算結果を1円単位とするものには

127

A分野　年金・退職給付制度等

経過的寡婦加算、振替加算、障害基礎年金1級などがある。

4)不適切。一元化前は、厚生年金だけの離婚分割あるいは共済年金だけの離婚分割が可能だったが、一元化後の離婚分割では婚姻期間中のすべての報酬比例部分の年金が分割対象となる。なお、厚生年金と共済年金の両方に婚姻期間中の加入期間がある場合、一元化前は、日本年金機構、共済組合それぞれに離婚分割の手続きを行う。それに対して、一元化後は、どちらか一方で離婚分割の手続きを行うことができる。　　　　　正解 ⇨ 2

《問 19》　被用者年金一元化に伴う扱いに関する次の記述のうち、適切なものはどれか。

チェック欄 ☐☐☐

1)　一元化後、9月30日に退職した場合、資格喪失日が10月1日になるため在職老齢年金の支給停止解除は11月になる。

2)　複数の制度に加入していた場合、遺族厚生年金の長期要件の支給は死亡日に加入していた実施機関となる。

3)　年金払い退職給付は、一元化後の期間のみが対象であり一元化前の期間部分は職域年金額と同じ経過的職域加算額が支給される。

4)　一元化により未支給年金を受給できる者の範囲は、共済年金に合わせて遺族がいないときは相続人が受給できるようになった。

■ 解答・解説

1)不適切。支給停止解除は「11月」ではなく10月である。一元化により、共済年金に合わせて支給停止解除は「資格喪失日（退職日の翌日）の翌月」から退職日の翌月に変更となった。なお、在職中の加入期間が反映される年金額の退職改定も、同様に「資格喪失日の翌月」から退職日の翌月に変更となったので合わせて覚えておいてほしい。

2)不適切。一元化後の老齢厚生年金や遺族厚生年金（長期要件）は加入期間ごとにそれぞれの実施機関が支給する（例えば、公務員加入期間30年分は共済組合、会社員加入期間10年分は日本年金機構）。障害厚生年金は初診日、

128

Part3　基礎編（四答択一式問題）

遺族厚生年金（短期要件）は死亡日に加入していた実施機関が他の実施機関の分も含めて支給する。なお、遺族厚生年金（短期要件）でも退職後5年以内の死亡の場合の支給は初診日に加入していた制度の実施機関となる。

3) 適切。一元化前に共済年金加入期間があり、一元化後に退職する場合は一元化前の期間部分に経過的職域加算額が支給され、一元化後の期間部分に年金払い退職給付が支給される。

4) 不適切。一元化後の未支給年金の受給者の範囲は、厚生年金に合わせて「生計を同じくしていた3等親以内の親族」となった。一元化前の共済年金では、生計を維持されていた配偶者、子、父母、孫、祖父母に加えて、遺族がいないときは他の相続人も受給できた。つまり、相続人には生計維持要件がないので別居して独立生計の子でも未支給年金が受給できた。

正解 ⇨ 3

《問 20》　公的年金の最近の改正に関する次の記述のうち、最も適切なものはどれか。

チェック欄 ☐☐☐

1)　自営業者の妻の産前産後免除は、国民年金保険料が全額免除になるが、本人の所得だけが審査の対象となる。

2)　短時間労働者の厚生年金保険適用拡大の加入要件の1つとして、継続して6カ月以上の雇用が見込まれることが必要である。

3)　短時間労働者の厚生年金保険適用拡大の加入要件の1つである月額賃金8.8万円以上には交通費（通勤手当）も含まれる。

4)　短期滞在外国人が帰国した場合、公的年金（国民年金、厚生年金保険）の脱退一時金が請求できるが支給上限は5年である。

■ 解答・解説

1) 不適切。国民年金第1号被保険者の女性（いわゆる自営業者の妻等）の産前産後期間の国民年金保険料免除制度は、産前産後期間の保険料負担に対する支援を目的とするものであり、通常の保険料納付済期間と同じ扱いにな

129

る。そのため、届出だけが要件であり、所得は問われない。(国年法5条、88条の2)

◇国民年金第1号被保険者の女性の産前産後免除制度(→ p.45)

2)不適切。「6カ月以上」ではなく2カ月超である。

◇企業従業員等の社会保険の加入要件(→ p.43)

3)不適切。適用拡大の要件である月額賃金8.8万円以上に交通費(通勤手当)は含まれない(厚年法12条6号ハ、最低賃金法4条3項)。これは、税法の扶養範囲が適用されるためである。なお、標準報酬月額の計算には賞与は除かれるが、通勤手当や残業代は含まれる。そのため、年収130万円以上で配偶者の扶養から外れるときの計算(いわゆる130万円の壁)では、標準報酬月額のルール(社会保険の扶養範囲)が適用されるため通勤手当や残業代も含まれるので注意したい。

4)最も適切。現在の公的年金の脱退一時金は、日本国籍を有しない外国人が6カ月以上保険料納付済期間等があって一定の要件を満たし、受給資格期間(原則10年)を満たさずに帰国した場合に請求が限られる。請求は、日本に住所を有しなくなった日から2年以内にする必要がある。2021(令3)年4月1日からは、支給上限年数(支給額計算に用いる月数の上限)が従来の3年から5年に引き上げられた。

正解 ⇨ 4

Part3　基礎編（四答択一式問題）

《問21》　公的年金の最近の改正に関する次の記述のうち、適切なものはどれか。

――――――――――――――――――――― チェック欄 ☐☐☐ ―

1) 若年者納付猶予制度は40歳未満に対象が拡大されたが、2025（令7）年6月までの時限措置である。

2) 日本在住で厚生年金保険の被保険者である外国人労働者の被扶養者の妻が母国に住んでいる場合、妻は国民年金第3号被保険者となれる。

3) 年金生活者支援給付金制度の対象になるのは、総所得が一定以下の老齢基礎年金の受給者のみである。

4) 2017（平29）年8月以降に死亡した場合、受給資格期間が25年以上あれば遺族年金の長期要件に該当する。

■ 解答・解説

1)不適切。「40歳未満」ではなく50歳未満である。平成28年7月からの対象年齢拡大に伴って名称も納付猶予制度となった。一般の申請免除は「本人、配偶者、世帯主」の所得が審査対象になるのに対し、納付猶予制度では「本人と配偶者」の所得だけが対象となるので認められやすい。なお、学生納付特例制度が利用できる場合は、納付猶予制度は利用できない。

2)不適切。従来は、第3号被保険者に海外居住要件がなかったため、第2号被保険者(厚生年金保険被保険者)の(要件を満たす)配偶者であれば、海外居住者でも第3号被保険者となることができた。法改正により、2020（令2)年4月からは原則として第3号被保険者は国内居住者に限られることとなった。ただし、日本国内に生活の基礎があると認められる海外赴任に随行する配偶者や留学生などは例外的に第3号被保険者となれる。(国年法7条)

3)不適切。2019（令元)年10月1日より消費税10％実施に伴い、年金生活者支援給付金制度(年金制度とは別枠)が創設されたが、障害基礎年金や遺族基礎年金の受給者も対象となる。

131

A 分野　年金・退職給付制度等

4)適切。受給資格期間 10 年で老齢年金の受給資格は得られるが、遺族基礎
　年金や遺族厚生年金の長期要件である受給資格期間は、改正前と同じ 25
　年のままである。受給資格期間 10 年以上 25 年未満の場合、短期要件では
　保険料納付要件も必要となる。

正解 ⇨ 4

《問 22》　2020（令 2）年 6 月 5 日に公布された年金制度改正法の公的年金
　　　　　の改正に関する次の記述のうち、最も適切なものはどれか。

――――――――――――――― チェック欄 □□□ ―
　1)　在職老齢年金の改正により、2022（令 4）年 4 月から 63 歳の在職
　　　中の者も毎年 1 回(10 月分から)年金額が改定されるようになった。
　2)　2022 年 4 月より 65 歳前の在職老齢年金の支給停止の基準額が 28
　　　万円から 47 万円(2022 年度)に引き上げられた。
　3)　繰下げ受給の上限が 75 歳に引き上げられるのに伴い、30%減額
　　　(60 歳で繰上げ受給)から 84%増額(75 歳で繰下げ受給)までの間で
　　　受給開始時期を選べるようになった。
　4)　1952（昭 27）年 7 月 10 日生まれの者が 71 歳誕生月に繰下げでは
　　　なく一時金請求した場合、本来額で過去 5 年分の年金額を一時金受
　　　給し、66 歳時の増額率 8.4%で受給開始となる。

■ 解答・解説

1)不適切。在職中の年金額改定(在職定時改定)は 65 歳以上の在職者に限ら
　れ、65 歳前の在職老齢年金には適用されない。

2)最も適切。在職老齢年金の支給停止の基準額は 65 歳以降と同じになり、
　47 万円に一本化された。なお、基準額は毎年見直される(2024 年度は 50
　万円)。

3)不適切。2022 年 4 月からの受給開始時期の選択肢拡大では、繰上げ受給
　の減額率は 1 カ月につき 0.5%から 0.4%に緩和された。そのため最大 60
　歳での繰上げ受給では 24%減額(0.4%× 60 カ月)となる。繰下げ受給の増

額率は 1 カ月につき 0.7％で変更がなく、最大 75 歳での繰下げ受給では 84％増額(0.7％×120 カ月)となる。

4)不適切。過去 5 年間の一時金も、66 歳時の増額率 8.4％で増額される。5 年より前の 65 歳からの 1 年間分は時効により受け取れなくなる。

正解 ⇨ 2

A 分野　年金・退職給付制度等

> ② 企業年金と個人年金

《問 23》　確定給付企業年金に関する次の記述のうち、適切なものはどれか。

チェック欄 ☐☐☐

1)　給付は、老齢給付金、脱退一時金、障害給付金、遺族給付金を必ず設けなければならない。

2)　脱退一時金を受給するための要件として、規約で 5 年を超える加入者期間を定めてはならない。

3)　規約型は 300 人以上、基金型は 500 人以上の加入者が創設に必要である。

4)　キャッシュ・バランス・プランでは、利回りの指標として、運用実績を使うこともできる。

■ 解答・解説

1)不適切。老齢給付金と脱退一時金は必須であるが、障害給付金と遺族給付金は必ずしも設けなくてよい。（確給法 29 条 2 項）

2)不適切。「5 年」ではなく 3 年である。（確給法 41 条 3 項）

3)不適切。基金型は 300 人以上の加入者が必要であるが、規約型は加入者の人数要件はない。（確給法施行令 6 条）

4)適切。キャッシュ・バランス・プランとは、確定給付企業年金の一形態である。確定拠出年金のような仮想的な個人勘定を設定して、運用は企業の責任で行うためハイブリッド型年金制度と呼ばれる。通常の確定給付企業年金に比べて運用リスクを軽減できる可能性がある。運用の指標としては、国債の利回りを使うことが多いが、消費者物価指数、賃金指数、TOPIX、運用実績（積立金の運用利回りの実績）なども使うことができる。

正解 ⇨ 4

Part3　基礎編（四答択一式問題）

《問24》　確定給付企業年金に関する次の記述のうち、最も適切なものはどれか。

――――――――――――――――――――――― チェック欄 □□□

1)　規約に定める老齢給付金の支給開始要件として退職要件は必須であるが、年齢要件は任意である。

2)　従業員が拠出する場合の掛金は生命保険料控除の対象となるが、拠出額は事業主拠出額の2分の1を超えてはならない。

3)　老齢給付金の保証期間を定める場合は10年を超える期間であってはならない。

4)　傷病による休職中や育児・介護休業中の従業員も加入者として事業主は掛金を拠出し、加入期間に算入しなければならない。

■ 解答・解説

1)不適切。年齢要件は必須であるが、退職要件は任意である。老齢給付金の支給開始要件には年齢要件と退職要件（規約に定めた場合）がある。（確給法26条、同法施行令28条）

> 年齢要件：60歳以上70歳以下の規約で定める年齢に達したとき
> 退職要件：50歳以上70歳未満の規約で定める年齢以降に退職したとき

2)最も適切（確給法施行令35条）

3)不適切。老齢給付金は終身または5年以上の年金（毎年1回以上定期的に支給）で支給されるが、保証期間を定める場合は20年を超えてはならない。（確給法33条、同法施行令25条）

4)不適切。「休職等期間の全部又は一部」が労働協約等に定める退職金の算定期間に含まれていないなど合理的な理由がある場合は、規約に定めれば休職や休業期間中は加入者資格を喪失することとし、事業主が掛金を停止し、加入期間に算入しないことができる。（「確定給付企業年金制度について〈平14.3.29年発0329008号〉」第1-1(1)①）

　※「確定給付企業年金制度について」は、確定給付企業年金版の法令解釈であり、厚生労働省のホームページで確認できる。「休職等期間中ではない者」は加入者として定

135

A 分野　年金・退職給付制度等

められる 4 つの「一定の資格」の 1 つであり、確定拠出年金の法令解釈と比較してほしい

正解 ⇨ 2

《問 25》　リスク対応掛金とリスク分担型企業年金に関する次の記述のうち、不適切なものはどれか。

チェック欄 ☐☐☐

1)　リスク対応掛金は、DB 制度において 20 年に 1 回の確率で発生する損失に備えるために計画的に拠出可能な掛金である。
2)　リスク対応掛金の算定方法には標準方式と特別方式がある。
3)　リスク分担型企業年金では、事業主は計画的な掛金拠出、従業員は一定の給付減額で積立不足のリスクを分担する。
4)　リスク分担型企業年金は DB 制度なので、運用が好調でも受給額が増えることはない。

■ 解答・解説

◇リスク対応掛金とリスク分担型企業年金(→ p.64)

1)適切。リスク対応掛金を拠出する場合は、均等拠出、弾力拠出(拠出額の上限・下限を設定)、定率拠出(15% ～ 50%)の 3 つの拠出方法から選択できる。拠出期間は 5 年以上 20 年以内で特別掛金より長期にする必要がある。

2)適切。標準方式は、財政悪化リスク相当額を資産区分(国内債券、国内株式など)ごとに「資産残高×リスク係数」で算出した合計額とする算定方式である。一方、特別方式は、財政悪化リスク相当額を厚生労働大臣の承認を受けて、実施している DB 制度の実情に合った方式で行う算定方式である。

3)適切。リスク分担型企業年金の導入には労使合意による規約変更が必要である。労使合意は、基金型年金の場合は代議員会の議決、規約型年金の場合は加入者の過半数(過半数で組織する労働組合、当該労働組合がない場合は過半数を代表する者)の合意となる。

136

Part3　基礎編（四答択一式問題）

4) 不適切。リスク対応掛金の範囲を超えて運用実績が好調であれば、リスク
　　対応掛金からの超過部分だけ受給額が増える。

正解 ⇨ 4

《問26》　中小企業退職金共済の掛金と給付に関する次の記述のうち、適切
　　　　　なものはどれか。

──── チェック欄 ☐☐☐ ────

1)　中小企業退職金共済に新規に加入した場合、事業主に掛金月額の
　　2分の1を加入後4カ月目から1年間助成する。
2)　掛金は月額で納めなければならず、前納することはできない。
3)　中小企業退職金共済の掛金納付月額が3年未満の場合、退職金は
　　支給されない。
4)　退職金額は退職理由により変えることは認められておらず、懲戒
　　解雇でも減額することはできない。

■ 解答・解説

1) 適切。ただし、助成額は1人につき上限5,000円である。また、1万8,000
　円以下の掛金月額を増額する場合は、増額分の3分の1を増額月から1年
　間事業主に助成する。
2) 不適切。掛金は12カ月を限度として前納することができ、前納すれば前
　納減額金が差し引かれて軽減される。
3) 不適切。「3年未満」ではなく、<u>1年未満</u>の場合、退職金は支給されない。
　また、1年以上2年未満では掛金を下回り、2年以上3年半以下で掛金相
　当額、3年半超で掛金を上回る支給となる。
4) 不適切。会社都合か自己都合かという退職理由による変更は認められない
　が、懲戒解雇の場合は、厚生労働大臣の認定を受けたうえで減額すること
　ができる。ただし、減額分は事業主には返還されない。

正解 ⇨ 1

137

A分野　年金・退職給付制度等

《問27》　中小企業退職金共済の加入に関する次の記述のうち、不適切なものはどれか。

――――――――――――――――――――――――― チェック欄 □□□ ―

1) 同居親族のみを雇用する事業所でも、一定の要件を満たしていれば中小企業退職金共済に加入することができる。

2) 中小企業退職金共済に卸売業が加入する場合、資本金1億円以下または従業員が100人以下である必要がある。

3) 中小企業退職金共済に加入している企業が、加入できる中小企業の範囲を満たさなくなった場合は制度を脱退しなくてはならない。

4) 小規模企業共済の要件を満たしていれば、会社役員（使用人兼務役員を除く）は、中小企業退職金共済と小規模企業共済の加入を選択できる。

■ 解答・解説

1) 適切。従来、同居親族のみを雇用する事業所は中小企業退職金共済に加入できなかったが、2011（平23）年1月から使用従属関係が認められる場合には、加入できるようになった。

2) 適切。以下の表によって、中小企業退職金共済に加入できる中小企業の資本金、従業員数を再確認すること。

業種	資本金・常用従業員数
一般業種（製造業、建築業等）	資本金3億円以下または従業員300人以下
卸売業	資本金1億円以下または従業員100人以下
サービス業	資本金5,000万円以下または従業員100人以下
小売業	資本金5,000万円以下または従業員50人以下

3) 適切。中小企業の範囲を超えたときは、従業員からの請求に基づいて解約手当金が支給されるが、確定給付企業年金や特定退職金共済制度を導入すれば、解約手当金相当額を引き継ぐことができる。　なお、法改正により2016（平28）年4月1日から確定拠出年金（企業型）への資産移換も可能になった。

4) 不適切。会社役員（使用人兼務役員を除く）は中小企業退職金共済に加入す

138

Part3　基礎編（四答択一式問題）

ることはできない。

正解 ⇨ 4

《問28》　特定退職金共済に関する次の記述のうち、不適切なものはどれか。

チェック欄 □□□

1) 特定退職金共済は事業主、役員（使用人兼務役員を除く）もしくは事業主と生計を共にする親族は加入することができないが、休職中でも社員は必ずそのまま加入しなければならない。
2) 特定退職金共済の掛金納付月額は1人1口1,000円以上で上限は3万円であり、中小企業退職金共済と重複加入できる。
3) 特定退職金共済の退職給付金は一時金と年金の併用払いは選択できない。
4) 法人、個人事業主が負担した特定退職金共済の掛金は全額損金に算入できるが、その掛金は従業員の所得税の対象とはならない。

■ 解答・解説

1) 不適切。休職中の社員は加入しなくてもよい。
2) 適切。中小企業退職金共済制度の掛金月額は5,000円以上（一般社員）なので、特定退職金共済制度のほうが少ない負担で加入できる。
3) 適切。10年以上の加入期間がある場合に加入者の希望により年金か一時金を選択できるが、一時金と年金の併用払いはできない。なお、年金月額2万円未満の場合は一時金支給となり、年金で受給することはできない。
4) 適切。掛金は従業員の所得としては扱われない。

正解 ⇨ 1

A 分野　年金・退職給付制度等

《問29》　小規模企業共済に関する次の記述のうち、適切なものはどれか。

──────── チェック欄 □□□ ──────

1) 個人事業主の共同経営者も 1 名に限り小規模企業共済に加入できるが、親族以外の者でも可能である。
2) 小規模企業共済の掛金月額は 1,000 円から 7 万円までで、その間は 1,000 円単位の設定ができる。
3) 共済金は、加入後 6 カ月以降に、個人事業の廃止、会社等の解散、役員の疾病・負傷または死亡による退職、老齢給付など加入者に生じた事由により、掛金の納付月数に応じて支払われる。
4) 宿泊業の場合、常時使用する従業員が 30 人以下の個人事業主や会社の役員が加入できる。

■ 解答・解説

1) 不適切。従来、個人事業の場合、事業主しか加入できなかったが、2011（平23）年 1 月から親族(配偶者、後継者)や親族以外の共同経営者の加入が 2 名まで可能になった。

2) 不適切。掛金設定は「1,000 円単位」ではなく 500 円単位である。

3) 適切

4) 不適切。商業・サービス業(宿泊業、娯楽業を除く)の場合は従業員 5 人以下、その他の業種と宿泊業、娯楽業は従業員 20 人以下である。なお、加入時に人数要件を満たしていれば、加入後に従業員が増加して要件に該当しなくなっても加入は継続できる。要件に該当しなくなると脱退しなければならない中退共との違いに注意する。

正解 ⇨ 3

Part3 基礎編（四答択一式問題）

《問30》 国民年金基金の給付に関する次の記述のうち、適切なものはどれか。

チェック欄 □□□

1) 国民年金基金には、国民年金本体と同様に繰上げ支給による減額、繰下げ支給による増額がある。

2) 国民年金基金の確定年金Ⅲ型、Ⅳ型、Ⅴ型は、60歳支給開始であるが、厚生年金の支給開始年齢の引き上げに合わせて、2012（平24）年4月からは61歳支給開始になり段階的に引き上げられている。

3) 60歳以上で国民年金基金に加入する場合、既存の加入者はそれまでの加入内容を継続し、上乗せの給付を受けることができる。

4) 国民年金基金の終身年金B型は保証期間がないが、年金受給前の死亡の場合は遺族一時金が受け取れる。

■ 解答・解説

1)不適切。国民年金基金には国民年金の付加年金部分が含まれており、付加年金部分は、国民年金本体を繰り上げると同じ率で減額されて支給開始になる。一方、国民年金基金は65歳で支給開始になるので、国民年金本体を繰り下げても国民年金基金は繰り下げて増額することはできない。

2)不適切。国民年金基金の支給開始年齢は、厚生年金の支給開始年齢の引き上げとは関係がなく、年金の種類によって60歳支給開始と65歳支給開始の場合がある。

3)不適切。既存の加入者でも60歳でいったん資格喪失となる（海外居住の加入者除く）。60歳以降は新たな加入となり、それまでの加入内容を継続することはできない。年金確保支援法により2013（平25）年4月1日から、国内に住む60歳以上65歳未満の国民年金任意加入被保険者も国民年金基金に加入できるようになった（さらに2017〈平29〉年1月1日からは海外居住者も可能になった）。掛金の限度額（月額6万8,000円）、掛金は社会保険料控除が適用、1口目は終身年金で全体の半分以上が終身年金であることといった主なルールは60歳未満の制度と同じだが、年金の種類は3

141

A分野　年金・退職給付制度等

種類だけといった違いがあり別建ての制度となっている。60歳以上の国民年金基金の主なポイントは以下のとおりである。

加入対象者	60歳以上65歳未満の国民年金任意加入被保険者
年金の種類	終身年金（A型、B型）、確定年金Ⅰ型の3種類のみ
掛金	加入年齢にかかわらず同額（年金の種類・性別による違いはある）
年金額	加入期間（月数）によって異なる ※最長5年（60カ月）で1口目年額6万円（月額5,000円）

4）適切。ただし、遺族一時金の額は一律1万円である。　　　　正解 ⇨ 4

《問31》　国民年金基金に関する次の記述のうち、不適切なものはどれか。

――――――――――――― チェック欄 ☐☐☐ ―

1）　国民年金基金は、自営業者の妻が従業員として働いている場合でも夫婦で加入することができる。
2）　国民年金基金に加入後、農業者年金の被保険者になった場合、その日の当日に資格を喪失する。
3）　国民年金基金の掛金の口数単位での増額（増口）は、年度内に何回でも行うことができる。
4）　国民年金基金の掛金は男女ごと、年金の種類ごとに1歳刻みで設定されていて、女性の掛金のほうが男性よりやや高くなっている。

■ 解答・解説

1）適切。国民年金の第1号被保険者であれば、夫婦とも国民年金基金に加入することができる。なお、国民年金基金は2019（平31）年4月より、47都道府県の地域型基金と職能型22基金を統合して「全国国民年金基金」が発足した。職能型3基金は存続している。

2）適切（国年法127条3項）

3）適切。従来、増口は年度内1回しかできなかったが、2014（平26）年4月より減口と同様何度でも可能になった。なお、1口目の減額や変更はできない。

4）不適切。終身年金は女性が長生きするので女性の掛金のほうが男性よりや

142

や高くなっている。しかし、確定年金は支給期間が定められているので、掛金は年齢による違いはあるが男女とも同額である。なお、5年ごとの財政再計算により、2024（令6）年4月から国民年金基金の掛金が改定された。

正解 ⇨ 4

《問32》 財形年金と個人年金に関する次の記述のうち、適切なものはどれか。

─── チェック欄 ☐☐☐ ───

1) 財形年金は満60歳以降に一時金または受取期間5年以上20年以内（保険は終身も可）の年金で受け取れる。
2) 財形年金の積立期間中に解約して払出しを行うと過去5年間の利子等に一時所得として課税される。
3) 育児休業等など休業中は財形年金の積立てを最大2年間中断できる。
4) 個人年金保険料控除の対象となる個人年金保険の要件の1つは受取期間5年以上の年金である。

■ 解答・解説

1) 不適切。財形年金は一時金で受け取ることはできない。（勤労者財産形成促進法6条2項1号ロ）
2) 適切。ただし、災害や疾病など特別な事情では非課税になることもある。
3) 不適切。積立て中断は原則最大2年間であるが、産休や育児休業等（「育児休業等」とは3歳未満の子の育児による休業）の場合は所定の申告書を提出することにより、2年を超えて中断できる。
4) 不適切。個人年金保険料控除の対象となる要件は、「①保険料払込期間10年以上、②被保険者が年金受取人、③契約者本人または配偶者が年金受取人、④確定年金・有期年金の場合は受取開始が60歳以上かつ受取期間10年以上」のすべてを満たしていることである。そのため、一時払い個人年金保険は対象とはならない。また、変額個人年金保険は一般の生命保険料

A分野　年金・退職給付制度等

控除の対象となる。　　　　　　　　　　　　　　　　　　正解 ⇨ 2

《問33》　私的年金の最近の改正に関する次の記述のうち、適切なものはどれか。

チェック欄 ☐☐☐

1) 中小企業でなくなった場合、中小企業退職金共済(中退共)の資産を自社の既設の確定給付企業年金に移換できる。

2) 中退共に加入していた従業員が転職して転職先に中退共がある場合、2年以内に申し出れば中退共の加入期間が通算できる。

3) 小規模企業共済に加入している個人事業主が廃業ではなく、配偶者または子に事業の全部を譲渡した場合は、共済金Bが受け取れる。

4) 小規模企業共済の分割共済金(年金)の支払回数は年4回から年6回に法改正され、2016(平28)年4月以降の請求者は公的年金と同様に偶数月に受け取れるようになった。

■ 解答・解説

1) 適切。従来は、中退共に加入している企業が中小企業の要件を満たさなくなった場合(資本金、従業員の増加)、特定退職金共済(特退共)や確定給付企業年金に資産移換できるのは新設の場合に限られていた。法改正により、2016(平28)年4月より既設にも移換できることになった。さらに確定拠出年金(企業型年金)への移換も可能になり、中小企業でなくなったときの選択肢は以下の4つとなった。

・加入者への分配(解約手当金。一時所得として課税)

・特退共への資産移換(既設・新設とも可能)

・確定給付企業年金への資産移換(既設・新設とも可能)

・確定拠出年金(企業型年金)への資産移換(既設・新設とも可能)

2) 不適切。法改正により、中退共の加入期間通算を転職先へ申し出る期限は「2年以内」から3年以内に延長された。なお、移換に関する契約締結をしていれば特退共との加入期間通算の申出(3年以内)も可能である。

144

Part3　基礎編（四答択一式問題）

3)不適切。小規模企業共済制度の共済金（退職金）には、支給額が有利な順に共済金A、共済金B、準共済金、解約手当金（任意解約）の4種類があり、請求事由によって共済金の種類が決まる。個人事業主が廃業ではなく、配偶者または子に事業の全部を譲渡した場合、従来は「準共済金」だったが、法改正により2016（平28）年4月からは<u>共済金A</u>が受け取れるようになった。

4)不適切。「偶数月」ではなく奇数月である。これにより公的年金と合わせて毎月の受給が可能になった。なお、2016年3月以前に受給開始している受給者は、従来どおり年4回の支払いである。

正解 ⇨ 1

《問34》　私的年金の最近の改正に関する次の記述のうち、適切なものはどれか。

チェック欄 ☐☐☐

1)　海外に居住する国民年金任意加入被保険者も国民年金基金へ加入できるようになったが20歳以上60歳未満に限られる。
2)　小規模企業共済の加入対象のうちサービス業は従業員数5人以下から20人以下に拡大された。
3)　小規模企業共済の共済金を受け取れる遺族の範囲に生計維持のないひ孫と甥・姪が加わった。
4)　リスク分担型企業年金を導入しない場合は、確定給付企業年金を実施していてもリスク対応掛金を算定する必要はない。

■ 解答・解説

1)不適切。従来は、海外に居住する国民年金任意加入被保険者は国民年金基金に加入できなかったが、法改正により2017（平29）年1月より加入できるようになった。加入対象は20歳以上<u>65歳未満</u>なので60歳以上の任意加入被保険者も加入可能である。

2)不適切。2014（平26）年4月より小規模企業共済の加入対象が拡大された

145

が、従業員20人以下で加入できるようになったのはサービス業のうち宿泊業と娯楽業のみである。他のサービス業は従来どおり従業員5人以下である。(《問29》4)解説参照)

3)適切。小規模企業共済制度の共済契約者(加入者)が死亡した場合に共済金を受け取れる遺族は、生計維持関係がない場合は子、父母、孫、祖父母、兄弟姉妹までであったが、平成28年4月からはひ孫(第13順位者)と甥・姪(第14順位者)が加わった。

4)不適切。リスク対応掛金はDB制度(確定給付企業年金等)を実施している場合は原則として全DB制度で算定しなければならない。なお、リスク分担型企業年金を実施しない場合は、リスク対応掛金の算定はしなければならないが拠出は任意である。

◇リスク対応掛金とリスク分担型企業年金(→ p.64)

正解 ⇨ 3

③ 退職給付制度

《問35》 2012（平24）年5月17日に公表された企業会計基準委員会「退職給付会計に関する基準」等の改正に関する次の記述のうち、適切なものはどれか。

―― チェック欄 ☐☐☐ ――

1) 未認識項目のうち、過去勤務費用は連結貸借対照表に反映しなければならないが、数理計算上の差異は注記すれば反映しなくてよい。
2) 昇給率は、「予想される」昇給率から「確実に見込まれる」昇給率に変更された。
3) 退職給付債務や勤務費用の算定に用いる割引率は、支払見込期間に応じた複数の割引率か、金額加重平均期間等による単一の割引率のいずれかを選択することになった。
4) 退職給付引当金は「退職給付に係る資産」に名称変更された。

■ 解答・解説
◇退職給付会計基準の改正（→ p.62）

1) 不適切。未認識過去勤務費用（改正前の名称は未認識過去勤務債務）および未認識数理計算上の差異は、下図のようにともに貸借対照表に反映しなければならない。

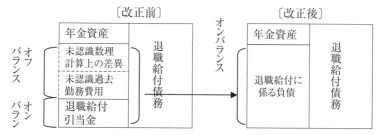

未認識項目は、改正前はオフバランス（貸借対照表への未計上）で遅延認識していたが、オンバランス（貸借対照表への計上）で「その他の包括利益累計額」として即時認識するようになったのが、今回の改正の大きな特徴

である。前ページの図のように「(退職給付引当金＋未認識過去勤務費用＋未認識数理計算上の差異)＝退職給付に係る負債」である。退職給付に係る負債は、貸借対照表の負債の部に計上されるが未認識項目の額が大きい場合には退職給付債務を超えてしまう場合があり、その場合は「退職給付に係る資産」(改正前の前払年金費用に相当)として貸借対照表の資産の部に計上される。なお、個別財務諸表については改正前の処理が当分の間適用される。

2)不適切。昇給率は退職給付見込額を算定するときに用いられる基礎率の1つである。改正前は「確実に見込まれる」昇給(定期昇給など)をもとに算定する予定昇給率が使われていたが、改正後は「予想される」昇給(インフレなども考慮)をもとに算定する予想昇給率を使用することとなった。

3)適切。改正前は、平均支払期間に応じた単一の割引率を使用していたが、改正後は支払見込期間に応じた複数の割引率か、金額加重平均期間等による単一の割引率のいずれかを選択することになった。

4)不適切。退職給付引当金は「退職給付に係る<u>負債</u>」、前払年金費用は「退職給付に係る<u>資産</u>」に名称変更された。なお、適用されるのは連結財務諸表だけで、個別財務諸表では当面改正前の名称が使われ、処理も変更にならない。 　　　　　　　　　　　　　　　　　　　　　　　　正解 ⇨ 3

《問36》 退職給付費用に関する次の記述のうち、適切なものはどれか。

──── チェック欄 ▢▢▢ ─

1) 退職給付費用は、当期において貸借対照表に計上する費用である。

2) 原則法における退職給付費用は、一般に「勤務費用＋利息費用＋数理計算上の差異の償却費用＋過去勤務費用の償却費用」で計算される。

3) 勤務費用は、当期に発生した退職給付見込額を現在価値に割り引いたものである。

4) 利息費用は、期末の退職給付債務に割引率を乗じて計算する。

■ 解答・解説
◇退職給付債務の概念と退職給付会計の計算方法(→ p.53)
1) 不適切。「貸借対照表」ではなく、損益計算書に計上する費用である。
2) 不適切。退職給付費用の計算においては、期待運用収益を差し引く必要がある。したがって原則法の算式は、「勤務費用＋利息費用－期待運用収益＋数理計算上の差異の償却費用＋過去勤務費用の償却費用」となる。なお、企業会計基準の改正により、従来の「過去勤務債務」は年金財政上の過去勤務債務と区別するために「過去勤務費用」と名称変更になった。また、未認識債務の一つとして会計基準変更時差異もあるが、会計基準変更時差異は、積立不足が明確化された2000（平12）年4月の退職給付会計基準の制度導入時の制度導入前後の差異である。15年以内に処理（償却）を終えることになっており、現在は費用処理期間が経過しているため、新たに発生することはない。
3) 適切。勤務費用には、将来の労働の対価に対応する金額は含まれていない。
4) 不適切。利息費用は、期首（期初）の退職給付債務に割引率を乗じて計算する。

正解 ⇨ 3

《問37》 退職給付債務を計算する際の割引率、長期期待運用収益率に関する次の記述のうち、不適切なものはどれか。

1) 割引率が高いほど退職給付債務は大きくなる。
2) 退職給付債務の計算における割引率は、安全性の高い長期の債券の利回りを基礎として決定しなければならないこととされている。
3) 長期期待運用収益率が高いほど退職給付費用が小さくなる。
4) 長期期待運用収益率は、運用収益の実績等に基づいて再検討し、当期損益に重要な影響があると認められる場合のほかは、見直さないことができる。

■ 解答・解説
◇退職給付債務の概念と退職給付会計の計算方法(→ p.53)
1) 不適切。割引率を高く設定すると、将来の退職給付債務が高い利率で割り引かれることとなるため、退職給付債務は小さくなる。
2) 適切。安全性の高い債券とは、格付けの高い国債・社債等である。長期とは、退職給付の見込支払日までの平均期間が原則で、実務上は従業員の平均残存勤務期間に近似した年数とすることもできる。なお、企業会計基準の改正により、期間について退職給付支払いごとの支払見込期間を反映するものでなければならなくなった。
3) 適切
4) 適切。なお、企業会計基準改正により、「期待運用収益率」の名称が長期期待運用収益率に変更されたが内容は従来と同じである。

正解 ⇨ 1

《問38》 確定給付企業年金の50%を確定拠出年金の企業型年金に移行する場合、時価で評価した年金資産は300、責任準備金は400、数理債務は500、最低積立基準額は450とすれば、移換額として、次のうち適切なものはどれか。1)〜4)のなかから選びなさい。

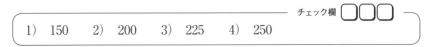

1) 150　　2) 200　　3) 225　　4) 250

■ 解答・解説
　確定給付企業年金の給付減額により企業型年金に移行する場合、最低積立基準額の減額相当分を移換することになる。したがって、移換額は最低積立基準額を基準に 450 × 0.5 = 225 として計算される。

正解 ⇨ 3

Part3　基礎編（四答択一式問題）

《問39》　A社の2023年3月31日決算の退職給付会計に関する数値のう
ち、退職給付引当金に関する数値は以下のとおりであった（原則法）。
なお、A社は退職一時金と確定給付企業年金を採用しており、確定
給付企業年金の移行割合は退職金規程の50％である。A社に関す
る次の記述のうち適切なものはいくつあるか。

チェック欄 □□□
（単位：百万円）

2022年4月1日現在の退職給付引当金残高	2,000
2022年4月1日から2023年3月31日までの 確定給付企業年金掛金	600
2022年4月1日から2023年3月31日までの 退職一時金支払額	300
2023年3月31日の退職給付引当金残高	2,500

ア）　A社の2023年3月期の退職給付費用は800百万円である。

イ）　2022年度の税務上の損金算入金額は900百万円である。

ウ）　確定給付企業年金の掛金を支払う場合の仕訳は、以下のとおり
である。

退職給付費用	600	現金	600

1）0　　　2）1つ　　　3）2つ　　　4）3つ

■ 解答・解説

ア）不適切。当期の退職給付費用を求めるために必要な期末退職給付引当金
は、「期首退職給付引当金 ＋ 当期退職給付費用 － 確定給付企業年金掛
金 － 退職一時金支払額 ＝ 期末退職給付引当金」で求められる。そして、
当期退職給付費用 は、「期末退職給付引当金 － 期首退職給付引当金 ＋
確定給付企業年金掛金 ＋ 退職一時金支払額」で求められる。したがっ
て、2023年3月期の退職給付費用は、「2,500 － 2,000 ＋ 600 ＋ 300 ＝ 1,400
百万円」である。ここでは、確定給付企業年金の掛金「600百万円」が
加えられていないため、計算結果が誤っている。

イ）適切。損金に算入される額は、企業年金制度への掛金（確定給付企業年金

151

掛金）および退職一時金支払額の合計である。したがって、「600 ＋ 300 ＝ 900百万円」となる。

ウ）不適切。設問の仕訳の掛金拠出を発生時と拠出時で考えてみる。

〈発生時〉

会計上の費用は現金の支出（この場合、掛金拠出）にかかわらず、発生した時点で認識するため、以下のとおり、損益計算書で費用、貸借対照表で負債を認識する。

退職給付費用　XX	退職給付引当金　XX

〈掛金拠出時〉

会計上の費用は発生時に認識されるため、掛金拠出時に損益計算書で認識される金額はない。掛金拠出時は拠出額に相当する現金分を退職給付引当金から取り崩す処理を行う。

したがって、設問に対する正しい仕訳は以下のとおりとなる。

退職給付引当金　600	現金　　　　　　600

正解 ⇨ 2

Part3　基礎編（四答択一式問題）

《**問40**》　退職給付会計に関する次の記述のうち適切な記述はいくつある
か。1）～4）のなかから選びなさい。

チェック欄 □□□

ア）　厚生年金基金または確定給付企業年金において従業員が負担し
た掛金がある場合には、従業員拠出にかかる給付の見込額を控除
した給付に対して退職給付費用を計算する。

イ）　確定拠出年金に係る退職給付費用は拠出した時点で認識される。

ウ）　自社の拠出に対応する年金資産の額を合理的に算出することが
できない等の要件を満たした場合は、総合型厚生年金基金に係る
退職給付費用は要拠出額とすることができる。

1）0　　　2）1つ　　　3）2つ　　　4）3つ

■ 解答・解説

ア）不適切。従業員拠出に係る給付を含めた給付に対する退職給付費用を計
算してから従業員の拠出額を控除して企業の会計上の費用を決定する。

イ）不適切。確定拠出年金に係る退職給付費用は要拠出額とするが、拠出で
はなく、発生した時点で認識される。なお、確定拠出年金では通常、当
月発生した掛金を翌月拠出する。

ウ）適切。自社の拠出に対応する年金資産の額を合理的に算出することがで
きない場合は、総合型基金への要拠出額を退職給付費用とすることがで
きる（「退職給付会計注解」第12）。

したがって、適切な記述はウ）の1つで、2）が正解。

正解 ⇨ 2

153

A分野　年金・退職給付制度等

《問41》　退職給付会計の簡便法に関する次の記述のうち、適切なものはどれか。

チェック欄 □□□

1)　従業員数が300人未満の企業は、簡便法を適用しなければならない。
2)　退職一時金制度で簡便法を適用した場合、期末自己都合要支給額を退職給付債務とすることができる。
3)　簡便法では、未認識債務の遅延処理が認められている。
4)　簡便法から原則法への変更や原則法から簡便法への変更は随時認められる。

■ 解答・解説

◇退職給付債務の概念と退職給付会計の計算方法(→ p.59)簡便法

1)不適切。従業員数が300人未満の場合、簡便法の適用が認められているが、原則法を適用することもできる。

2)適切。退職一時金制度の簡便法では、退職給付債務の計算方法は3種類あるが、期末自己都合要支給額をそのまま退職給付債務とするのが最も簡単な方法である。その他、比較指数方式(期末自己都合要支給額×比較指数〈退職給付会計基準の適用初年度の期首における原則法による退職給付債務額と自己都合要支給額との比率〉)と係数方式(期末自己都合要支給額×平均残存勤務期間に対応する割引率係数×昇給率係数)がある。

3)不適切。簡便法では原則法のような退職給付費用の見積もり計算をしないため、未認識債務(未認識過去勤務費用、未認識数理計算上の差異)は発生しない。

4)不適切。原則法から簡便法への変更は、合理的な理由がない限り認められない。

正解 ⇨ 2

Part3　基礎編（四答択一式問題）

> ④ 中高齢期における社会保険

《問42》　退職後の健康保険に関する次の記述のうち、不適切なものはどれ
　　　か。

チェック欄 □□□

1)　退職後、国民健康保険の世帯主として加入すると前年の所得を基
　準に保険料が算定され、全額自己負担となる。さらに世帯での人数
　に応じて保険料が上がる。
2)　退職後、健康保険の任意継続被保険者になると加入期間は2年間
　だが、保険者に申し出た場合、被保険者期間中であっても資格を喪
　失することができる。
3)　退職後、健康保険の任意継続被保険者になった場合、納付した保
　険料は、その全額が社会保険料控除の対象となる。
4)　退職後、家族が加入している健康保険の被扶養者になれば保険料
　の負担はない。被扶養者になる条件は、年収130万円未満(60歳以
　上または一定の障害者は180万円未満)であり、かつ同居の場合は
　被保険者の年収より少ないことである。

■ 解答・解説

◇退職後に加入する公的医療保険の選択肢(→ p.65)

1)適切。自治体によって保険料は違ってくるが、前年の所得を基準に算定さ
　れる。また、国民健康保険は人頭税ともいわれ、世帯での人数が増えると
　保険料も上がる。

2)適切。任意継続被保険者の資格喪失は2年間の期間満了や75歳到達、死
　亡等に限られ、本人からの申し出による資格喪失はできなかったが、2022
　(令4)年1月1日から、資格喪失を申し出た場合、その申し出が受理され
　た日の属する月の翌月1日に資格を喪失できるようになった。

3)適切。確定申告を行う場合、納付した保険料全額が、社会保険料控除の対
　象となる。また、口座振替により保険料を納付した場合、全国健康保険協

155

A分野　年金・退職給付制度等

会(協会けんぽ)では、通常12月中旬ごろに、「保険料納付証明書」が送付される。なお、国民年金の納付額を証明する「社会保険料(国民年金保険料)控除証明書」は確定申告時に添付しなければならないが、健康保険の保険料納付証明書は、原則として確定申告時に添付する必要はない。

4)不適切。同居の場合は、「被保険者の年収より少ない」ではなく、「被保険者の年収の2分の1未満」である。(保険局長通知平成5年3月5日15号他)

正解 ⇨ 4

《問43》　健康保険の傷病手当金に関する次の記述のうち、最も不適切なものはどれか

チェック欄 □□□

1)　傷病手当金は支給開始から最長1年6カ月支給されるが、1年6カ月の間に仕事に復帰した期間があり、その後同じ病気やケガにより仕事に就けなくなった場合、その復帰した期間は1年6カ月に算入されない。

2)　傷病手当金が支給されるためには、連続する3日間を含み4日以上、仕事に就けなかったことが必要である。

3)　出産手当金が支給される場合、その期間については傷病手当金が支給されることはない。

4)　傷病手当金を受けていて退職した場合、一定の条件を満たせば退職後も引き続き支給を受けることができる。

■ 解答・解説

◇健康保険の傷病手当金の制度概要(→ p.66)

1)適切。法改正により2022(令4)年1月1日以降、出勤(1日の一部だけ働いた日含む)に伴い不支給となった期間はその分延長されて通算1年6カ月まで支給されることになった。

2)適切。連続3日間には、土日、祝日、有給休暇、欠勤も含む。

3)最も不適切。法改正により2016(平28)年4月1日以降、傷病手当金の金

156

Part3 基礎編（四答択一式問題）

額が出産手当金の金額よりも多ければ、その差額が支給されることになった。

4）適切。資格喪失日の前日（退職日等）まで被保険者期間が継続して1年以上あり、被保険者資格喪失日の前日に、現に傷病手当金を受けているか等の条件がある。なお、退職日に出勤した場合は継続給付の条件を満たさないので傷病手当金が打ち切りになる。　　　　　　　　　　　正解 ⇨ 3

《問44》　雇用保険の基本手当に関する次の記述のうち、最も不適切なものはどれか。

チェック欄 ☐☐☐

1）　特定受給資格者または特定理由離職者は、離職の日以前1年間に被保険者期間が通算して6カ月以上ある場合、他の受給要件を満たせば、基本手当を受給することができる。

2）　特別支給の老齢厚生年金と基本手当は、同時に受給することができず調整されるが、この場合は基本手当が一部支給停止される。

3）　20年以上被保険者であった45歳以上60歳未満の特定受給資格者および特定理由離職者の場合、基本手当の所定給付日数は330日である。

4）　病気やケガなどの理由で基本手当受給期間の延長を申し出る場合、病気やケガなどで引き続き30日以上働くことができなくなった日の翌日から早期に、申し出る必要がある。

■ 解答・解説

◇雇用保険の制度概要と基本手当の計算方法（→ p.68）

1）適切。通常、離職の日以前2年間に被保険者期間が通算して12カ月以上あることが必要であるが、特定受給資格者または特定理由離職者に関しては設問の要件になっている。

2）最も不適切。基本手当は全額支給され、特別支給の老齢厚生年金は全額支給停止となる。

157

A分野　年金・退職給付制度等

3)適切。なお、20年以上被保険者であった一般被保険者が自己都合で退職
　する場合、基本手当の所定給付日数は150日である（全年齢共通）。

4)適切。延長できる期間は最長で3年間（原則1年間と合わせて4年間）と
　なっている。以前は30日経過の翌日から1カ月以内が申請期限だったが、
　2017（平29）年4月から原則「早期に」に変更された。延長後の最後の日
　まで申請可能だが、遅すぎると所定給付日数が受給できなくなる。

正解 ⇨ 2

《問45》　高齢者の雇用保険に関する次の記述のうち、最も不適切なものは
　　　　　どれか。

チェック欄 ☐☐☐
1)　高年齢雇用継続給付は、離職して雇用保険の基本手当をもらって
　　も一定の要件を満たせば再就職後に受給することができる。
2)　マルチジョブホルダー制度では、本人がハローワークに申し出を
　　行った日からマルチ高年齢被保険者となる。
3)　65歳以上の従業員が高年齢被保険者として離職した場合、受給
　　要件を満たすごとに高年齢求職者給付金が支給される。
4)　高年齢被保険者は、育児休業給付金や介護休業給付金の支給対象
　　ではない。

■ 解答・解説

1)適切。高年齢雇用継続給付は、雇用継続を目的とする高年齢雇用継続基本
　給付金と再就職の促進を目的とする高年齢再就職給付金がある。高年齢再
　就職給付金は、基本手当を受給していても再就職前日における基本手当の
　支給残日数が100日以上あって、他の要件も満たしていれば受給できる。
　（雇用保険法61条）

2)適切。2022（令4）年1月1日から65歳以上を対象に5年後の検証を前提
　に施行実施された。①複数の事業所に雇用される65歳以上、②週所定労
　働時間合計20時間以上、③それぞれの事業所で31日以上雇用見込み、が

158

要件。本人の住所を管轄するハローワークで手続きを行う。

3）適切。65歳以上の従業員であっても被保険者であった期間が1年以上であれば50日分、6カ月以上1年未満であれば30日分、それぞれ高年齢求職者給付金が一時金として受給できる。法改正前は65歳前からの継続雇用で65歳以降に離職したとき一度だけの支給だったが、2017（平29）年1月以降は受給後に再就職して6カ月以上の被保険者期間を満たして離職すれば何度でも受給できることになった。マルチ高年齢被保険者であった場合も、同様である。

4）最も不適切。育児休業や介護休業を新たに開始する場合も、それぞれ休業開始する日前2年間に被保険者期間が12カ月以上等の要件を満たせば支給対象となる。

正解 ⇨ 4

《問46》 労災保険における各給付に関する次の記述のうち、最も不適切なものはどれか

チェック欄 ☐☐☐

1）傷病補償年金が支給される場合、療養補償給付は引き続き支給されるが、休業補償給付は支給されない。

2）業務上の負傷や疾病が治ゆしたとき、身体に一定の障害が残った場合、障害補償給付が支給される。

3）障害補償年金を受給することになった場合、1回に限り年金の前払いを受けることができる。

4）遺族補償年金の受給資格者となるのは、被災労働者の死亡当時その収入によって生計を維持していた配偶者、子、父母などであるが、すべての遺族について、一定の高齢または年少、あるいは一定の障害の状態であることが必要である。

159

A分野　年金・退職給付制度等

■ 解答・解説

◇労災保険の給付と公的年金との併給調整（→ p.70）

1）適切。傷病補償年金は療養開始後1年6カ月を経過した日以後、当該負傷または疾病が治らず、障害の程度が傷病等級（第1級から第3級まで）に該当し、その状態が継続している場合に障害の程度に応じて支給される。なお、傷病等級に該当せず傷病補償年金が支給されない場合は、引き続き休業補償給付が支給される。

2）適切。残存障害が障害等級表に掲げる障害等級に該当した場合、障害の程度に応じ、障害等級第1級から第7級に該当するときは障害補償年金、第8級から第14級に該当するときは障害補償一時金が支給される。

3）適切。障害補償年金の受給権者は一時的に資金を必要とすることが多いため、このような給付が設けられている。

4）最も不適切。妻以外の遺族については、一定の高齢または年少、あるいは一定の障害の状態であることが必要である。

正解 ⇨ 4

160

B 分野　確定拠出年金制度

① 確定拠出年金の仕組み

《問1》　確定拠出年金の企業型年金の加入者資格等についての次の記述のうち、適切なものはいくつあるか。1）〜4）のなかから選びなさい。

――――――――――――――――――――　チェック欄 ☐☐☐

ア）　8月16日に企業型年金の加入者資格を取得し、10月31日に退職した場合、企業型年金の加入期間は3カ月となる。

イ）　企業型年金の実施事業所に使用されるに至った日の翌日に、加入者資格を取得する。

ウ）　企業型年金加入者が死亡したときは、死亡した日の翌日に加入者資格を喪失する。

エ）　A企業型年金の企業型年金加入者が、同時にB企業型年金の企業型年金加入者となる資格を有するに至り、当該加入者がB企業型年金の加入者であることを選択したときは、B企業型年金の企業型年金加入者となった日の前日に、A企業型年金の企業型年金加入者の資格を喪失する。

1）1つ　　2）2つ　　3）3つ　　4）4つ

■ 解答・解説

ア）適切。喪失日は<u>退職日の翌日</u>となるため、10月31日に退職した場合、11月1日が喪失日となる。したがって、加入者資格の取得日の属する月（8月）から喪失日の前月（10月）までの3カ月が加入期間となる。加入者資格取得日（入社日）の月末までに資格喪失日がある場合（本問では8月

161

30 日までに退職日がある場合)は加入期間とならない。(法 11 条、12 条、14 条)

イ)不適切。「翌日」ではなく、実施事業所に使用されるに至った日に加入者資格を取得する。(法 10 条 1 項 1 号)

ウ)適切。「企業型年金規約により定められている資格を喪失したとき(厚生労働省令で定める場合に限る)」「企業型年金の老齢給付金の受給権を有する者となったとき」「退職日などの当日に企業型年金の加入者となったとき(転職先の企業型年金加入者になるなど)」は資格喪失日が当日となり、それ以外は翌日が資格喪失日となる。なお、従来、60 歳未満とされていた年齢要件は、規約の定めによる 4 つの「一定の資格」のうちの「一定の年齢」(原則 60 歳以上 70 未満で設定可能)として再整理された。(法 11 条)

エ)不適切。B 企業型年金の加入者となった日の「前日」ではなく、B 企業型年金の加入者となった日に A 企業型年金の加入者の資格を喪失する。(法 13 条 5 項)　　　　　　　　　　　　　　　　　　　　　正解 ⇨ 2

《問 2》　確定拠出年金の企業型年金加入者とすることについて一定の資格として定めることができる場合に関する次の記述のうち、不適切なものはどれか。なお、いずれの場合も、企業型年金加入者とならない者に対して、企業型年金への事業主掛金の拠出に代わる相当な措置が講じられているものとする。

──── チェック欄 ☐☐☐ ────

1) 一定の職種に属する従業員のみを企業型年金加入者とする場合。
2) 一定の勤続期間以上の従業員のみを企業型年金加入者とする場合。
3) 20 歳未満の者を企業型年金加入者としないこと。
4) 従業員のうち、加入者となることを希望した者のみを企業型年金加入者とする場合。

Part3 基礎編（四答択一式問題）

■ 解答・解説

1) 適切（法令解釈第 1-1(1)①）

2) 適切（法令解釈第 1-1(1)②）

3) 不適切。一定の年齢未満の従業員のみを<u>加入者としないこと</u>は認められない。また、一定の年齢未満の従業員のみを<u>加入者とすること</u>は合理的な理由があれば認められるが、一定の年齢で区分して加入資格に差を設けることは基本的には合理的な理由がないとされる。認められる例外的ケースとしては、企業型年金開始時等に 50 歳未満の者のみを加入者とし 50 歳以上の者を加入者としないことは可能である。10 年未満の加入期間では不都合が生じるためである。（法令解釈第 1-1(1)③）

4) 適切（法令解釈第 1-1(1)④）　　　　　　　　　　　　正解 ⇨ 3

《問3》　確定拠出年金の個人型年金の加入者資格等に関する次の記述のうち、不適切なものはどれか。

――――――――――――――――――――――― チェック欄 ☐☐☐

1)　国民年金第 1 号被保険者のうち国民年金保険料の産前産後免除を受けている者は、保険料を納付していなくても個人型年金に加入できる。

2)　規約で定められた勤続年数に達していないために企業型年金に加入していない者は個人型年金に加入できる。

3)　確定拠出年金の企業型年金のない確定給付企業年金を導入している企業の従業員は個人型年金に加入できる。

4)　国民年金第 3 号被保険者である主婦がパートで働いている場合、勤務先を通じて給与天引きで個人型年金の掛金を納付することもできる。

■ 解答・解説

1) 適切。また、障害基礎年金の受給権者で国民年金保険料の免除を受けている場合も、個人型年金に加入することができる。（法 62 条 1 項 1 号）

163

2)適切。従来は、規約で定める一定の資格に到達しない待機者(勤続年数、年齢)や希望しないで選択しなかったために企業型年金に加入していない者は個人型年金に加入できなかった。しかし、個人型年金の加入対象者拡大の法改正に伴って、2017(平29)年1月よりこうした者も個人型年金に加入できるようになった。なお、この場合の個人型年金拠出限度額は、他の企業年金がない場合は月額2万3,000円(年間27万6,000円)、他の企業年金がある場合は月額1万2,000円(年間14万4,000円)となる。

3)適切。以前は、確定拠出年金の企業型年金がなくても他の企業年金がある場合は個人型年金に加入できなかったが、2017(平29)年1月から他の企業年金のみの場合は個人型年金に加入できるようになった(加入に制約はなく、他の企業年金の規約等の定めなどは不要)。さらに、2022(令4)年10月の企業型年金と個人型年金の同時加入の緩和により、企業型年金の有無に関係なく、個人が任意に個人型年金に加入できるようになった。(法62条)

4)不適切。国民年金第1号被保険者や第3号被保険者の個人型年金掛金は勤務先を通じて給与天引きで拠出することはできず、個人での払込みとなる。なお、中小事業主掛金納付制度を実施している企業でも、事業主(勤務先)を通じて掛金の納付ができるのは第1号厚生年金被保険者の従業員(国民年金第2号被保険者)だけである。(法70条、Q&A232)

正解 ⇨ 4

Part3　基礎編（四答択一式問題）

《問4》　確定拠出年金の企業型年金運用指図者の資格の喪失日に関する次の
記述のうち、適切なものはどれか。

――――――――――――― チェック欄 □□□ ―
　1)　当該企業型年金に個人別管理資産がなくなったときは、その日。
　2)　60歳以降に企業型年金運用指図者となった者が当該企業型年金
　　の企業型年金加入者となったときは、その日。
　3)　企業型年金運用指図者が当該企業型年金の障害給付金の受給権を
　　有したときは、その翌日。
　4)　死亡したときは死亡した日。

■ 解答・解説

　運用指図者の資格喪失は、資格喪失日が喪失事由該当日の翌日か当日かに
注意して解答する。企業型年金加入者になったとき以外は翌日である。

1)不適切。個人別管理資産がなくなった日の翌日である。（法15条3項2号）

2)適切（法15条3項3号）。2022（令4）年5月からは70歳未満であれば企
　業型年金に加入が可能になった。なお、企業型年金の老齢給付金の裁定を
　した場合、企業型年金運用指図者となっても企業型年金への加入はできな
　い。

3)不適切。60歳以降の企業型年金運用指図者が障害状態になって障害給付
　金の受給権を有しても運用指図者の資格は喪失しない。（法15条3項）

4)不適切。死亡した日の翌日である。（法15条3項1号）

正解 ⇨ 2

165

B分野　確定拠出年金制度

《問5》　確定拠出年金の掛金及び拠出限度額に関する次の記述のうち不適切なものはいくつあるか。1）～4）のなかから選びなさい。

―――――― チェック欄 □□□ ――

ア）　中小企業退職金共済のみを実施している企業が、企業型年金を導入した場合の事業主の拠出限度額は、月額2万7,500円（年間33万円）となる。

イ）　企業型年金の事業主掛金の算定方法には定額、定率、及び定額と定率の組み合わせがあるが、定額により算定する場合は、基本的には加入者全員同一の額としなければならない。

ウ）　個人型年金の掛金は、拠出限度額の範囲内であれば、5,000円以上、1,000円単位で加入者が任意に設定することができる。なお、掛金の変更は1年間（4月～翌年3月）に1回可能である。

エ）　事業主は事業主掛金を納付日までに運営管理機関に納付し、加入者ごとの掛金額を資産管理機関に通知しなければならない。

1）1つ　　2）2つ　　3）3つ　　4）4つ

■ 解答・解説

◇確定拠出年金の掛金拠出限度額（→ p.72）

ア）不適切。中小企業退職金共済は「他の企業年金」とはみなされない。事業主の拠出限度額は、月額5万5,000円（年間66万円）となる。（施行令11条、36条）

イ）適切（法令解釈第1-2（1））

ウ）不適切。掛金拠出の年単位化に伴い掛金の変更は2018（平30）年1月から「年度（4月～翌年3月）ごとに1回限り」から<u>拠出単位期間につき1回限り</u>（12月～翌年11月）に変更された。（施行令29条、個人型年金規約74条）。

エ）不適切。事業主は事業主掛金を、納付日（企業型年金規約で定める日）までに<u>資産管理機関に納付</u>し、加入者ごとの掛金額を<u>運営管理機関（記録関</u>

Part3　基礎編（四答択一式問題）

連運営管理機関)に通知する。(法21条)

正解 ⇨ 3

《問6》　確定拠出年金のマッチング拠出について、次の記述のうち、適切な
　　　　ものはいくつあるか。1）～4）のなかから選びなさい。

――――――――――――――――――― チェック欄 □□□ ―

　ア）　マッチング拠出の事業主掛金は毎月、加入者掛金は6カ月に一
　　　　度(12月と6月)といった拠出は可能である。
　イ）　事業主掛金と加入者掛金は合計して全体の拠出限度額を超える
　　　　ことができない。さらに加入者掛金は事業主掛金を超えることが
　　　　できない。
　ウ）　加入者掛金については規約で定めた掛金額の範囲内で加入者が
　　　　自由に設定し、事業主が加入者掛金の拠出を強制できない。
　エ）　加入者掛金は拠出時時点で全額が所得控除の対象となるが、個
　　　　人型年金と同じ小規模企業共済等掛金控除の扱いである。

　　1）1つ　　　2）2つ　　　3）3つ　　　4）4つ

■ 解答・解説

ア）適切。2018（平30)年1月からの掛金拠出の年単位化により、企業型年
　　金のマッチング拠出では、事業主掛金と加入者掛金(従業員掛金)の拠出
　　区分期間(年間の拠出期間の区分)を別々に設定することができる。問題
　　文のケースでは事業主掛金の拠出区分期間を12区分(毎月)、加入者掛金
　　の拠出区分期間を2区分(12月～5月と6月～11月)に設定すればよい。
　　ここで、一時的に加入者掛金が事業主掛金を超えても1年間(拠出単位期
　　間)で管理する限度額を超えなければよい。(Q&A71-17)

イ）適切(法20条、法4条1項3号の2)。次の2つのルールを満たしていな
　　ければならない(年単位で管理)。

167

B分野　確定拠出年金制度

> ルール１：<u>全体の拠出限度額は、法定の事業主掛金の限度額を超える</u>
> 　　　　　ことができない
> ルール２：かつ、事業主掛金を加入者掛金が超えることはできない

全体の掛金限度額 （＝事業主掛金の設定限度額）	加入者掛金限度額		
	事業主掛金が 半額の場合	事業主掛金が 半額超の場合	事業主掛金が 半額未満の場合
他の企業年金がない場合 　月額 55,000 円	月額 27,500 円	全体の掛金限 度額と事業主 掛金との差額	事業主掛金の額
他の企業年金がある場合 　月額 27,500 円	月額 13,750 円		

(注)　1．他の企業年金とは、厚生年金基金、確定給付企業年金等
　　　2．事業主掛金が半額設定の場合に、加入者掛金限度額が最大になる
　　　3．全体の限度額 55,000 円の場合の加入者掛金限度額の計算例
　　　　　例１：事業主掛金が３万円の場合、加入者掛金限度額は以下のとおり
　　　　　　　　55,000 円 － 30,000 円＝ 25,000 円
　　　　　例２：事業主掛金が２万円の場合、加入者掛金限度額も２万円で、全体の限
　　　　　　　　度額との差額 15,000 円は利用できない

ウ）適切（法 19 条３項、４項）。加入者掛金額は、少なくとも２種類以上（簡易企業型年金は１種類も可）の額を設定しなければならない。「5,000 円または１万円」「1,000 円以上 1,000 円単位（上限まで）」「上限までの任意の額」などの設定が可能。なお、事業主掛金は定額、定率、併用の３通りが認められているが、加入者掛金は定額しか設定できない。「給与の○％」「企業掛金額の○％」などは認められない。加入者掛金額と拠出区分期間の変更は、原則として年１回（掛金拠出単位期間）に限られる。ただし、加入者拠出の中止・再開、企業掛金の変更による限度額超過などは「年１回」に含まれない。

エ）適切（所得税法 75 条２項２号、地方税法 34 条１項４号ロ）。税制優遇が受けられるのが加入者掛金拠出の大きなメリットである。個人型年金と同じ小規模企業共済等掛金控除が適用されるが、給与からの天引きなので事業主が税務処理を行って、毎月の給与明細に記載して加入者に渡し、年末調整を行う。加入者は、原則として確定申告を行う必要はない。なお、給与からの拠出になるので、事業主・加入者とも社会保険料の軽減効果はない。

正解 ⇨ 4

Part3 基礎編（四答択一式問題）

《問7》 確定拠出年金の企業型年金と個人型年金の同時加入に関する次の記述のうち、適切なものはどれか。

———— チェック欄 □□□ ————

1) 2022（令4）年10月より規約がなくても企業型年金と個人型年金に加入できるようになったが、他の企業年金制度に加入していない場合で、企業型年金の事業主掛金が月額2万5,000円の場合、個人型年金の加入者掛金も2万5,000円が上限である。

2) マッチング拠出制度のある企業の企業型年金加入者は、加入者掛金を拠出していなければ個人型年金に加入できる。

3) 私立学校教職員の個人型年金の掛金拠出限度額(月額)は、企業型年金がある場合は1万2,000円、ない場合は2万3,000円である。

4) 企業型年金と確定給付企業年金を実施している企業、確定給付企業年金のみ実施している企業、いずれも個人型年金掛金拠出限度額(月額)は2万円である。

■ 解答・解説

1) 不適切。個人型年金の加入者掛金は2万円が上限となっている。なお、本肢のように他の企業年金制度がない場合での、企業型年金の事業主掛金の上限、企業型年金の事業主掛金と個人型年金の加入者掛金の合計の上限は5万5,000円である。（施行令11条）

2) 適切。2022年10月から、個人型年金とマッチング拠出は選択できるようになった。

3) 不適切。私立学校教職員が加入する私学共済制度の年金払い退職給付(旧共済年金の職域年金)は、「他の企業年金」とみなされる。そのため、企業型年金の有無にかかわらず、個人型年金掛金の拠出限度額(月額)は1万2,000円である。なお、企業型年金がある場合は、月額2万7,500円から事業主掛金を差し引いた額が個人型年金の拠出限度額となる。そのため、事業主掛金が1万5,500円を超える場合は個人型年金の拠出限度額は1万2,000円より少なくなる。（施行令11条、36条）

169

B分野　確定拠出年金制度

4) 不適切。確定給付企業年金（他の企業年金）を実施している企業の個人型年金掛金の拠出限度額（月額）は、企業型年金の有無にかかわらず1万2,000円である。なお、企業型年金がある場合は、月額2万7,500円から事業主掛金を差し引いた額が個人型年金の拠出限度額となる。そのため、事業主掛金が1万5,500円を超える場合は個人型年金の拠出限度額は1万2,000円より少なくなる。（施行令11条、36条）　　　　　　　　正解 ⇨ 2

《問8》　確定拠出年金の事業主返還に関する次の記述のうち適切なものはどれか。

───── チェック欄 ▢▢▢ ─────

1)　企業型年金の加入者が退職する場合、加入者期間が3年未満であれば、事業主掛金を事業主に返還させることができる。

2)　事業主に返還する資産は返還する日の個人別管理資産であるが、その額が事業主掛金総額を下回っている場合は、その差額は加入者が負担し、事業主に返還しなければならない。

3)　企業型年金加入者が死亡した場合は事業主返還を行う必要はない。

4)　事業主返還を行う際の判定基準期間には育児休業および介護休業の期間は含まれない。

■ 解答・解説

1) 不適切。加入者期間ではなく、勤続期間が3年未満であれば返還させることができる。（法3条3項10号）

2) 不適切。事業主掛金より少ないときは、当該個人別管理資産額を返還すればよい（法3条3項10号、施行令2条）。なお、マッチング拠出を導入していて加入者掛金がある場合は、個人別管理資産額をゼロにするような返還は認められない。運用損は事業主掛金相当分と加入者掛金相当分があり、事業主掛金相当分だけを返還すればよい。そのため、加入者掛金がある場合は、規約によって企業掛金の算定方法を定める必要がある。算定方法に

170

は、運用損を事業主掛金と加入者掛金で按分するとか運用損部分は事業主掛金から差し引くといった方法がある。

3) 適切。その他にも、加入していた企業型年金の障害給付金の受給権者になったときなど事業主返還を行う必要のない場合がある。(施行令2条1項1号、2号)

4) 不適切。育児休業や介護休業の休業期間も勤続期間なので、判定基準期間に含まれる。すなわち、休業による休職期間も含めて3年未満であることが事業主返還ができる条件である。(確定拠出年金の企業型年金に係る規約の承認基準等について〈企国発第18号〉審査要領)

正解 ⇨ 3

B分野　確定拠出年金制度

《問9》　確定拠出年金の受給権に関する次の記述のうち、最も適切なものは
どれか。

チェック欄 □□□

1)　老齢給付金の裁定は受給権者の請求に基づき資産管理機関が行
う。また、裁定の結果および記録関連運営管理機関が給付を行うう
えで必要な情報を資産管理機関は記録関連運営管理機関に通知しな
ければならない。

2)　確定拠出年金の加入者等で身体障害者手帳（1級または2級に限
る）の交付を受けた者は、確定拠出年金の障害給付金を受給するこ
とができる。

3)　死亡一時金を受け取ることができる遺族の範囲は法律で定められ
ているが、これらの者のうちから事前に死亡一時金を受ける者を指
定して記録関連運営管理機関に表示することは可能である。

4)　給付を受ける権利は、譲り渡し、担保に供しまたは差し押さえるこ
とができないが、老齢給付金、障害給付金および死亡一時金を受ける
権利を国税滞納処分により差し押さえることはこの限りではない。

■ 解答・解説

1)不適切。老齢給付金の裁定を行うのは記録関連運営管理機関である。また
裁定の結果および資産管理機関が給付を行ううえで必要な情報を記録関連
運営管理機関は資産管理機関に通知しなければならない。（法33条）

2)不適切。身体障害者手帳の交付を受けた者のうち、障害給付金の受給が可
能なのは、「身体障害者手帳（1級から3級）」の交付を受けた者である。
公的年金の場合、障害等級は1級または2級で3級の障害厚生年金は該当
しないことと混同しないように注意する。（法令解釈第7）

3)最も適切（法41条）

4)不適切。障害給付金は、国税滞納処分によって差し押さえることができな
い。（法32条）

正解 ⇨ 3

Part3　基礎編（四答択一式問題）

《問10》　確定拠出年金の加入者期間と老齢給付金の受給に関する記述のうち、適切なものは次のうちどれか。

――――――――――――― チェック欄 □□□ ―

1)　55歳で入社して企業型年金に加入（初めての確定拠出年金加入）し、62歳になるまで加入した人は62歳から受給開始できる。
2)　転職時に国民年金基金連合会に自動移換されていた期間は通算加入者等期間に含まれないが、脱退一時金受給後、次の転職先で確定拠出年金に加入するまでの期間は通算加入者等期間に含まれる。
3)　病気により休職した期間は、掛金を中止していれば通算拠出期間に含まれない。
4)　入社5年後に会社が企業型年金を導入し、導入1年後に退職した場合、会社は1年分の事業主掛金返還をさせることができる。

■ 解答・解説

◇確定拠出年金の老齢給付金の受給に関係する期間（→ p.77）

1)不適切。「62歳」ではなく<u>63歳</u>である。通算加入者等期間は60歳までの期間で判定するので、60歳以降の加入期間や60歳以降の運用指図者期間は含まれない。設問の場合は5年なので受給開始は63歳からになる（法33条）。

2)不適切。脱退一時金を受給した後の期間は通算加入者等期間には含まれない。なお、病気や育児、介護、産前産後などの休職期間は通算加入者等期間に含まれる。

3)適切。通算拠出期間は掛金を拠出した期間のみが算入されるので、掛金を中止すれば除かれる。なお通算加入者等期間には掛金拠出の有無にかかわらず算入される。

4)不適切。勤続年数は企業型年金の導入の有無に関係なく入社日から退職日までの期間である。設問の勤続年数は6年なので3年以上の勤続年数になり、事業主掛金返還をさせることはできない。退職所得控除額計算で使われる勤続年数（＝通算拠出期間）とは意味が異なるので注意する。

正解 ⇨ 3

173

B分野　確定拠出年金制度

《問11》　確定拠出年金の障害給付金の支給要件等に関して、適切なものは
次のうちどれか。

――――――――――――――――――― チェック欄 □□□

1)　企業に勤務しながら企業型年金の障害給付金を受給していても、
企業型年金加入者となることができ、当該企業を退職した場合は、
企業型年金運用指図者になることができる。

2)　企業型年金では、障害厚生年金の障害等級3級以上、個人型年金
では障害基礎年金の障害等級2級以上が障害給付金の支給対象者と
なる。

3)　障害給付金を年金で受給していた者が死亡した場合、残額は遺族
が遺族年金として引き継ぐことができる。

4)　障害給付金を受給していた者が回復して障害状態でなくなった場
合は、当該障害給付金の受給権は消滅する。

■ 解答・解説

1)適切。企業型年金の障害給付金を受けていても、退職しなければ企業型年
金加入者として掛金拠出を続ける。退職した場合には、企業型年金運用指
図者になる。(法15条1項2号、2項)

2)不適切。企業型年金か個人型年金かに関わらず、障害等級2級以上の障害
基礎年金受給者は確定拠出年金の障害給付金の支給対象者となる。確定拠
出年金の障害給付金では、以下の者が支給対象者となる。(法37条、施行
令19条、法令解釈第7)

・障害基礎年金の受給者

・身体障害者手帳(1級～3級)の交付を受けた者

・療育手帳(重度の者)の交付を受けた者

・精神障害者保健福祉手帳(1級および2級)の交付を受けた者

3)不適切。遺族は死亡一時金として受給できるが、年金として受給すること
はできない。(法40条)

4)不適切。一度受給権を得れば、個人別管理資産がなくなるか死亡以外で受

給権は消滅せず、そのまま受給を継続できる。公的年金の障害年金とは異なることに注意してほしい。（法39条、Q&A155）

正解 ⇨ 1

《問12》 確定拠出年金の死亡一時金に関する記述のうち、不適切なものは次のうちどれか。

——— チェック欄 ☐☐☐

1) 死亡一時金の遺族には、生計維持関係のない兄弟姉妹も含まれる。
2) 加入者等は、法定の遺族の範囲の中から一定の要件を満たす遺族をあらかじめ記録関連運営管理機関に申し出ておくこともできる。
3) 死亡一時金を受けられる遺族の範囲に含まれる者が複数いるときは、全員で等分して受給する。
4) 死亡一時金の裁定請求が5年間ないと時効により消滅し、死亡した者の相続財産とみなされる。

■ 解答・解説

1)適切。公的年金に比べて遺族の範囲はかなり広い。（法41条1項）

2)適切。配偶者（事実婚を含む）、子、父母、孫、祖父母または兄弟姉妹の中から選んで、記録関連運営管理機関に申し出ることができる。（法41条1項）

3)不適切。死亡一時金を受給できる遺族の範囲に該当していても順位がある。同順位者が複数いる場合は同順位者で等分する。（法41条2項、3項）

4)適切。死亡一時金を受給できる遺族がいないときも同様である（法41条4項、5項）。また、死亡日から3年以内は「みなし相続財産（法定相続人1人につき500万円まで非課税）」だが、3年経過後から5年経過前までは「一時所得」となる。なお、国民年金の死亡一時金の時効は2年であるので併せて覚えておくとよい。

正解 ⇨ 3

B分野　確定拠出年金制度

《問13》　確定拠出年金の脱退一時金に関する記述のうち、最も適切なもの
　　　　は次のうちどれか。

チェック欄 □□□

1)　国民年金保険料免除者でなければ、個人型年金の脱退一時金を請
　　求することはできない。
2)　企業型年金の脱退一時金を請求する場合、最後に当該企業型年金
　　加入者の資格を喪失した日が属する月の翌月から起算して2年を経
　　過していないことが要件となっている。
3)　脱退一時金について、60歳以降は請求できない。
4)　個人型年金の脱退一時金について、個人型年金運用指図者は国民
　　年金基金連合会にその請求することができる。

■ 解答・解説
◇脱退一時金の支給要件(→ p.79)

1)不適切。法改正で個人型年金加入者になれない者が要件となったため、国
　民年金保険料免除者以外にも帰国した短期外国人労働者(日本国籍を有し
　ない海外居住者)なども脱退一時金が受けられるようになった。(法附則3
　条)

2)不適切。企業型年金の脱退一時金を請求する場合、最後に当該企業型年金
　加入者の資格を喪失した日が属する月の翌月から起算して6カ月を経過し
　ていないことが要件となっている。これは、6カ月経過すると国民年金基
　金連合会へ自動移換されてしまうためである。(法附則2条の2第1項3号)

3)最も適切。企業型年金、個人型年金とも60歳以降の請求はできない。(法
　附則2条の2第1項、3条1項1号)

4)不適切。個人型年金の脱退一時金について、個人型年金運用指図者にあっ
　ては個人型記録関連運営管理機関に、個人型年金運用指図者以外の者に
　あっては連合会に、それぞれ脱退一時金の支給を請求することができる。
　(法附則3条1項)　　　　　　　　　　　　　　　　　　正解 ⇨ 3

176

Part3　基礎編（四答択一式問題）

《問14》　確定拠出年金の給付金に関する次の記述のうち、不適切なものは
いくつあるか。1）～4）のなかから選びなさい。

─────────── チェック欄 □□□ ─

ア）　加入者等が75歳になるまでに老齢給付金の請求を行わなかった
場合は、記録関連運営管理機関等の裁定に基づき老齢給付金が支
給される。

イ）　18歳で就職した後、20歳前に会社を退職し、個人型年金運用指
図者となった者が、高度障害に該当することになった場合、障害
給付金を請求できる。

ウ）　障害給付金の受給権は、受給権者が死亡したときのほか、当該
企業型年金に個人別管理資産がなくなったときにも消滅する。

エ）　企業型年金をできるだけ長期間、例えば老齢給付金を60歳から
25年払いで受給するといった設定を行うことは可能である。

　1）1つ　　　2）2つ　　　3）3つ　　　4）4つ

■ 解答・解説

ア）適切（法34条）。2022（令4）年4月より老齢給付金の受給開始年齢の上
限が70歳から75歳に引き上げられたことに伴い、請求を行わなかった
場合の自動支給年齢も75歳となった。なお、支給は一時金で行われる。

イ）適切（法37条）

ウ）適切（法39条）

エ）不適切。老齢給付金を有期年金で受給する場合は、5年以上20年以下の
期間とする必要がある。（施行令5条、施行規則4条）

正解 ⇨ 1

177

B分野　確定拠出年金制度

《問15》　確定拠出年金の離転職時の取扱いに関する次の記述のうち、最も
　　　　　適切なものはどれか。なお資産とは個人別管理資産のことである。

チェック欄 ☐☐☐

　1)　勤続3年以上の者には、企業型年金の事業主掛金を返還させるこ
　　とができないが、この勤続期間には、企業型年金導入前の期間も含
　　まれる。
　2)　企業型年金の実施企業に転職した者は、転職前の企業型年金資産
　　を個人型年金に移換することはできない。
　3)　企業型年金の実施企業（個人型年金加入）に転職した者は、転職
　　前の企業型年金資産は企業型年金に移換しなければならず、個人型
　　年金の資産はそのまま継続となり企業型年金に移換することはでき
　　ない。
　4)　確定給付企業年金のみの実施企業（確定拠出年金の資産移換可）
　　に転職した者は、転職前の企業型年金の資産は確定給付企業年金に
　　移換しなければならない。

■ 解答・解説

◇離転職時のポータビリティ（→ p.80）

1)最も適切。勤続期間とは入社してからの休業による休職期間を含む在職期
　間のことである。

2)不適切。企業型年金の資産は転職先の企業型年金に移換するか、個人型年
　金に移換して個人型年金加入者または個人年金運用指図者になることを選
　択できる。

3)不適切。企業型年金・個人型年金の資産とも、転職先の企業型年金に移換
　するか、そのまま継続(企業型は個人型に移換)するかを選択できる。

4)不適切。企業型年金の資産は、転職先の確定給付企業年金に移換するか、
　個人型年金に移換して個人型年金加入者または個人型年金運用指図者にな
　ることを選択できる。また、2022（令4)年5月からは、企業年金連合会
　への移換も可能になった。

正解 ⇨ 1

178

Part3　基礎編（四答択一式問題）

《問16》　確定拠出年金の離転職時の自動移換に関する次の記述のうち、不適切なものはどれか。

チェック欄 □□□

1)　自動移換された期間は確定拠出年金の通算加入者等期間とはみなされないため、給付受取開始の時期が遅くなる可能性がある。

2)　国基連（国民年金基金連合会）への自動移換では、移換手数料として移換時に4,348円、移換月の4カ月後から国基連に資産がある間は毎月52円、再移換時に1,100円（企業型年金、確定給付企業年金に再移換の場合）の手数料が移換資産から差し引かれる。

3)　国基連へ自動移換されるのは、企業型年金加入者の資格を喪失した日が属する月から起算して6カ月以内に移換を申し出ない場合である。

4)　国基連へ自動移換する場合は、運用商品をすべて解約して現金化したうえで移換される。

■ 解答・解説
◇企業型年金資産の自動移換のルール（→ p.81）

1)適切（法33条）

2)適切。自動移換の資産は、国基連の委託を受けて自動移換の個人別記録情報を一時的に管理する記録関連運営管理機関（特定運営管理機関という）で管理され、手数料が発生する。なお、個人型年金に再移換する場合の手数料は、1,100円に加えて国基連への2,829円も合わせ3,929円となる。

3)不適切。企業型年金の加入者資格を喪失した日が属する月の翌月から起算して6カ月以内である。（法83条1項）

4)適切

正解 ⇨ 3

179

B分野　確定拠出年金制度

《問17》　確定拠出年金の各種手数料に関する次の記述のうち、適切なもの
　　　　はどれか。

チェック欄 □□□

　　1)　企業型年金の場合、運営管理機関の運営管理業務に対する手数料
　　　は事業主が全額負担しなければならない。
　　2)　運営管理機関の手数料は、企業型年金でも個人型年金でも運営管
　　　理機関が独自に設定できる。
　　3)　企業型年金から個人型年金へ移換した場合、加入者は初回掛金か
　　　ら移換に係る手数料2,829円を控除されるが、運用指図者になる場
　　　合は別途2,829円を振り込む必要がある。
　　4)　個人型年金の加入者から運用指図者になれば、国民年金基金連合
　　　会への毎月の手数料105円は資産から差し引かれる。

■ 解答・解説

1)不適切。事業主だけでなく、加入者等に負担させることも可能である。

2)適切

3)不適切。移換に係る手数料については加入者は移換資産または初回掛金か
　ら、運用指図者は移換資産から控除される(差し引かれる)。なお、移換後
　の毎月の手数料105円は、加入者は毎月の掛金から控除され、運用指図者
　は掛金の拠出がないので控除されない。また、掛金が毎月拠出でない場合
　は、掛金の拠出月のみ105円が掛金から控除される。

4)不適切。運用指図者は、掛金を拠出しないので掛金の納付手数料105円は
　かからない。ただし、資産管理機関への口座管理手数料はかかる。

正解 ⇨ 2

180

Part3　基礎編（四答択一式問題）

《問 18》　確定拠出年金の税制に関する次の記述のうち、適切なものはいく
つあるか。1）〜 4）のなかから選びなさい。

――――――――――――――――― チェック欄 □□□ ―

　ア）　自営業者の妻の個人型年金の掛金を夫が負担しても、夫は所得
　　　控除を受けられない。

　イ）　企業型年金の事業主掛金は、従業員の給与に小規模企業共済等
　　　掛金控除が適用されるので非課税である。

　ウ）　確定拠出年金の積立資産に課される特別法人税は 2026（令 8）年
　　　3 月まで凍結されている。したがって、現在は非課税である。

　エ）　企業従業員が個人型年金に加入する場合、企業が掛金を拠出す
　　　ることはできない（中小事業主除く）が、掛金分を給与に上乗せす
　　　れば、企業は掛金分を拠出金として損金算入できる。

　1）なし　　2）1 つ　　3）2 つ　　4）3 つ

■ 解答・解説

ア）適切。確定拠出年金の掛金は小規模企業共済等掛金控除なので、本人が
　払った分しか所得控除の対象にならない。これに対して、国民年金基金
　の掛金は社会保険料控除なので世帯主である夫が妻の掛金を負担すれば
　所得控除が受けられる。（所得税法 74 条、75 条）

イ）不適切。企業型年金の事業主掛金は企業が拠出するので、従業員の給与
　としては扱われない。マッチング拠出を導入している場合の加入者掛金は、
　従業員の給与からの拠出なので小規模企業共済等掛金控除が適用される。

ウ）適切

エ）不適切。個人型年金分として企業が給与に上乗せしても通常の給与とみ
　なされる。企業は給与として費用計上、従業員本人は小規模企業共済等
　掛金控除が受けられるので非課税である。ただし、企業・従業員とも社
　会保険料の負担は増える。なお、従業員 300 人以下の中小事業主は上乗
　せ掛金を損金算入で拠出できる。

正解 ⇨ 3

B分野　確定拠出年金制度

《問19》　確定拠出年金の給付金と税金に関する次の記述のうち、不適切な
　　　　　ものはどれか。

チェック欄 ☐☐☐

1)　老齢給付金は課税扱いであるが、障害給付金と死亡一時金は非課
　　税扱いである。
2)　一時金で受け取る老齢給付金は退職手当等とみなされるが、受け
　　取りの前年以前19年内に受け取った退職手当等がある場合は、退
　　職所得控除額に係る勤続期間等の算出において調整がなされること
　　がある。
3)　分割(年金)で受け取る老齢給付金は、公的年金等に係る雑所得と
　　され、雑所得の金額の計算においては、その収入金額から公的年金
　　等控除額を控除できる。
4)　老齢給付金を一時金でもらう場合、加入者期間10年4カ月、運
　　用指図者期間2年10カ月のとき、退職所得控除額を計算するとき
　　の勤続年数は11年である。

■ 解答・解説

1)不適切。死亡一時金はみなし相続財産とされ、相続税課税対象となる(た
　だし、法定相続人1人当たり500万円まで非課税)。
2)適切。通常の退職一時金の勤続期間の調整は「前年以前4年以内」だが、
　確定拠出年金の場合は「前年以前19年以内」である。
　◇複数の退職手当を受給するときの勤続期間の調整(→ p.78)
3)　適切 (所得税法35条.203条の2、203条の3、所得税法施行令82条の2)
4)　適切。勤続年数に含めるのは掛金拠出期間だけなので、運用指図者期間
　　は除く。また、1年未満の端数は1年に切り上げる。したがって、加
　　入者期間が10年4カ月であるから、この場合の勤続年数は11年となる。

正解 ⇨ 1

Part3　基礎編（四答択一式問題）

② 企業型年金の導入および運営

《問20》　確定拠出年金の事業主の役割に関する次の記述のうち、適切なものはいくつあるか。1) ～ 4) のなかから選びなさい。

チェック欄 □□□

ア）　事業主は、運営管理機関の選任に際して、独立系のDコンサルティング会社の助言に基づき適正な評価を行った結果、大株主であるB金融機関を運営管理機関として選任した。

イ）　事業主は、個人型年金加入者に対しても資産の運用に関する基礎的な資料の提供等の投資教育を実施するなど、できる限り協力することとされている。

ウ）　事業主が選任した運営管理機関および資産管理機関から業務の実施状況について、少なくとも年に1回以上、定期的に報告を受け、加入者等の立場から見て必要であれば是正、改善を申し入れることに留意しなければならない。

エ）　事業主が運営管理機関等に資産の運用に関する情報提供を委託する場合は、加入者への資料やビデオの配布、就業時間中の説明会の実施、説明会場の用意等、できる限り協力することが望ましい。

1) 1つ　　2) 2つ　　3) 3つ　　4) 4つ

■ 解答・解説

ア）適切。適正な評価に基づいた結果であれば、自社と利害関係のある法人でも運営管理機関として選定することができる。（法令解釈第9-1(1)①）

イ）不適切。事業主が個人型年金加入者に対して投資教育を実施するなどは義務づけられていない。

ウ）適切（法令解釈第9-1(1)⑦）

エ）適切。説明会の実施は「就業時間終了後」ではなく、就業時間中である

183

B分野　確定拠出年金制度

ことに注意。（法令解釈第3-4(2)）　　　　　　　　　　　　正解 ⇨ 3

《問21》　確定拠出年金の規約に関する次の記述のうち、不適切なものはどれか。

チェック欄 ☐☐☐

1)　企業型年金を2つ以上の事業所で実施する場合、事業所ごとに被用者年金被保険者等の総数の過半数を代表する者の同意を得て規約を作成しなければならない。
2)　企業型年金加入者等が負担する事務費の額や負担割合を減少させる変更は、企業型年金の規約内容の「軽微な変更」にあたり、届出をすれば厚生労働大臣の承認を得る必要はない。
3)　個人型年金規約には、資産管理機関や加入者資格の要件の項目はない。
4)　国民年金基金連合会は、加入者資格の確認、拠出限度額の範囲内であることの確認、および積立金の管理に関する事務を他の者に委託することはできない。

■ 解答・解説

1)適切（法3条2項）

2)適切（法5条、施行規則5条）

3)適切。個人型年金には資産管理機関がなく、加入者資格は共通である。

4)不適切。問題文の内容のうち、積立金の管理に関する事務は委託することができる。（法61条1項、施行規則1条）

正解 ⇨ 4

Part3　基礎編（四答択一式問題）

《問22》　確定拠出年金の企業型年金規約の承認基準等に関する次の記述の
うち、適切なものはいくつあるか。1）〜4）のなかから選びなさい。

――――――――― チェック欄 ☐☐☐ ―

ア）　規約の承認申請から承認までの標準処理期間は2カ月であるた
め、原則として規約の適用日のおおむね2カ月前までに承認申請
を行う必要がある。

イ）　規約の変更の場合を除き、承認申請事項には労働組合または被
用者年金被保険者の過半数を代表する者の同意書に加えて、労使
合意に至るまでの協議の経緯に関する書類を添付する必要がある。

ウ）　運営管理機関の選任理由書は、事業主が親密な資本関係、取引
関係または人的関係がある運営管理機関を選任した場合に限り承
認申請書類に添付しなければならない。

1）なし　　2）1つ　　3）2つ　　4）3つ

■ 解答・解説

ア）適切。おおむね2カ月前までに承認申請を行う必要がある。（「確定拠出
年金の企業型年金に係る規約の承認基準等について」厚労省通達平成13
年9月27日企国発18号）

イ）適切（「確定拠出年金の企業型年金に係る規約の承認基準等について」厚
労省通達平成13年9月27日企国発18号）

ウ）不適切。運営管理機関の選任理由書は承認申請書類に添付しなければな
らない。（「確定拠出年金の企業型年金に係る規約の承認基準等について」
厚労省通達平成13年9月27日企国発18号）

正解 ⇨ 3

185

B分野　確定拠出年金制度

《問23》　運営管理機関に関する次の記述のうち、適切なものはどれか。

チェック欄 ☐☐☐

1)　運用の指図について、加入者等が少なくとも3カ月に1回は運用指図の変更を行えるようにし、また少なくとも1年に1回は加入者等に個人別管理資産の必要事項を通知するのは運用関連運営管理業務である。
2)　給付を受ける権利があるかどうかを裁定して、資産管理機関に給付金を支払うように指示を出すのは運用関連運営管理業務である。
3)　運用商品の販売会社でもある銀行等の金融機関は、運用商品を提供することで期待される利益と企業型年金加入者の利益が相反することがあるため、運営管理機関を兼ねることができない。
4)　企業型年金における記録関連運営管理機関は、加入者等が行った運用の指図を運用の方法ごとに取りまとめ、その内容を資産管理機関に通知しなければならない。

■ 解答・解説
　運営管理業務の分類は以下のとおりである。(法2条7項)
〈記録関連業務〉
・加入者等(加入者、運用指図者)の氏名、住所、個人別管理資産額その他の加入者等に関する事項の記録、保存及び通知
・加入者等が行った運用の指図の取りまとめ及びその内容の資産管理機関(国民年金基金連合会)への通知
・給付を受ける権利の裁定
〈運用関連業務〉
・確定拠出年金における運用の方法(運用商品)の選定と加入者等への提示、提示した運用の方法に関する情報の提供
1)不適切。記録関連運営管理業務である。(法27条)
2)不適切。記録関連運営管理業務である。(法29条)
3)不適切。銀行等の金融機関は運営管理機関を兼ねることができる。(法88

186

Part3　基礎編（四答択一式問題）

条2項)

4)適切(法25条3項)　　　　　　　　　　　　　　　　　正解 ⇨ 4

《問24》　運営管理機関、資産管理機関に関する次の記述のうち、適切なものはどれか。

チェック欄 □□□

1)　確定拠出年金の企業型年金を実施する事業主は、運営管理業務の全部又は一部を運営管理機関に委託することができるが、当該委託を受けた運営管理機関は、委託を受けた運営管理業務の一部を他の運営管理機関に再委託することはできない。

2)　企業型年金加入者であった者で、個人型年金加入者となる資格を持った者が、個人型年金加入者となることを申し出た場合、当該企業型年金の資産管理機関はその者の個人別管理資産を国民年金基金連合会へ移換しなければならない。

3)　資産管理機関は給付を受ける受給権者からの給付申請を受け付けて、給付を受ける権利の裁定を行う。

4)　企業型年金加入者掛金を拠出する企業型年金加入者は、企業型年金加入者掛金を企業型年金規約で定める日までに事業主を介して記録関連運営管理機関に納付するものとされる。

■ 解答・解説

1)不適切。本肢の事業主より委託を受けた運営管理機関は、委託を受けた運営管理議業務の一部を他の運営管理機関に再委託することはできる。なお、再々委託はできない。(法7条、Q&A95)

2)適切(法82条1項)

3)不適切。「資産管理機関」ではなく記録関連運営管理機関である。(法2条7項1号ハ)

4)不適切。「記録関連運営管理機関に納付」ではなく資産管理機関に納付である。(法21条の2)　　　　　　　　　　　　　正解 ⇨ 2

187

B分野　確定拠出年金制度

《問25》　確定拠出年金における運営管理機関の運用方法（商品）の選定・
　　　　提示に関する次の記述のうち、適切なものはどれか。

――――――――――――――――― チェック欄 □□□ ―

1)　個別株式、個別社債、及び1つの定期預金を選定しても、リスク・
　リターン特性の異なる3つ以上の運用商品を選定したことにならな
　い。
2)　生命保険会社の、いわゆる利率保証型の年金保険は、元本確保型
　商品には当たらない。
3)　指定運用方法で選択される商品は定期預金などの元本確保型商品
　に限られる。
4)　運営管理機関は、専門的知見に基づいて運用商品の選定を行い、
　当該商品を選定した理由を示す義務があるため、合理的な理由が
　あったとしても、自社グループの商品のみを選定することはできな
　い。

■ 解答・解説

1)適切。個別株式や個別社債を選定することはできるが、3つの運用商品に
　は含まれないので、これらを選定した場合はさらに別の3つの運用商品を
　選定しなければならない。（法23条1項、施行令15条1項、16条1項）
2)不適切。利率保証型の年金保険は元本確保型商品である。なお、法改正に
　より、2018（平30)年5月からは元本確保型の提示義務はなくなり、元本
　確保型商品を提示した場合には、他に2以上(簡易企業型年金の場合は1
　以上)の商品を提示しなければならなくなった。（施行令15条、16条1項
　2号）
3)不適切。指定運用方法(デフォルト商品)とは、加入者等が運用商品を指定
　しなかったときに自動的に運用商品として運用される商品である。元本確
　保型商品が選定されているケースが多いが、それ以外の商品でもよい。法
　改正により2018（平30)年5月からは規定が明確化され、特定期間(最初
　の掛金納付日から最低3カ月以上)、猶予期間(特定期間経過日から最低

188

２週間以上）を経過した後に指定運用方法による運用が開始されることになった。
4）不適切。合理的な理由があれば、選定できる。

正解 ⇨ 1

《問26》 確定拠出年金の運用に関する次の記述のうち、適切なものはいくつあるか。1）〜 4）のなかから選びなさい。

ア）運営管理機関等は預貯金の利率、生命保険契約の予定利率、債券の収益率等の運用から生ずると見込まれる収益の率、収益の変動可能性、その他の収益の性質が相互に類似しない３以上の運用方法を選定し、提示しなければならない（簡易企業型年金を除く）。

イ）運営管理機関はその実施する企業型年金加入者に対して、運用の指図に資するため資産の運用に関する基礎的な資料の提供その他の必要な措置を講じなければならない。

ウ）企業型運営管理機関等は運用の方法について、これに関する利益の見込みおよび損失の可能性その他加入者等が運用の指図を行うために必要な情報を提供しなければならない。

エ）運用商品を除外する場合は、原則として、その運用商品を選択して運用の指図を行っている加入者等の３分の２以上の同意を得なければならない。

1）１つ　　2）２つ　　3）３つ　　4）４つ

■ 解答・解説
ア）適切（法23条２項、施行令16条、施行規則18条）。なお、簡易企業型年金の場合は２以上でよい。
イ）不適切。「運用の指図に資するため資産の運用に関する基礎的な資料の提供その他の必要な措置」は、運営管理機関ではなく事業主の責務である。

また「講ずるよう努めなければならない」とはされているが、努力義務なので「講じなければならない」ということではない。（法22条）

ウ）適切（法24条）

エ）適切。同意を得なければならない。ただし、厚生労働省令などで定める事由などであれば同意不要なものもある。（法26条）

正解 ⇨ 3

《問27》 確定拠出年金の投資教育に関する次の記述のうち、適切なものはいくつあるか。1）〜4）のなかから選びなさい。

ア）　加入者等に運用プランモデルを示す場合、元本確保型商品のみのモデルも含め、選定した運用商品間の比較ができるようにした。

イ）　事業主は毎年の事業報告書において実施した投資教育の概要等につき厚生労働大臣に届出をしなければならない。

ウ）　投資教育の方法として、一律な内容で行うのではなく加入者等の知識・経験に応じて最適と考えられる方法で行っている。

エ）　公的年金の改革動向や当該事業主が実施している確定給付企業年金のモデル給付等も利用して投資教育を行っている。

1) 1つ　　2) 2つ　　3) 3つ　　4) 4つ

■ 解答・解説

ア）適切（法令解釈第3-3(4)）

イ）適切（法50条、施行規則27条）

ウ）適切（法22条、法令解釈第3-4(1)①）

エ）適切（法22条、法令解釈第3-4(1)③）

正解 ⇨ 4

Part3 基礎編（四答択一式問題）

《**問28**》 企業型年金を実施する事業主が行う投資教育に関する次の記述の
うち、適切なものはどれか。

チェック欄 ☐☐☐

1) 事業主が行う投資教育は、制度施行時に実施することは義務とさ
れているが、継続的実施は努力義務とされている。
2) 投資教育の内容として、諸外国の年金制度は特にあげられていな
い。
3) 運用リスク度合いに応じた資産配分例の提示は禁止されている。
4) 金融商品の仕組みと特徴については、預貯金、債券、株式、投資
信託、商品取引などがあげられている。

■ 解答・解説

1)不適切。ともに努力義務とされている。年金確保支援法により継続教育の
努力義務についても明文化された。（法22条1項、2項、法令解釈第3-2(3)）
2)適切。法令解釈の具体的な内容としてはあげられていない。（法令解釈第
3-3(3)）
3)不適切。投資教育の具体例に含まれている（法令解釈第3-3(3)④オ）
4)不適切。商品取引はあげられておらず、確定拠出年金の商品としても提示
できない。（法令解釈第3-3(3)②）

正解 ⇨ 2

191

B分野　確定拠出年金制度

《問29》　確定拠出年金への移行に関する次の記述のうち、不適切なものは
　　　　　どれか。

──────── チェック欄 □□□ ──

1)　確定給付企業年金から企業型年金に資産を移換する場合の移換資
　　産は、規約が変更される日が属する月の翌々月の末日以前の企業型
　　年金規約で定める日に資産管理機関に納付されなければならない。
2)　積立不足がある場合、厚生年金基金や確定給付企業年金から確定
　　拠出年金へ移行するには積立不足を掛金で一括拠出して解消するこ
　　とが要件となっている。
3)　退職一時金から企業型年金へ移行する場合は、移行日の属する年
　　度から起算して4年度以上8年度以内で均等に分割して移行しなけ
　　ればならないとされている。
4)　退職一時金(退職手当制度)から企業型年金に移行する場合は、将
　　来期間部分の資産移換はできない。過去期間分を移行する場合のみ、
　　資産を移換することができる。

■ 解答・解説

1)適切(施行令22条2項1号)。

2)不適切。一括拠出のほか、減額変更して確定拠出年金に移行することが可
　能である(法54条)。また、法改正により一括拠出の場合でも確定拠出年
　金への移換部分の積立不足のみを一括拠出すればよくなった。

3)適切。移行日の属する翌年度から起算すれば3年度以上7年度以内で均等
　分割となる。しかし、移行日の属する年度も分割年数に数えるので、移行
　日年度起算の4年度以上8年度以内での均等分割となる。

4)適切(施行令22条1項5号イ〜ハ)

正解 ⇨ 2

192

Part3　基礎編（四答択一式問題）

```
③ 個人型年金に係る手続等
```

《問30》　国民年金基金連合会（以下、本問において「国基連」）の役割について、適切なものはいくつあるか。1)〜4)のなかから選びなさい。

──────────── チェック欄 ☐☐☐ ─

　ア）　国基連は個人型年金加入者となる申出の受理について行うが、これを他の者に委託することができ、国民年金基金は国基連の委託を受けて、当該事務を行うことができる。

　イ）　国基連は、個人型年金加入者が付加保険料を納付することになることを申し出た者であるときは、当該個人型年金加入者に関する原簿にその旨及び納付を開始した日、又は終了した年月日を記録し、これを保存しなければならない。

　ウ）　国基連は、個人型年金に係る規約を作成し、又は個人型年金規約を変更しようとするときは、個人型年金規約策定委員会の議決を経なければならない。

　エ）　個人型年金加入者は、国基連に個人型年金加入者掛金を納付し、国基連は、各個人型年金加入者に係る個人型年金加入者掛金の額を個人型記録関連運営管理機関に通知しなければならない。

　　1) 1つ　　　2) 2つ　　　3) 3つ　　　4) 4つ

■ 解答・解説

ア）適切。委託を受けた国民年金基金は、当該業務に係る経理については、その他の経理と区分して整理しなければならない。（法61条、法77条）

イ）適切。なお、国民年金基金の加入員である場合も、その旨、資格の取得及び喪失の年月日を記録し、保存しなければならない。（法67条、施行規則55条1項5号）

ウ）適切（法75条2項）

エ）適切（法70条1項・4項）

正解 ⇨ 4

193

B 分野　確定拠出年金制度

④ コンプライアンス

《問31》　確定拠出年金の事業主および運営管理機関の行為準則に関する次の記述のうち、適切なものはいくつあるか。1）〜4）のなかから選びなさい。

──────── チェック欄 □□□ ──

ア）　運営管理機関となっている金融機関の金融商品を販売する営業職員は、運用商品の提示以外は、運営管理業務を兼務できる。

イ）　事業主 A 社の運営管理機関が100％子会社である場合、自社株を運用商品として提示することはできない。

ウ）　個人に対して金融商品の販売を行う営業職員であっても、個人型年金に係る加入勧誘および申込受付を行うことができる。

エ）　事業主 A 社は、加入者等の運用の参考に複数の運用プランモデルを提示した。その際、運用に不安を持っている加入者等もいることを考慮し、元本確保型商品のみで運用するモデルも提示した。

1）なし　　2）1つ　　3）2つ　　4）3つ

■ 解答・解説

◇営業職員の運営管理業務の規制緩和（→ p.83）

ア）不適切。「運営商品の提示」ではなく運用商品の選定である。2019（令元）年7月1日より、金融機関等の営業職員による運営管理業務の兼務規制が緩和され、運用商品の選定以外の運営管理業務は兼務ができるようになった。

イ）不適切。運営管理機関であれば、自社株を提供することは可能である。

ウ）適切。加入勧誘や申込受付は運営管理業務とはみなされない。（Q&A270〜284-1）

エ）適切。なお、法改正により 2018（平 30）年5月からは元本確保型の提示義務はなくなった。（法令解釈第3-3（4））　　　　　　正解 ⇨ 3

194

Part3　基礎編（四答択一式問題）

《問32》　確定拠出年金の運営管理機関の行為準則に関する次の記述のうち、適切なものはどれか。

チェック欄 ☐☐☐

1)　運営管理機関は、加入者等の個人情報を、本人の同意または法令の規定に基づく「その他正当な事由」の有無にかかわらず、企業型年金の実施事業主に対してのみ提供することができる。

2)　運営管理機関は、本人の同意がある場合であっても、業務の遂行に必要な範囲を超えて加入者等の個人情報を使用することができない。

3)　運営管理機関は本人の同意を得て業務遂行に必要な範囲を超えて加入者等の個人情報を使用する場合、当該本人に当該個人情報の利用目的を通知し、または公表したうえで当該本人の承諾を得なければならない。

4)　運営管理機関は、法令の規定に基づく「その他正当な事由」がある場合でも、本人の同意がないときは、業務の遂行に必要な範囲を超えて加入者等の個人情報を第三者に対して提供することができない。

■ 解答・解説

1)不適切。「本人の同意」がある場合、または法令の規定に基づく「その他正当な事由」がある場合は加入者等の個人情報は使用できる。情報提供先は実施事業主に限定されているわけではない。（法99条2項、法令解釈第9-2(2)）

2)不適切。本人の同意があれば使用できる。（法99条2項）

3)適切（法99条、法令解釈第9-2(2)、個人情報保護法18条3項）

4)不適切。法令の規定に基づく「その他正当な事由」がある場合には、本人の同意がなくても提供できる。（法99条2項、法令解釈第9-2(2)、個人情報保護法16条）

正解 ⇨ 3

B分野　確定拠出年金制度

⑤ 確定拠出年金制度の改正と最新の動向

《問33》　確定拠出年金の最近の改正に関する記述のうち、適切なものは次のうちどれか。

チェック欄 □□□

1)　企業型年金の加入資格喪失日の翌月から6カ月以内に転職先の企業型年金に加入した場合、申出がなくても加入時点で元の企業型年金から転職先の企業型年金に個人別管理資産が移換される。

2)　マッチング拠出を導入している企業型年金が「希望する者」のみを加入者とする選択制を実施している場合、企業型年金を選択しなかった者は個人型年金に加入できる。

3)　公務員と第3号被保険者(専業主婦等)の個人型年金掛金拠出限度額は月額2万3,000円(年間27万6,000円)である。

4)　月ごとの拠出額を減らし、ボーナス月に上乗せは可能であるが、上乗せ拠出額は同額でなければならない。

■ 解答・解説

1)不適切。「加入時点」ではなく、加入資格の喪失日の翌月から6カ月経過時点である。(法80条2項、3項、83条)

　　◇企業型年金の資産の自動移換のルール(→ p.81)

2)適切。マッチング拠出を実施している企業でも、一定の資格を定める選択制で企業型年金加入を選択しなかった者は企業型年金加入者とならないので個人型年金に加入できる。なお、この場合の個人型年金拠出限度額は、他の企業年金がない場合は月額2万3,000円(年間27万6,000円)、他の企業年金がある場合は月額1万2,000円(年間14万4,000円)となる。

3)不適切。公務員は、年金払い退職給付(3階部分)が企業年金の扱いになるので、月額1万2,000円(年間14万4,000円)である。

4)不適切。年額単位の規制なので、年間総額が拠出限度額以内に収まれば、毎月の掛金拠出額は異なっていてもよい。

正解 ⇨ 2

196

Part3　基礎編（四答択一式問題）

《問34》　確定拠出年金の最近の改正に関する記述のうち、不適切なものは
次のうちどれか。

チェック欄 □□□

1)　日本国内に住所のある60歳以上65歳未満の者はすべて個人型年
金に加入することができる。

2)　60歳到達月は通算加入者等期間に算入される。

3)　確定拠出年金の老齢給付金を一時金で受け取るときの退職所得控
除額で用いられる勤続年数は、60歳以降の加入期間がある場合は
60歳以降の加入期間も算入できる。

4)　金融商品を販売する営業職員は、選定されている商品の提示と選
定理由（原則全商品）を説明する運営管理業務を兼務することはでき
る。

■ 解答・解説

1)不適切。2022（令4）年5月より、20歳以上65歳未満の海外居住者、およ
び60歳以上65歳未満の国民年金被保険者（任意加入被保険者・第2号被
保険者）が個人型年金に加入できるようになったが、国内居住者でも、国
民年金の被保険者でない場合は個人型年金に加入することができない。

2)適切。通算加入者等期間とは、確定拠出年金の老齢給付金の受給開始可能
年齢を判定する指標で、加入者期間と運用指図者期間の合計期間である。
通算加入者等期間が10年以上あれば60歳から受給開始できる。従来は
60歳到達月は通算加入者等期間に算入されていなかったが、2017（平29）
年1月から算入することに取扱いが変更になった。

3)適切。例えば60歳までに30年の勤続年数のある者が63歳まで企業型年
金に加入して退職しても退職所得控除計算上の勤続年数は30年だった。
税法の取扱い変更により60歳以降の3年間も算入して33年の勤続年数と
することができるようになった。企業型年金の加入年齢が65歳になるま
で可能になった法改正時に合わせて2014（平26）年1月にさかのぼって適
用される。

197

B分野　確定拠出年金制度

4)適切。法改正で2019（令元）年7月からは運用商品の選定（法令解釈第9-2
　(5)）以外の「運用商品の提示および情報提供」「運用商品の選定理由の説
　明」「運用商品の内容についての詳細説明」等の運営管理業務は兼務が可
　能になった。（問31 ア）参照）
　◇営業職員の運営管理業務の規制緩和（→ p.83）

正解 ⇨ 1

《問35》　確定拠出年金の2018(平30)年5月1日の改正に関する記述のうち、
　　　　適切なものは次のうちどれか。

チェック欄 □□□

　1)　企業型年金を導入している企業では、中小事業主掛金納付制度に
　　　よる個人型年金への事業主掛金は拠出できない。
　2)　簡易企業型年金では、事業主掛金は定額だが加入者掛金は2つ以
　　　上の額から選択できるようにしなければならない。
　3)　一定の条件を満たせば、企業型年金・個人型年金の資産は転職先
　　　の中小企業退職金共済(中退共)へ移換できる。
　4)　運用商品提供数の上限は、元本確保型商品を除いて35本である。

■ 解答・解説

◇確定拠出年金法改正(2016.6.3 公布)の内容（→ p.84）

1)適切。制度の対象となるのは、企業型年金、確定給付企業年金、厚生年金
　基金を実施していない従業員(第1号厚生年金被保険者) 300人以下の企
　業(2020〈令2〉年9月までは100人)である。(法55条2項第4の2)

2)不適切。簡易企業型年金では、加入者掛金は1つでもよい。なお、事業主
　掛金は定額のみで、定率や「定額と定率の組み合わせ」はできない。

3)不適切。中退共への移換は個人型年金はできない。また、企業型年金や確
　定給付企業年金は合併等に限って中退共への移換が可能になった。

4)不適切。上限35本には元本確保型商品も含まれる。なお、元本確保型商
　品は提示商品に必ず含めなくてもよくなった。

正解 ⇨ 1

Part3　基礎編（四答択一式問題）

《問36》　2020（令2）年6月5日公布の年金制度改正法の確定拠出年金に
関する記述のうち、最も適切なものは次のうちどれか。

チェック欄 ☐☐☐

1)　老齢給付金の受給開始可能年齢は2022〈令4〉年4月より、「60
歳から70歳まで」が「65歳から75歳まで」へと引き上げられた。
2)　2022年5月からは70歳未満の厚生年金被保険者であれば例外な
く企業型年金に加入できるようになった。
3)　2022年5月からは60歳以降の転職者も裁定前の企業型年金運用
指図者であれば転職先の企業型年金に加入できるようになったが、
老齢給付金の裁定をした者（一時金、年金）は加入できない。
4)　2022年10月からは、企業型年金と確定給付企業年金のある企業
で事業主掛金が月額1万2,500円の場合、月額1万5,000円まで個
人型年金の掛金が拠出可能になった。

■ 解答・解説

◇年金制度改正法（2020.6.5公布）の内容（→ p.88）

1)不適切。「65歳から75歳まで」ではなく60歳から75歳までとなる。

2)不適切。企業型年金規約によって60歳以上70歳未満の加入喪失年齢を定
めることができるため、企業によって加入可能年齢は異なってくる。

3)最も適切。改正前の60歳前後の継続加入者の要件はなくなったが、企業
型年金の老齢給付金を裁定する（運用指図者の年金受給者も含む）と以後は
企業型年金には加入できなくなる（要件を満たせば個人型年金には加入可
能）。

4)不適切。改正後は個人型年金加入に企業型年金規約の定めが不要になり、
個人型年金とマッチング拠出の選択も可能になった。拠出限度額と事業主
掛金の差額が個人型年金の加入限度額となる。ただし、個人型年金の限度
額は、企業型年金の他に企業年金制度（確定給付企業年金など）がある場合
は月額1万2,000円（本問の場合）、ない場合は月額2万円である。なお、
この緩和が適用されるのは月額拠出に限られる。　　　　　　正解 ⇨ 3

199

B分野　確定拠出年金制度

《問37》　2022（令4）年5月1日改正後の個人型年金の加入に関する次の
記述のうち、不適切なものはどれか。

――――――――― チェック欄 ▢▢▢ ―

1) 62歳で国民年金の任意加入被保険者となっている者は個人型年
金に加入することができる。
2) 66歳で国民年金法の老齢基礎年金の受給権者であっても、厚生
年金保険の被保険者となっている者は個人型年金に加入することが
できる。
3) 国民年金法の老齢基礎年金を繰上げ請求している63歳の者は、
国民年金の第2号被保険者となっていても、個人型年金に加入でき
ない。
4) 国民年金に未加入の61歳の者は個人型年金に加入することがで
きない。

■ 解答・解説

◇年金制度改正法（2020.6.5公布）の内容（→ p.88）

1)適切。62歳で国民年金任意加入被保険者となっている者は個人型年金に
加入することができる。（法62条1項4号）

2)不適切。老齢基礎年金の受給権を有する65歳以上の者は、厚生年金保険
の被保険者にはなったとしても、国民年金第2号被保険者にならないこと
から、個人型年金に加入できない。（法61条1項2号、国年法7条1項2号、
国年法附則3条）

3)適切。老齢基礎年金を繰上げ請求すると、個人型年金には加入できない。（法
62条2項、施行令34条の3）

4)適切（法62条1項）

正解 ⇨ 2

200

C分野　老後資産形成マネジメント

① 金融商品の仕組みと特徴

《問1》　債券に関する次の記述のうち、適切なものはどれか。

1) 固定利付債券は、将来のキャッシュフローが一定であるため、現在価値への割引率である利回りの上昇は、現在価値の上昇を表し、利回りの低下は現在価値の下落を表す。
2) ラダー型運用とは、短期債と長期債を均等に保有する投資手法である。
3) 金利上昇局面では、長期債より短期債を保有したほうが損失を減らすことができる。
4) 債券の最終利回りには、単利の利回りと複利の利回りがあるが、日本の債券売買では、一般に複利の最終利回りが利用される。

■ 解答・解説

1) 不適切。将来のキャッシュフローが一定であるかどうかを問わず、割引率である利回り（金利）が上昇すれば現在価値は下落する。逆に、利回りの低下は現在価値の上昇となる。
2) 不適切。ラダー型運用とは、債券の残存期間ごとに均等に投資を行い、ラダー（はしご）形の満期構成になるようにする運用手法であり、特定年限の金利水準や価格変動の影響を軽減する効果が期待される。本問は、ダンベル型運用についての記述である。
3) 適切。一般に金利が上昇すると債券価格は下落するが、短期債よりも長期債のほうが償還期日までの期間が長い分不確実性が高まり、金利変動リス

クが高くなるので、金利上昇局面ではデュレーション（残存期間の加重平均〈＝平均回収期間〉）を短くすることで損失を減らすことができる。

◇デュレーションの意味と特徴（→ p.94）

4）不適切。日本の債券売買では、一般に単利の最終利回りが利用される。

正解 ⇨ 3

《問2》　額面100円、クーポンレート1.5％（年1回払い）、残存期間2年の債券の複利利回りが2％のとき、債券価格として最も近いものは次のうちどれか。税金・手数料等は考慮しないものとする。

──── チェック欄 □□□

1）99.00円　　2）99.03円　　3）99.05円　　4）99.08円

■ 解答・解説

　債券の時価は、将来のキャッシュフローの現在価値である。つまり、債券価格は毎年受け取るクーポンを金利で割り込んだ現在価値と償還時に受け取る額面金額を金利で割り込んだ現在価値の合計となる。計算式で表すと以下のようになる。

$$P = \frac{C}{1+r} + \frac{C}{(1+r)^2} + \cdots\cdots + \frac{C+F}{(1+r)^n}$$

P：価格
C：クーポン額
F：額面
r：複利利回り

　設問では残存期間2年の債券であるから、この債券の理論価格は以下のようになる。

$$\frac{1.5 \text{円}}{1+0.02} + \frac{101.5 \text{円}}{(1+0.02)^2} \fallingdotseq 99.03 \text{円}$$

正解 ⇨ 2

Part3　基礎編（四答択一式問題）

《問3》　下表の空欄（ア）利付債Ａのデュレーションと（イ）割引債Ｂの
デュレーションにあてはまる組み合わせとして適切なものは、1)～4)
のうちどれか。なお、税金や手数料等を考慮せず、計算過程は小数点
第5位以下を四捨五入、解答は小数点第3位以下を四捨五入するもの
とする。

チェック欄 □□□

	利付債 A	割引債 B
利率	1.2%	——
利払い	年1回	——
価格	100.00 円	92.83 円
複利最終利回り	1.20%	1.50%
デュレーション	（ア）	（イ）
残存期間	2年	5年

1)　（ア）1.95 年　（イ）4.95 年

2)　（ア）1.95 年　（イ）5.00 年

3)　（ア）1.99 年　（イ）5.00 年

4)　（ア）1.99 年　（イ）4.95 年

■ 解答・解説

空欄（ア）の利付債Ａのデュレーションは、以下の計算式によって求め
られる。

$$
デュレーション = \frac{（年 \times 現在価値）の合計}{現在価値の合計}
$$

$$
= \frac{1年目 \times \dfrac{利率}{1 + 複利最終利回り} + 2年目 \times \dfrac{利率 + 価格}{（1 + 複利最終利回り）^2}}{1年目 \times \dfrac{利率}{1 + 複利最終利回り} + \dfrac{利率 + 価格}{（1 + 複利最終利回り）^2}}
$$

$$
= \frac{1 \times \dfrac{1.2}{1 + 0.012} + 2 \times \dfrac{1.2 + 100}{（1 + 0.012）^2}}{1 \times \dfrac{1.2}{1 + 0.012} + \dfrac{1.2 + 100}{（1 + 0.012）^2}}
$$

203

$$= \frac{198.8228}{100.0043} = 1.988142\cdots\cdots \fallingdotseq 1.99 \text{年}$$

計算結果は1.99年となり、残存年数2年よりも少し短い値になった。このように、利付債のデュレーションは残存年数より少し短くなるのが一般的である。なぜならば、デュレーションとは、クーポン利息および償還額が平均して何年後に得られるかを示す値であり、償還額だけであればちょうど残存年数と等しくなるが、クーポン利息を早く得られる分だけ平均回収年数も早くなるからである。

割引債Bの場合も計算の基本は変わらない。クーポン利息がないのでキャッシュフローは償還額のみである。

$$\text{デュレーション} = \frac{5 \times \dfrac{1.5 + 100}{(1 + 0.015)^5}}{\dfrac{1.5 + 100}{(1 + 0.015)^5}} = 5 \text{年}$$

正解 ⇨ 3

《問4》 1株当たり年間配当金が30円、割引率が2.5%、配当成長率が1%とされる株式の理論価値（株価）として、次のうち適切なものはどれか。なお、定率成長配当割引モデルを用いて計算すること。

チェック欄 □□□

1） 875円　2） 1,200円　3） 1,212円　4） 2,000円

■ 解答・解説

定率成長配当割引モデルによる理論株価は、以下の計算式によって求められる。

　理論株価＝1期後の配当÷（割引率－配当成長率）
　　　　　＝30円÷（0.025－0.01）＝2,000円

計算結果から、4）が正解である。

正解 ⇨ 4

Part3 基礎編（四答択一式問題）

《問5》 PBR が2倍、PER が20倍の株式 A と株価1,000円で1株当たり利
益が40円、PBR が2倍の株式 B がある。どちらの ROE（自己資本
利益率）が高いか、次の1）から4）のうち、適切なものはどれか。

チェック欄 ⬜⬜⬜

1) 株式 A が高い。
2) 株式 B が高い。
3) 株式 A も株式 B も同じである。
4) これだけではわからない。

■ 解答・解説

PBR、PER、ROE は、それぞれ次の計算式で求められる。

PBR（株価純資産倍率）＝株価／1株当たり純資産

PER（株価収益率）＝株価／1株当たり利益

ROE（自己資本利益率）＝利益／純資産＝1株当たり利益／1株当たり純資産

また、PBR、PER、ROE の関係は以下のとおりである。

PBR ＝ ROE × PER

この式から、ROE は次の式で求められる。

ROE ＝ PBR ／ PER

したがって、株式 A の ROE は以下のように計算できる。

株式 A の ROE ＝ 2倍／20倍＝ 0.1 ＝ 10％

株式 B の場合、PER は株価1,000円を1株当り利益40円で割ったもの
なので、「1,000円／40円＝25倍」となる。そこで、株式 B の ROE は以
下のように計算できる。

株式 B の ROE ＝ 2倍／25倍＝ 0.08 ＝ 8％

以上から、株式 A の ROE のほうが株式 B より高い。

正解 ⇨ 1

205

C分野　老後資産形成マネジメント

《問6》　投資信託の特徴に関する次の記述のうち、不適切なものはどれか。

———— チェック欄 ☐☐☐

1)　ライフサイクル型ファンドのターゲット・イヤー型は、投資家が自分の年齢の変化に合わせて自分でファンドを乗り換えていくタイプの商品である。

2)　一般的に、バランスファンドの運用成果は、株式や債券の個別銘柄の選択や売買タイミングなどの効果よりも、アセット・アロケーションの効果の影響を大きく受ける。

3)　ファミリーファンドは、運用・管理の効率化、合理化を目的としたものであり、投信会社が自己で設定・運用するマザーファンドを購入する仕組みとなっている。

4)　ファンド・オブ・ファンズは、主な投資対象を投資信託(商品ファンドを含む)とする投資信託のことで、運用会社はファンドの運用会社や運用担当者の運用実績等に基づいてファンドを選定・投資する。

■ 解答・解説

1)不適切。問題文はライフサイクル型ファンドの<u>スタティック・アロケーション型</u>の説明。ターゲット・イヤー型では、顧客が自分でファンドを乗り換える必要はなく、ファンドの償還期限が近づくにつれて、ファンド自体の資産配分が株式中心から債券中心へと変化していく。

2)適切。バランスファンドは株式、債券、不動産投資信託(REIT：リート)などの異なる資産を組み合わせて保有するファンドであり、アセット・アロケーションの違いによる影響を最も大きく受ける。

3)適切

4)適切。株式や公社債に直接投資するのではなく、パフォーマンスのよいファンドマネジャーや投信運用会社を選定することがファンド・オブ・ファンズの付加価値となるが、組み入れるファンドによっては相当高率な販売手数料を払うことになり、運用コストがかさむことがある。

正解 ⇨ 1

Part3　基礎編（四答択一式問題）

《問7》　投資信託に関する次の記述のうち、不適切なものはどれか。

チェック欄 □□□

1)　監査報酬とは、投資信託保有期間中に信託財産の財務諸表の監査に係る費用として直接支払う費用のことである。

2)　信託財産留保額とは、投資信託を中途解約するときに直接支払う費用であり、徴収された信託財産留保額は運用資金の一部として信託財産に組み入れられる。

3)　株式投資信託の分配金は、運用した収益からの普通分配金のほかに元本の払い戻しの性格を有する特別分配金がある。

4)　外国投信とはファンドの国籍が日本以外の国にあり、その国の法律に基づいて設立されている投信である。投資対象を外国証券に限っているというわけではない。

■ 解答・解説

1)不適切。監査報酬は信託報酬と同じように基準財産（投資信託財産）から間接的に支払われている費用である。

2)適切。投資信託を中途解約する際に、解約代金の中から信託財産に残さなければならない中途解約手数料（残った投資信託保有者への補償）のようなものである。販売会社（証券会社等）や委託会社（運用会社）、受託会社（信託銀行）などが手数料として受け取ることはできない。

3)適切。なお、普通分配金（個別元本を上回る部分）は課税対象であるが、特別分配金（個別元本を下回る部分）は非課税である。

4)適切。投資対象は外国証券に限られないので、日本株の投資も可能である。

正解 ⇨ 1

207

C分野　老後資産形成マネジメント

《問8》　保険商品に関する次の記述のうち、最も適切なものはどれか。

———————————— チェック欄 ☐☐☐ —

1) 利率保証型積立生命保険は、一定期間あらかじめ決められた利率で運用されるため、解約した場合でも元本割れすることはない。

2) 利率保証型積立生命保険は、保証期間満了時点で解約しなければ同じ保証利率で継続される。

3) 変額年金保険は一般勘定で運用されるため、運用実績に応じて給付金額が変動する。

4) 利率保証型積立傷害保険では、不慮の事故による死亡の割増し給付はあるが、病気による死亡の割増し給付はない。

■ 解答・解説

1) 不適切。利率保証型積立生命保険は、確定拠出年金の元本確保型商品で、満期まで保有すれば元本は確保できる。しかし、中途解約の場合は元本が保証される商品もあるが、解約控除（ペナルティ）が差し引かれる場合は元本割れの可能性もある。

2) 不適切。保証期間（5年、10年など）満了時点で継続する場合は、保証利率が新たに設定されるため、同じ保証利率で継続できるとはかぎらない。

3) 不適切。変額年金保険は特別勘定で運用される。「一般勘定」とは、運用実績にかかわらず元本と一定利率が保証される保険料の管理・運用勘定である（利率保証型積立生命保険など）。一方、特別勘定では保険料が分離して管理・運用されるため、運用実績に応じて給付金が変動する。

4) 最も適切。傷害保険であるため「不慮の事故による死亡」が手厚くなっている。

正解 ⇨ 4

Part3　基礎編（四答択一式問題）

《問9》　金融機関の破綻に関する次の記述のうち、適切なものはどれか。

――― チェック欄 □□□ ―――

　　Ａさんは、Ｂ銀行に定期預金が900万円、確定拠出年金の運用に係る預金として300万円がある。
1)　定期預金、確定拠出年金の運用に係る預金とも全額保護される。
2)　定期預金は全額保護されるが、確定拠出年金の運用に係る預金の全額がペイオフの対象となる。
3)　確定拠出年金の運用に係る預金は全額保護されるが、定期預金は700万円部分が保護される。
4)　定期預金は全額保護されるが、確定拠出年金の運用に係る預金100万円部分が保護される。

■ 解答・解説

　ペイオフでは、1金融機関につき1預金者当たり元本1,000万円とその利息までが預金保険法の保護対象となるが、それを超えた場合には保護の対象とならない。また、1金融機関で複数の預金がある場合には、保護される預金に下記の優先順位がある。

　☆優先順位
　①担保権の目的となっていないもの
　②満期が早いもの
　③満期が同じ場合には金利が低いもの
　④満期も金利も同じであれば預金保険機構が指定するもの
　⑤担保権の目的となっているものが複数ある場合は、預金保険機構が指定するもの
　⑥確定拠出年金の運用に係る預金

　設問ではまず定期預金900万円が保護され、確定拠出年金の運用に係る預金300万円のうち100万円部分が保護される。したがって、4)が正解。

〈参考〉複数の金融機関が合併して破綻した場合は、合併後1年間に限り、合併前の金融機関の数の合計枠まで保護の対象となる。例えば、3行

209

C分野　老後資産形成マネジメント

の銀行が合併した後、1年以内に破綻した場合は、元本3,000万円と
その利息が保護される　　　　　　　　　　　　　　　　正解 ⇨ 4

《問10》 2024（令6）年1月1日改正後の新NISA（少額投資非課税制度）
に関する次の記述のうち、最も適切なものはどれか。

――――――― チェック欄 □□□ ―

1) 成長投資枠とつみたて投資枠は併用できるので、それぞれ別の金
融機関の口座で投資することができる。
2) 成長投資枠の投資資産として不動産投資信託は認められている
が、個人向け国債は認められていない。
3) 商品を売却した場合、売却分の非課税枠をその年の買付けで使う
ことができる。
4) つみたて投資枠では、個別株に投資することはできないが、毎月
分配型の投資信託は購入できる。

■ 解答・解説
◇NISAの仕組みと特徴（→ p.96）
1)不適切。併用はできるが、1つの金融機関の1つの口座でしか投資できな
い。なお、1年ごとに金融機関の切り替えは可能。
2)最も適切。投資対象となる商品は一定の上場株式と株式投資信託などで、
不動産投資信託（リート）も認められている。預貯金や債券は認められてい
ない。
3)不適切。売却分の非課税枠は再利用できるが、同一年内では利用できず、
翌年からになる。
4)不適切。つみたて投資枠は、長期・分散投資に適した一定の投資信託・
ETFが対象商品（金融庁が基準を定めて選定）となっており、毎月分配型
の投資信託は認められていない。

正解 ⇨ 2

Part3　基礎編（四答択一式問題）

┌───┐
│ ② 資産運用の基礎知識・理論 │
└───┘

《問11》　ある国内株式の過去5年間のリターン（年率）が下記のとおりで
　　　　　あった。この国内株式のリスク（標準偏差）の値として最も近いも
　　　　　のは、1）～4）のうちどれか。

─────────────────────────────── チェック欄 □□□

　　2019年　　　　26％　　　　2022年　　　　3％
　　2020年　　　−16％　　　　2023年　　　15％
　　2021年　　　−8％

　　　1）5％　　　2）8％　　　3）12％　　　4）15％

■ 解答・解説

◇リスク指標としての分散と標準偏差（→ p.98）

　まず、平均リターンは各年のリターンの合計を年数で除したものである。

　平均リターン＝　{26＋（−16）＋（−8）＋3＋15}　÷5＝4％

　リスク（標準偏差）は各年のリターンと平均リターンの差の2乗の合計を年
数で除したもの（分散）の平方根であることから、

　リスク^2＝　{(26−4)^2＋（−16−4)^2＋（−8−4)^2＋(3−4)^2＋
　（分散）　　(15−4)^2}　÷5＝230

　リスク＝$\sqrt{230}$＝15.1657508……（％）　　　　　　　正解 ⇨ 4

C分野　老後資産形成マネジメント

《問12》　あるポートフォリオの月間のリターンが平均3％で、標準偏差が
1％の正規分布をしている場合、月次のリターンが2％から5％の
間に入る確率として適切なものはどれか。

―――――――――――――――――― チェック欄 □□□ ――

1)約68%　　2)約74.5%　　3)約81.5%　　4)約95%

■ 解答・解説
◇正規分布と標準偏差(→ p.100)

　平均値(3％)からマイナス1標準偏差(σ)とプラス1標準偏差まで(2％
から4％)に入る確率は約68％であるが、マイナス1標準偏差から平均値ま
で(2％から3％)に入る確率はその半分の約34％となる。一方、平均値か
らプラス2標準偏差(3％から5％)に入る確率は約95％の半分の約47.5％
である。したがって、2％から5％に入る確率は両者の合計の約81.5％とな
る。

正解 ⇨ 3

Part3 基礎編（四答択一式問題）

《問13》 2資産A、Bがあり、それぞれのリスクを2％、3％とし、相関
係数がマイナス1であるとき、その2資産のみでリスクがゼロの
ポートフォリオを作った。次のA、Bそれぞれの資産比率の組み合
わせうち、適切なものはどれか。

チェック欄 ☐☐☐

1) 資産Aの比率60％ 資産Bの比率40％
2) 資産Aの比率40％ 資産Bの比率60％
3) 資産Aの比率70％ 資産Bの比率30％
4) 資産Aの比率30％ 資産Bの比率70％

■ 解答・解説

資産Aのリスクを2％、ポートフォリオの構成比をw1、資産Bのリス
クを3％、ポートフォリオの構成比をw2とすると、このポートフォリオ全
体の分散は、

$(2^2 \times w1^2) + (3^2 \times w2^2) + 2 \times (-1) \times 2 \times 3 \times w1 \times w2$

となる。この式は、〔$(2 \times w1) - (3 \times w2)$〕^{2}を分解したものなので、
カッコの中がゼロになれば最小となる。したがって「$2 \times w1 = 3 \times w2$」
となりw1／w2は3／2である。資産の比率合計は100％となるので、「w
1＋w2＝100％」である。よって、w1（資産Aの比率)は60％、w2（資
産Bの比率)は40％となる。

正解 ⇨ 1

213

C分野　老後資産形成マネジメント

《問14》　分散投資に関する次のア）～エ）の記述のうち、適切なものはいくつあるか。1）～4）のなかから選びなさい。

ア）　分散投資には銘柄分散、時間分散、期間分散の3種類があり、期間分散の代表例としてドルコスト平均法がある。

イ）　2資産に分散投資をした場合、その2資産の共分散がゼロの値をとる場合、その2資産の分散投資の効果が最もよく出る。

ウ）　投資する資産を分散させることにより、期待リターンを当該投資資産の加重平均に保ったまま、リスクを当該投資資産の加重平均以下にすることができる。

エ）　期待リターンがプラスである十分に分散されたポートフォリオであれば、事後的に実現するリターンはマイナスになることはない。

1）0　　2）1つ　　3）2つ　　4）3つ

■ 解答・解説

ア）不適切。ドルコスト平均法は投資の時期を分散する時間分散の代表例で、投資の期間を分散する期間分散ではない。

イ）不適切。分散投資にあたって2資産の共分散がゼロであるということは、その2資産の相関係数もゼロであるということである。2資産の相関係数がマイナス1に近いほど分散の効果がよく表れる。なお、相関係数がゼロとは、2資産間に相関関係がない（一方の資産が増加するともう一方の資産が増加または減少するという関連性がない）という意味であり、リスク分散効果がゼロという意味ではない。。

ウ）適切。投資する資産を分散させることにより、相関係数が1でない限り、リスクを当該投資資産の加重平均よりも小さくすることができる。

エ）不適切。ポートフォリオはあくまでも推定値であり、リターンを保証するものではない。

正解 ⇨ 2

Part3　基礎編（四答択一式問題）

《問 15》　アセット・アロケーションに関する次の記述のうち、不適切なものはどれか。

チェック欄 □□□

1)　アセット・アロケーションの有効フロンティアでは、一番リターンの高いポートフォリオが投資家にとっての最適な資産配分となる。
2)　アセット・アロケーションとは、株式、債券など各アセットクラスに資産を配分することを意味する。
3)　資産残高の大きなファンドでは、アセット・アロケーションのほうが銘柄選択よりはるかに重要な決定である。
4)　アセット・アロケーションのリスク低減効果は、投資対象のリターンの相関係数が１より小さいことを利用している。

■ 解答・解説

1)不適切。アセット・アロケーションにおいて、投資家が有効フロンティア上のどこのポイントを選ぶかということは、投資家の「リスク許容度」に依存する。したがって、一番リターンの高いポートフォリオがベストの資産配分になるとは限らない。

2)適切。一般的に、アセット・アロケーションとは、国内株式、国内債券、外国株式、外国債券など各アセットクラスにどの程度の割合で運用資金を配分するかの意味に使われている。

3)適切。資産残高の大きなファンドでは、収益の９割以上がアセット・アロケーションで決まるとすらいわれており、銘柄選択よりよほど重要な決定である。９割以上という数値は、統計学でいう決定係数であって寄与率ではない。例えば、ポートフォリオのリターンが年率10％であった場合に、そのうち９％がアセット・アロケーションによるもの、残りの１％がそれ以外の要因によるものという意味ではない。この点、誤解が多いので注意が必要である。ポートフォリオのほとんど(90％)が、アセット・アロケーションによって説明できるという意味である。

4)適切

正解 ⇨ 1

215

C分野　老後資産形成マネジメント

《問16》　効率的（有効）フロンティアに関する次の記述のうち、不適切な
　　　　　ものはどれか。

――――――――――――――――― チェック欄 □□□ ―

1)　効率的(有効)フロンティアとは、投資をリターンとリスク(標準
　偏差)だけで考えるときに、構築可能なポートフォリオ(資産の組合
　せ)のうち、同じリスクでリターンが最大となるポートフォリオの
　集まりをいう。

2)　効率的(有効)フロンティア上にあるリスクとリターンの組合せの
　点を投資家が評価するための基準は、その投資家が持つ効用関数に
　よって決められる。

3)　効率的(有効)フロンティア上で最大の効用を与える点が、最適な
　ポートフォリオとして選択されるが、縦軸をリターン、横軸をリス
　クとする平面上で考える場合、この点は、効率的(有効)フロンティ
　アと効用曲線が2点で交わる点のうち右上のものとなる。

4)　効率的(有効)フロンティアの理論から考えると、既存のポート
　フォリオに新しい資産を組み込むとき、その資産とすべての既存資
　産との相関を考えなければならないことになる。

■ 解答・解説

1)適切

2)適切。効用とは、あるポートフォリオがある人に与える満足度を数値化し
　たものであり、リスク拒否度(またはリスク許容度)により定義される。

3)不適切。最適ポートフォリオは、効率的フロンティア曲線と効用曲線が1
　点で接するその点となる。

4)適切。リスクを計算するために、その資産とすべての既存資産との相関を
　考えなければならないことになる。

正解 ⇨ 3

Part3　基礎編（四答択一式問題）

《問 17》　投資に関する次の記述のうち、適切なものはどれか。

──────────────── チェック欄 □□□ ─

1)　月次のリスクを年換算する場合、そのリターンの標準偏差に 12 の平方根を掛ければよい。

2)　ファンドのパフォーマンス測定では、財産加重平均が投資家の投下資金の投資効率を表すため、ファンド間のパフォーマンス比較としてよく使われている。

3)　株式投資には銘柄がもつ固有のリスクと市場リスク（システマティックリスク）があり、共に分散投資で除去可能なリスクである。

4)　ボトムアップ・アプローチとは、マクロ的な分析により、まず業種別組入比率などを決定し、その比率の中で組み入れる銘柄を決めていく方法である。

■ 解答・解説

1) 適切。月時のリスク（標準偏差）から年率のリスクを求める場合は、その標準偏差に 12 の平方根を掛ければよい（1 年は 12 カ月であるため）。この関係から、投資の時間が長くなるとリスクは時間がかかるほどには増加しないことがわかる。長期投資のメリットがここにある。

2) 不適切。ファンドのパフォーマンスの計算に使われるのは、キャッシュの流出入に関係のない時間加重平均である。財産加重平均（金額加重平均ともいう）は、キャッシュの流出入の時期によって値が異なってくるためファンド自体のパフォーマンスの計算には使えない。ただし、キャッシュの流入も含めた投資家の投下資金全体の投資効率を知るのには適している。

3) 不適切。分散投資では個別リスクは除去できるが、金利の変動等に影響される市場リスク（システマティックリスク）は除去できない。

4) 不適切。問題文はトップダウン・アプローチについての記述である。ボトムアップ・アプローチでは、銘柄選択を重要視し、投資魅力の高い銘柄が選定され、その積み上げによりポートフォリオを構築していく。全体の業種別組入比率などは結果として決まってくる。　　　　　正解 ⇨ 1

217

C分野　老後資産形成マネジメント

⬛ ③ 運用状況の把握と対応策

《問18》　ベンチマーク、パフォーマンス測定に関する次の記述のうち、不
　　　　　適切なものはどれか。

チェック欄 ☐☐☐

1)　東証株価指数(TOPIX)と日経平均株価を比較した場合、対象銘
　　柄数、値嵩株の影響を受けにくいこと等から投資パフォーマンス評
　　価のベンチマークとしては東証株価指数のほうが優れているといえ
　　る。

2)　β(ベータ)とは、インデックスとの連動性を示す指標であり、一
　　般にベータ値が高いほどリスクも高くなる。

3)　トレイナー・レシオは、βをリスクとして市場リスクに対するポー
　　トフォリオのパフォーマンス(実績)を示し、数値が大きいほど成果
　　が高いと評価される。

4)　ユニバース比較とは、同じ範疇に入る金融商品の標準偏差を比較
　　したもので、標準偏差の小さな金融商品ほど安全といえる。

⬛ 解答・解説

1)適切。東証株価指数は、旧東証1部上場全銘柄を中心とした市場を代表す
　る銘柄が対象となっているが、日経平均株価は225社の株価を対象として
　おりカバレッジが異なる。東証株価指数は、時価総額の大きな企業の株価
　の変動が大きく作用するが、日経平均株価は値嵩株(ねがさかぶ：株価の
　高い銘柄のこと)の影響を大きく受ける。このためベンチマークとしては
　東証株価指数のほうがよいことになる。なお、東証株価指数は東証の市場
　再編により2022 (令4)年4月4日より市場区分と切り離された銘柄構成
　になった。

2)適切。ベータ値とは、市場の変動に対するポートフォリオの感応度(資産
　〈ポートフォリオ〉の市場全体に対するリスク)をいう。「β＝ポートフォ
　リオのリターン÷マーケットのリターン」である。βが1より大きければ

218

市場の動きより振れ幅が大きくなる。

3) 適切。「トレイナー・レシオ＝（ポートフォリオのリターン－リスクフリーレート）÷β」で計算される。ポートフォリオのリスクに対してリターンをどれだけあげられたかを示す。

4) 不適切。「標準偏差」ではなくパフォーマンス(実績)の比較である。ユニバースとは、類似(投資対象や運用方針など)している複数の商品(ファンド)のパフォーマンスデータ(実績値)を集めたもののことである。ユニバース比較とは、ある投資商品のパフォーマンスをユニバース(他の類似した商品)と比較する方法で、四分位のグラフを用いユニバースの上位25％ごとに区切り、その商品がユニバースのどこにあるかで評価する。ユニバース比較に対して、ベンチマーク(目標値、基準値)に対するパフォーマンスで比較するのがベンチマーク比較である。　　　　　　　正解 ⇨ 4

《問19》 格付けに関する次の記述のうち、適切なものはどれか。

チェック欄 ☐☐☐

1)　リスクにはいろいろあるが、格付けは信用リスクのみを評価したもので、他のリスクは一切評価していない。

2)　企業が発行時期の異なる複数の社債を発行している場合、すべての債券について同一の格付けとなり、発行時期や経済環境の変化は考慮されない。

3)　格付け「BB（Ba）」以下は投資不適格とされ、ファンドの組み込みは不可とされる。

4)　債券の信用格付けは、発行体の元金支払い能力を示すものである。

■ 解答・解説

1) 適切。リスクには金利変動リスクやインフレリスク等いろいろなものがあるが、格付けは元利金の支払いに関する信用リスクのみを評価している。

2) 不適切。企業が発行時期の異なる債券を発行している場合、それぞれについて格付けが行われるため、すべて同一の格付けとはならない。

3) 不適切。「BB（Ba）」以下は倒産の危険が高いため、一般に投資不適格とされる。しかし、その分利回りが高いため、海外ではハイリスクハイリターンを求める投資家用にファンドを組成することがある。

4) 不適切。元金だけではなく利息の支払い能力も含んでいる。

正解 ⇨ 1

Part3　基礎編（四答択一式問題）

④ 確定拠出年金制度を含めた老後の生活設計

《問20》　ライフプランニングに関する次の記述のうち、適切なものはどれ
　　　　か。

―――――――――――― チェック欄 ☐☐☐ ―

1)　ライフプランは自分の状況を定期的に把握し、見直すことが重要
　　である。その結果、家族の収入の減少などで、資金計画の変更が必
　　要となる場合、そのつど、運用方針の変更（運用商品の入れ替え、
　　資産配分を変える）をすべきである。

2)　キャッシュフロー・マネジメントとは、世帯として継続的・一時
　　的な収入と支出のバランスを退職時までの期間に限ってコントロー
　　ルしていくことである。

3)　ライフプランニングにおいて、年齢が上れば一般的にリスク許容
　　度が低下するので、老後資金の獲得のためには、元本保証商品に限
　　定して運用すべきである。

4)　ライフプランニングにおいて、年間収支を検討する場合、収入
　　を構成するものとしては家族の給与収入、事業収入が代表的なもの
　　であるが、相続財産の取得が確実に見込まれる場合なら、キャッシュ
　　フロー表に反映させるべきである。

■ 解答・解説

1)不適切。資金計画の変更が必要な場合でも、運用方針の変更（運用商品を
　変更したり、資産配分の比率を変える）をすると長期運用メリットが失わ
　れたり、手数料がかかることによって運用収益のマイナスにつながる場合
　も多いので慎重にすべきである。

2)不適切。キャッシュフロー・マネジメントとは、世帯として継続的・一時
　的な収入と支出のバランスを<u>一生涯にわたって</u>コントロールしていくこと
　である。

3)不適切。年齢が上がれば、リスク許容度が低下してくるが、一律に元本確

221

C分野　老後資産形成マネジメント

保が確実な商品に限定して運用することがよいとは限らない。投資経験や
保有資産によって異なってくる。

4)適切。収入として確実に見込まれるものはキャッシュフロー表に反映すべ
きである。　　　　　　　　　　　　　　　　　　　　　　　正解 ⇨ 4

《問21》　世代別・ライフスタイル別の資産形成に関する次の記述のうち、
　　　　　最も適切なものはどれか。

――――――――――――――――――――――― チェック欄 □□□ ―

1)　20歳台では老後までの投資期間が十分に取れることから、できる
　　だけ多くの資金を投資に回し、リスクを取った運用をすべきである。
2)　50歳前後で老後資産づくりを始めて確定拠出年金に加入する場
　　合、投資期間が短いことから一般的には、資産を増やすために株式
　　中心のリスクを取った商品に集中的に投資するのがよい。
3)　定年退職後は、元本確保型商品のみで取り崩していくのではなく、
　　多少リスク商品も組み合わせながら運用するのが望ましい。
4)　収入のない専業主婦は、掛金の所得控除が受けられないので確定
　　拠出年金に加入するメリットはない。

■ 解答・解説

1)不適切。若い時点では、収入が少なく、最低限の貯蓄の確保や各種保険加
入のほか、老後資金以外にも結婚資金、住宅資金、教育資金といった現役
時代のライフイベントに対する資金準備も必要である。あくまでも、必要
な生活費や貯蓄、老後資金以外の資金確保を行ったうえでの余裕資金を老
後資産形成の投資資金にあてるべきである。リスクをとった長期投資の利
点を生かすには、「少しでも早く、少額でも投資を開始すること」が重要
である。

2)不適切。投資期間が短ければ、一般的にはリスクの低い商品も組み合わせ
て分散投資し、リスクを抑えながらリターンをある程度確保する運用が望
ましい。

222

Part3　基礎編（四答択一式問題）

3) 最も適切。人生 100 年時代といわれるように老後期間が長くなっている。そのため、単純に資産を取り崩していくのではなく、一定の運用も組み合わせて資産寿命を延ばすことが重要である。

4) 不適切。掛金の所得控除が受けられなくても、運用益が非課税であるから長期運用の複利効果で資産を大きくできる。また、受取時の税制優遇（一時金受給は退職所得控除、年金受給は公的年金等控除）もある。これらにより、専業主婦にも確定拠出年金加入のメリットはある。

正解 ⇨ 3

《問 22》　企業年金のない会社に勤務する A さんは、40 歳から 60 歳の 20 年間で 800 万円以上を老後の資金の一部として確保したい。個人型確定拠出年金に毎年最高限度額を拠出した場合、年率何％以上で運用しなければならないか。次のうち最も近いものを選びなさい。なお、運用の計算上、年 1 回まとめて拠出されたものとして計算すること。手数料、税金等は考慮しないものとする。

──────────────────────── チェック欄 ☐☐☐ ─────

1) 1 ％　　2) 2 ％　　3) 3 ％　　4) 4 ％

■ 解答・解説

　個人型確定拠出年金の拠出限度額は、企業型年金や他の企業年金がない会社に勤務する A さんの場合、月額 23,000 円である。1 年間では、27.6 万円となる。

　毎年 27.6 万円を 20 年間拠出して 800 万円を得るには、20 年の年金終価係数を X とすると、27.6 万円 × X = 800 万円となる。

　X を求めると、800 万円 ÷ 27.6 万円 = 28.98550…… ≒ 28.9855（小数点第 5 位を切り上げ）になる。したがって、20 年の年金終価係数表の 28.9855 以上で最も近いものを探せばよい。

　20 年の年金終価係数は、それぞれ 1 ％が 22.2392、2 ％が 24.7833、3 ％が 27.6765、4 ％が 30.9692 であるから、4) が正解。　　　　　正解 ⇨ 4

223

C分野　老後資産形成マネジメント

《問 23》　専業主婦の B さん（45 歳）は、確定拠出年金の個人型年金に加
入する予定である。45 歳から 60 歳までの 15 年間、毎年最高限度額
を拠出するつもりだったが、B さんが希望する 65 歳から 80 歳まで
の 15 年間、毎年 60 万円を受け取るには原資が不足することがわかっ
た。60 歳時点で不足する金額はいくらか。次のうち最も近いものを
選びなさい。なお、運用利回りは全期間年 3 ％とし、手数料や税金
等は考慮しないものとする。

—————————————————————————— チェック欄 ☐☐☐ —

1) 800,000 円　　2) 1,100,000 円　　3) 1,400,000 円　　4) 1,700,000 円

■ 解答・解説

65 歳から 80 歳までの 15 年間の運用利回りが毎年 3 ％として、毎年 60 万
円を受け取る原資を求めるには、年金現価係数を使う。

60 万円 × 12.2961（15 年、3 ％の年金現価係数）= 7,377,660 円……… ①

①は 65 歳時点で必要な額である。運用利回りが年 3 ％として 60 歳時点に
必要な額を求めるには、現価係数を使用する。

7,377,660 円 × 0.8626（5 年、3 ％の現価係数）= 6,364,000 円（千円未満切
り上げ）……………………………………………………………………②

専業主婦の B さん（国民年金第 3 号被保険者）の拠出限度額は月額 23,000
円である。1 年間では、276,000 円となる。

45 歳から 60 歳までの 15 年間の運用利回りが毎年 3 ％として、毎年
276,000 円を拠出した場合の積立合計額を求めるには、年金終価係数を使う。

276,000 円 × 19.1569（15 年、3 ％の年金終価係数）= 5,287,000 円（千円未
満切り捨て）………………………………………………………………③

ここから、60 歳時点の不足額を求めると次のようになる。

60 歳時点の不足額 = ②（60 歳時点で必要な額）－③（60 歳時点の積立合計
額）= 6,364,000 円 － 5,287,000 円 = 1,077,000 円

したがって、2)が正解。　　　　　　　　　　　　　　　　正解 ⇨ 2

Part3　基礎編（四答択一式問題）

《問24》　確定拠出年金のマッチング拠出（従業員拠出）に関する次の記述のうち、不適切なものはどれか。

―――――――――――――――――――――――――チェック欄 □□□ ―

1) 企業型年金（他の企業年金がない）の場合、拠出限度額は月額55,000円だが、会社の掛金が25,000円の場合、本人が拠出できる上限は30,000円ではなく、会社の掛金である25,000円である。

2) マッチング拠出実施企業の企業型年金加入者は、加入者掛金を拠出していなくても個人型年金に加入することができない。

3) 社員がマッチング拠出した掛金は、その全額が所得控除（小規模企業共済等掛金控除）の対象となる。

4) 加入者掛金を拠出していた企業型年金の加入者が退職する場合、勤続期間が3年未満であれば、規約に定めて事業主掛金を事業主に返還させることができるが、個人別管理資産額が事業主掛金に達しない場合、個人別管理資産額の全額を事業主に返還させることはできない。

■ 解答・解説

1)適切。会社側の掛金を超えない範囲、かつ、会社側掛金との合算で拠出限度額まで、従業員本人の個人拠出（加入者掛金）を認めていることが、マッチング拠出（従業員拠出）の大きな特徴である。（法4条1項3号の2）

2)不適切。従来は、マッチング拠出を実施している企業型年金の加入者は、加入者掛金の拠出の有無に関わらず個人型年金に加入することはできなかった。しかし、法改正により2022（令4）年10月からは個人型年金加入とマッチング拠出は個人ごとに選択できるようになった。

3)適切。個人型年金の加入者掛金と同様に、従業員が拠出した掛金全額が所得控除（小規模企業共済等掛金控除）の対象となる。

4)適切。加入者掛金を拠出している場合、個人別管理資産額が事業主掛金に達しない場合でも、加入者へ残す額をゼロにすることはできない。事業主返還を導入している場合は、事業主掛金を原資とする部分と加入者掛金を

225

C分野　老後資産形成マネジメント

原資とする部分との按分方法を企業型年金規約で明記し、事業主掛金の原資部分だけを事業主に返還すればよい。（施行令2条）

正解 ⇨ 2

《問25》 64歳であるCさんは、昨年1年間に厚生年金120万円、確定給付企業年金60万円、養老保険の満期保険金300万円（この養老保険に払い込んだ保険料230万円、保険料負担者と受取人は同じ）を受け取った。以下のうち雑所得の額として最も近いものはどれか。

――――――――――――――――― チェック欄 ⬜⬜⬜ ―

〔公的年金等控除額〕65歳未満(注)

公的年金等の収入金額（A）	公的年金等に係る雑所得以外の所得に係る合計所得金額		
	1,000万円以下	1,000万円超 2,000万円以下	2,000万円超
130万円以下	60万円	50万円	40万円
130万円超 410万円以下	(A)×25%＋ 27万5,000円	(A)×25%＋ 17万5,000円	(A)×25%＋ 7万5,000円
410万円超 770万円以下	(A)×15%＋ 68万5,000円	(A)×15%＋ 58万5,000円	(A)×15%＋ 48万5,000円
770万円超 1,000万円以下	(A)×5%＋ 145万5,000円	(A)×5%＋ 135万5,000円	(A)×5%＋ 125万5,000円
1,000万円超	195万5,000円	185万5,000円	175万5,000円

(注) 年齢はその年の12月31日で判断する。(A)は公的年金等の収入金額

1) 100万円　　2) 110万円　　3) 120万円　　4) 130万円

■ 解答・解説

◇退職給付(一時金、年金)に関する税制(→ p.102)

公的年金等の収入金額の合計　　120万円＋60万円＝180万円

その他の所得金額の合計　　　　10万円（一時所得の額）

公的年金等控除額　　　　　　　180万円×25%＋27.5万円＝72.5万円

公的年金等に係る雑所得　　　　180万円－72.5万円＝107.5万円

その他の雑所得　　　　　　　　なし

226

以上から、Cさんの雑所得の額は107.5万円となる。したがって、2)が正解。

なお、養老保険の満期保険金は雑所得ではない(年金受け取りの場合は、「公的年金等に係る雑所得以外の雑所得」となる)。条件によって課税関係が異なるが、保険料負担者と受取人が同一の場合は、一時所得になる。

一時所得の求め方は、以下のとおりである。

$\{(保険金-支払保険料)-50万円\}$ ×2分の1

※支払保険料は必要経費として控除できる

そこで、設問のケースは、

$\{(300万円-230万円)-50万円\}$ ×2分の1＝10万円

となり、10万円の一時所得となる。「公的年金等に係る雑所得以外の所得」とは総合課税の対象となる所得(公的年金等に係る雑所得以外の雑所得、給与所得、一時所得、不動産所得など)のことだが、分離課税である退職所得(住民税の計算では含まれない)なども含まれる。

正解 ⇨ 2

C分野　老後資産形成マネジメント

《問26》　退職所得に係る税金に関する次の記述のうち最も不適切なものは
どれか。

――――――――――――――――――　チェック欄 □□□ ―

1)　確定拠出年金の個人型年金に23年1カ月加入した者が1,200万
円を受け取った場合の退職所得は60万円である。

2)　確定拠出年金の企業型年金に12年間加入、運用指図者期間3年
の60歳の人が一時金500万円を受け取った場合の退職所得は、10
万円である。

3)　「退職所得の受給に関する申告書」を提出していない場合、退職
金の収入金額から一律20%の所得税が源泉徴収される。なお、復
興特別所得税は考慮しないものとする。

4)　退職金を受け取るときまでに、「退職所得の受給に関する申告書」
を退職金の支払い者に提出しても、確定申告をする必要がある。

■ 解答・解説

◇退職給付(一時金、年金)に関する税制(→ p.102)

1)適切。

〔公的年金等控除額〕65歳以上

勤続年数	退職所得控除額
20年以下	40万円×勤続年数（最低保障80万円）
20年超	70万円×（勤続年数－20年）＋800万円

＊勤続1年未満の端数は切上げとする。障害者となったことを理由と
した退職の場合は、控除額に100万円加算

（退職一時金－退職所得控除額）×2分の1＝退職所得

70万円×（24年－20年）＋800万円＝1,080万円（退職所得控除額）

（1,200万円－1,080万円）×2分の1＝60万円（退職所得）

2)適切。運用指図者期間は、勤続年数に含めない。

上記の表より、40万円×12年＝480万円（退職所得控除額）

（500万円－480万円）×2分の1＝10万円（退職所得）

228

Part3 基礎編（四答択一式問題）

3) 適切。「退職所得の受給に関する申告書」を提出していない場合、退職金の収入金額から一律20%源泉徴収されるので確定申告で精算する。なお、2013（平25）年1月より東日本大震災の復興財源確保のために、復興特別所得税が課されており（2037〈令19〉年12月まで25年間）、退職所得からも徴収される。復興特別所得税率は通常の所得税額に2.1%を乗じたものなので、本問の復興特別所得税を含めた税率は20％×1.021＝20.42%となる。

（例）課税所得金額100万円の場合の源泉徴収額

100万円×20.42％＝20万4,200円

4) 最も不適切。「退職所得の受給に関する申告書」を提出している場合、源泉徴収だけで課税が終了（分離課税）するので、原則として確定申告をする必要はない。　　　　　　　　　　　　　　　　　　　　　　　　　正解 ⇨ 4

《問27》 退職金、年金に係る税制に関する次の記述のうち、最も不適切なものはどれか。

――――――――――――――― チェック欄 ☐☐☐ ―

1) 公的年金・確定拠出年金における老齢給付金の年金は、雑所得（公的年金等の雑所得）に該当する。
2) 退職所得の金額は、原則として退職金の収入から退職所得控除額を差し引いた金額に2分の1を掛けて計算する。
3) 確定拠出年金では、年金資産移換前の期間を含む掛金拠出期間が退職所得を計算する際の勤続年数である（運用指図者期間や掛金未納期間は勤続年数に含まれない）。
4) 確定拠出年金の老齢給付金を退職せずに一時金として受け取ると一時所得となり、退職所得に該当しない。

■ 解答・解説

1) 適切（所得税法35条3項、所得税法施行令82条の二）
2) 適切。なお、勤続年数5年以内の場合、退職所得を算出する計算式に注意

229

C分野　老後資産形成マネジメント

が必要である。（所得税法 30 条 2 項）

◇退職給付（一時金、年金）に関する税制（→ p.102）

3) 適切（所得税法施行令 69 条、確定拠出年金法施行令 24 条）

4) 最も不適切（所得税法 30 条、31 条、所得税法施行令 72 条 2 項 5 号）。確定拠出年金の老齢給付金を一時金で受け取った場合、退職するかしないかに関係なく退職所得に該当し、退職所得控除が受けられる。そのため、60歳の定年後に継続雇用で働き続けても、60 歳時に一時金で受け取る老齢給付金は退職所得となる。　　　　　　　　　　　　　　正解 ⇨ 4

《問 28》　遺言や相続に関する次の記述のうち、最も不適切なものはどれか

チェック欄 ☐☐☐

1)　公正証書遺言、秘密証書遺言は、自筆証書遺言と異なり、家庭裁判所で検認の手続きを経る必要がない。

2)　自筆証書遺言は、遺言者が紙に自ら遺言書本文の全文と日付を書き、署名押印する必要があり、パソコン等で作成したものは無効となる。

3)　相続財産に対する各相続人の遺留分のうち、兄弟姉妹については遺留分の権利がない。

4)　相続が開始した場合、相続人は単純承認、相続放棄、限定承認のいずれかを選択できる。

■ 解答・解説

◇遺言の種類とポイント（→ p.105）

1) 最も不適切。家庭裁判所で検認の手続きを経る必要がないのは、公正証書遺言と法務局（遺言保管所）で保管されている自筆証書遺言である。公正証書遺言は公証人と遺言者に加え、証人 2 名の立ち会いの下に作成される。自筆証書遺言は法務局で保管されていないもの（自宅保管など）は検認手続きが必要となる。自筆証書遺言の法務局での保管は、2020（令 2）年 7月 10 日からできるようになった。相続人等は遺言者の死後、遺言書の閲

230

覧請求や遺言書保管事実証明書の交付請求などができる。これらの請求を行った場合には、他の相続人等に対しても法務局から通知がされるので、全員に遺言書の存在がわかるようになる。なお、遺言書の保管申請や閲覧請求には費用が発生する。

2) 適切。法改正により2019（平31）年1月13日から自筆証書遺言の要件が緩和され、自筆証書遺言でも添付する相続財産の目録についてはパソコン等で作成することも認められるようになったが、財産目録の各ページに署名押印する必要がある。なお、秘密証書遺言は自筆証書遺言と異なり、自書である必要はないので、パソコン等で作成してもかまわない。

3) 適切。遺留分とは、兄弟姉妹を除く法定相続人に保証されている遺産の一定割合である。遺言でも遺留分を無効にすることはできない。例えば、配偶者や子供の遺留分は法定相続分の2分の1と定められている。なお、両親の場合は他の法定相続人の有無により異なる。

4) 適切。相続人が相続放棄または限定承認をするには、家庭裁判所にその旨の申述をしなければならない。

正解 ⇨ 1

Part

4

応用編
（設例問題）

※解答にあたって必要な場合は、368・369 ページの係数表を使用すること

【設例1】 退職給付会計1 （退職給付費用の計算1）

チェック欄 □□□

　　ある企業の前期末および今期の諸数値が以下のとおりであったとき、下記各問の項目について、今期の額を計算過程を示して答えなさい。なお、前年度に発生した未認識数理計算上の差異は、今期から処理するもの（5年償却）とし、過去勤務費用はないものとする。

前期末	
退職給付債務	1,000百万円
退職給付引当金	450百万円
年金資産（時価）	400百万円

今期	
勤務費用	250百万円
割引率	3.5%
長期期待運用収益率	3.0%

　　退職給付費用は以下の算式で求めるものとする。

　　退職給付費用＝勤務費用＋利息費用－期待運用収益＋未認識数理計算上の差異の償却費用

《問1》　設例における今期の利息費用、および期待運用収益を計算しなさい。

《問2》　設例における未認識数理計算上の差異の償却費用を計算しなさい。

《問3》　設例における今期の退職給付費用を計算しなさい。

Part4　応用編（設例問題）

■ 解答・解説

■■■ 設例のねらいと解答のポイント ■■■

　退職給付会計に関する問題は、①退職給付債務の積立状況に関する問題（退職給付債務と「年金資産＋退職給付引当金＋未認識債務」がバランスすることが理解できているか）、②退職給付費用の問題（「退職給付費用＝勤務費用＋利息費用－期待運用収益＋未認識債務の償却費用」となることが理解できているか）、③他制度への移行時の会計処理の問題（特に、確定拠出年金に移行する場合の制度終了の会計が理解できているか）に大別される。本設問はこのうち、退職給付費用についての問題であるが、計算式が頭に入っていれば容易に解ける基本的な内容である。

《問1》

　今期の利息費用は、前期末の退職給付債務に割引率を乗じて計算する。

　1,000百万円×3.5％＝35百万円

　一方、今期の期待運用収益は、前期末の年金資産に期待運用収益率（企業会計基準の改正後は「長期期待運用収益率」に名称変更）を乗じて計算する。

　400百万円×3.0％＝12百万円

> 答　利息費用：35百万円、期待運用収益：12百万円

《問2》

　未認識数理計算上の差異の償却費用は、前期末における未認識数理計算上の差異を償却期間で除して計算する。

　前期末における未認識数理計算上の差異は、前期末の「退職給付債務 － 年金資産」から、退職給付引当金を差し引いたものである。したがって、以下のように計算できる。

・退職給付債務－年金資産…………………………①

　1,000百万円 － 400百万円＝600百万円

・前期末における未認識数理計算上の差異……②

　①（600百万円）－退職給付引当金（450百万円）＝150百万円

235

以上から、以下のように計算できる。

未認識数理計算上の差異の償却費用＝②（150百万円）÷5年（設例より）
＝30百万円

> 答　30百万円

《問3》

《問1》《問2》で求めた数値を設例で示された算式に当てはめれば、退職
給付費用は、以下のように計算できる。

勤務費用（250百万円）＋利息費用（35百万円）－期待運用収益（12百万円）
＋未認識数理計算上の差異の償却費用（30百万円）＝303百万円

> 答　303百万円

Part4　応用編（設例問題）

【設例2】　退職給付会計2（退職給付費用の計算2）

チェック欄 □□□

　確定給付型制度における退職給付費用は、次の4つの要素から計算することができる（過去勤務費用の償却費用はないものと仮定する）。
　①　勤務費用　　　③　期待運用収益
　②　利息費用　　　④　未認識数理計算上の差異の償却費用

《問1》　勤務費用に関する次の記述のうち、不適切なものはどれか。

　1）　退職給付費用を計算する際に、基本給を使う制度の場合、当該基本給の増加で勤務費用も増加する。

　2）　勤務費用は、「退職給付費用－利息費用－期待運用収益－未認識数理計算上の差異の償却費用」の式で算定することができる。

　3）　勤務費用は、単年度に生じた退職給付債務の増加分のうち、当年度の勤務による部分を表している。

　4）　簡便法では、勤務費用は算定しない。

《問2》　利息費用に関する次の記述のうち、適切なものは次のうちどれか。

　1）　利息費用とは、期首の勤務費用に予想利回りを乗じて計算した額となり、退職給付債務に対して事業年度内に生じる利息価値を表している。

　2）　利息費用とは、期首の勤務費用に割引率を乗じて計算した額となり、退職給付債務に対して事業年度内に生じる利息価値を表している。

　3）　利息費用とは、期首の退職給付債務に予想利回りを乗じて計算した額となり、退職給付債務に対して事業年度内に生じる利息価値を表している。

　4）　利息費用とは、期首の退職給付債務に割引率を乗じて計算した額となり、退職給付債務に対して事業年度内に生じる利息価値を表している。

237

《問3》 A社の前期末および今期の諸数値は、以下のとおりであった。今期の退職給付費用の額を計算過程を示して答えなさい。なお、前年度に発生した未認識数理計算上の差異は、今期から処理するもの（10年償却）とする。

前期末		今期	
退職給付債務	1,000百万円	勤務費用	100百万円
年金資産（時価）	500百万円	割引率	2.5%
退職給付引当金	300百万円	長期期待運用収益率	2.0%

■ 解答・解説

設例のねらいと解答のポイント

　退職給付会計に関しては、他制度への移行時の会計処理の問題（特に、確定拠出年金に移行する場合の制度終了の会計や退職給付債務の積立状況に関する問題（退職給付債務と「年金資産＋退職給付引当金＋未認識債務」についての問題が多いが、退職給付費用の問題（「退職給付費用＝勤務費用＋利息費用－期待運用収益＋未認識債務の償却費用」）を利用して解く問題も出されることがあり、内容を理解しておく必要がある。
　勤務費用、利息費用、期待運用収益、未認識債務の償却費用の考え方や、その計算プロセスが理解できていれば、解答しやすいものである。

《問1》

1）適切

2）不適切。勤務費用は、「退職給付費用－利息費用＋期待運用収益－未認識数理計算上の差異の償却費用」の式で算定することができる。

3）適切

4）適切。簡便法では、退職給付費用は、退職給付引当金の差額を用いて算定する。

答	2

《問2》

1）不適切

Part4　応用編（設例問題）

2）不適切

3）不適切

4）適切。利息費用とは、退職給付債務に生じる計算上の利息である。

答　4

《問3》

A社の今期の退職給付費用の額は、以下の計算によって求められる。

・勤務費用 = 100 百万円 ………………………………………………………… （a）

・今期の利息費用

　　= 前期末退職給付債務（1,000 百万円）×割引率（2.5％）

　　= 25 百万円 ……………………………………………………………… （b）

・年金資産に係る今期の期待運用収益

　　= 前期末年金資産（500 百万円）×長期期待運用収益率（2.0％）

　　= 10 百万円 ……………………………………………………………… （c）

・前期末における未積立債務

　　= 退職給付債務（1,000 百万円）－年金資産（500 百万円）

　　= 500 百万円…………………………………………………………… （d）

・前期末における未認識数理計算上の差異

　　= 未積立債務（500 百万円）－退職給付引当金（300 百万円）

　　= 200 百万円…………………………………………………………… （e）

・未認識数理計算上の差異の償却費用

　　= 前期末における未認識数理計算上の差異（上記（e））÷ 10 年

　　= 200 百万円 ÷ 10 年 = 20 百万円……………………………………… （f）

・退職給付費用

　　= 勤務費用（a）＋利息費用（b）－期待運用収益（c）

　　＋未認識数理計算上の差異の償却費用（f）

　　= 100 百万円＋ 25 百万円－ 10 百万円＋ 20 百万円 = 135 百万円

答　135 百万円

239

【設例3】 退職給付会計3（簡便法）

チェック欄 □□□

　　A社では退職一時金制度が導入されており、それに関する状況は以下のとおりである。他の退職給付制度は存在しない。

期首の自己都合要支給額	7,800 千円
期中の退職一時金の支給額	680 千円
期末の自己都合要支給額	9,800 千円

《問１》 退職給付会計の簡便法に関する次の記述の（　　　）にあてはまる語句を書きなさい。

　　退職給付会計において簡便法を適用することが認められるのは、原則として退職給付制度の対象となる従業員数が（　①　）人未満の企業となる。
　　簡便法から（　②　）へ変更することは随時可能であるが、（　②　）から簡便法に変更することは、一定の場合を除き、行うことはできない。

《問２》 設例のA社の簡便法における当期末に計上する退職給付費用の金額を求めなさい。なお、退職給付債務は期末における自己都合要支給額とする。

《問３》 退職給付債務を比較指数を用いて計算した場合はいくらになるか、計算過程を示して答えなさい。比較指数は、1.12 とする。

240

Part4　応用編（設例問題）

■ 解答・解説

┌─────── **設例のねらいと解答のポイント** ───────┐

　簡便法に関する問題は毎回のように出題されるため、ぜひ押さえてお
きたい。簡便法では、①年金受給者がいる場合等の退職給付債務の評価
方法、②退職給付費用の計算方法の２点を十分理解しておく必要がある。
費用については、退職給付引当金が退職給付費用のうち未払額であるこ
と（掛金や退職金支払額は未払いの解消であると考える）が理解できて
いれば、迷うことはないだろう。

└──────────────────────────────┘

《問１》

　小規模の企業において退職給付会計を行う場合、大規模企業と同様の方法
で行っても実態とかけ離れている場合がある。また、信頼性の高い数理計算
を行うことは困難である場合も想定される。そのため、原則として退職給付
制度の対象となる従業員数が300人未満の企業では、原則法ではなく、簡便
法によって退職給付会計を行うこととされている（退職給付に関する実務指
針34）。

　信頼性の高い数理計算が可能になった場合は、簡便法から原則法に変更で
きる。一方、原則法を適用している企業では、信頼性の高い数理計算が不可
能となった場合以外は、簡便法に変更することはできない（退職給付に関す
る実務指針41）。

> 答　①300　②原則法

《問２》

　本問のケースでは、退職給付費用の金額は、期末の退職給付引当金（退職
給付債務）から期首の退職給付引当金（退職給付債務）を差し引き、期中に支
払った退職一時金の金額を加算する。

　したがって、9,800千円 − 7,800千円 + 680千円 = 2,680千円　となる。

> 答　2,680千円

241

《問3》

　簡便法の退職給付債務の算定方法には、「期末自己都合要支給額」のほか、「期末自己都合要支給額×比較指数」とする方法、「期末自己都合要支給額×昇給率係数×平均残存勤務期間に対応する割引率」とする方法がある。本問の場合、比較指数を採用した退職給付債務は以下のとおり計算できる。

　9,800千円× 1.12 ＝ 10,976千円

　また、企業年金の場合の比較指数による計算は、「直近の年金財政計算における数理債務の額×比較指数」で行う。なお、比較指数は、退職一時金であれば原則法で計算した退職給付債務と自己都合要支給額の比である。（退職給付に関する会計基準の適用指針 50項）

答　10,976千円

Part4　応用編（設例問題）

【設例4】　退職一時金から確定拠出年金への移行

チェック欄 □□□

　　X社の退職給付制度は、退職金規程に基づく退職一時金制度のみである。このたび、その全部を過去勤務期間に係る部分も含めて確定拠出年金の企業型年金に移行することとした。なお、X社における退職給付会計の基礎数値等は、以下のとおりである。

> 移行前の退職一時金にかかる退職給付債務……350百万円
> 移行前の自己都合要支給額…………………………270百万円
> 未認識債務…………………………………………… 12百万円
> ※移行時の移換金算定の基準は、移行前の自己都合要支給額とする

《問1》　退職一時金から企業型年金に移行する場合の会計処理に関する次の記述のうち、最も不適切なものはどれか。

1) 過去勤務期間に係る部分とは、企業型年金への移行に伴って発生する退職給付債務の増減額である。

2) 退職一時金から企業型年金への移行で資産の移換が発生する場合は、全部移行の場合は退職給付制度の終了、一部移行の場合は、退職給付制度の減額の会計処理を行う。

3) 全部移行の会計処理を行う日は、退職金規程の廃止日となる。

4) 退職一時金から企業型年金への資産移換は、移行日の属する当該年度から起算して4年度以上8年度以内で均等分割して行う。

《問2》　X社の退職一時金制度の全廃による退職給付会計上の特別損益または特別損失はいくらになるか、計算過程を示して答えなさい。特別損失の場合は、金額の前に△を付すこと。

《問3》　X社が最長で企業型年金への資産移換を行う場合、各年度の移換額はいくらになるか。

243

■ 解答・解説

設例のねらいと解答のポイント

　退職一時金から企業型年金への移行に伴う会計処理の基本を確認する問題である。まず、いちばんシンプルな全部移行のプロセスをしっかり身につけておきたい。

《問1》

1) 適切。過去勤務費用と呼ばれる項目である。新たな制度への移行のほか、退職金規程の改定などの制度変更でも生じる。過去勤務費用のうち、まだ処理されていないものは未認識債務となる。

2) 最も不適切。全部移行であっても一部移行であっても、会計処理は「退職給付制度の終了(全部終了または一部終了)」の処理を行う。資産の移換を伴わない移行の場合は、増額または減額の会計処理となる。

3) 適切。一部移行(一部終了)の場合は、改訂された退職給付規程の施行日となる。

4) 適切。翌年度起算であれば3年度以上7年度以内での均等分割となる。移行年度起算か翌年度起算かに注意する。移換期間は最短4年度、最長8年度ということになる。

答　2

《問2》

　制度間移行に伴う移行前の退職給付制度の終了(未移換額を含む)により、退職給付債務の消滅の認識が行われる。このため、終了した部分に係る350百万円と事業主からの移換額(自己都合要支給額)270百万円の差80百万円を損益として認識する。したがって、

　退職給付債務(350百万円)－自己都合要支給額(270百万円)

= 80百万円

の利益が発生する。

　未認識債務の未処理額12百万円も退職給付債務が100%消滅するのに伴

244

い、全額が終了損失として認識され、上記利益の額から差し引く。

したがって、80百万円 − 12百万円 = 68百万円の特別利益となる。

答　68百万円の特別利益

《問3》

移換額は、退職金規程廃止前後の自己都合要支給額の差額だが、本問では移行前の自己都合要支給額とされているので、270百万円となる。移換可能な期間と移換額は4年度以上8年度以内の均等分割となるので、最長8年度での移換となる。したがって、各年度の移換額は以下のようになる。

270百万円 ÷ 8年度 = 33.75百万円

答　33.75百万円

【設例5】 個人型確定拠出年金への60歳以降の加入要件

—— チェック欄 ☐☐☐ ——

30年前に脱サラして自営業（農業）をしているAさん（日本国籍）は間もなく60歳になる。60歳以降に初めて個人型確定拠出年金へ加入することについて考えている。60歳から加入するとどうなるか気になるため、DCプランナーであるBさんに相談した。

《問1》 個人型年金への加入に関する次の記述のうち、最も不適切なものはどれか。

1) 61歳になってから、60歳に遡って国民年金任意加入被保険者となることの申出をすることにより、遡って60歳から当該任意加入被保険者となり、同時に個人型年金に加入することもできる。

2) 65歳前に老齢基礎年金の受給権がある者だけでなく、老齢厚生年金の受給権がある者も個人型年金には加入できない。

3) 拠出した個人型年金の掛金は年齢に関係なく、小規模企業共済等掛金控除として全額所得控除の対象となる。

4) 個人型年金加入者の資格を取得した月にその資格を喪失した場合は、その資格を取得した日に遡って、個人型年金加入者でなかったものとみなされる。

《問2》 個人型年金の給付に関する次の記述のうち、最も不適切なものはどれか。

1) 60歳までに通算加入者等期間がなく、60歳で個人型年金に加入すると、加入日から5年を経過した日から老齢給付金の受取りが可能となる。

2) 60歳で老齢給付金が受け取れる場合は、受給開始可能年齢が75歳までだが、受給開始可能が60歳を過ぎる場合は、受給開始可能年齢が75歳を超えることになる。

3) 65歳以降であっても、傷病により政令で定める程度の障害の状態に該当するに至ったときは障害給付金が支給されることがある。

Part4　応用編（設例問題）

4）死亡一時金の対象遺族となる配偶者には事実婚の配偶者も含まれる。

《問3》　個人型年金の加入と他の制度への同時加入に関して次の空欄①～③
に入る最も適切な数字や用語を答え、文章を完成させなさい。

国民年金基金と個人型年金に同時に加入した場合の掛金の上限は合
算して月額（　①　）円となる。一方、付加保険料を納付する場合は
国民年金基金に加入できないが、個人型年金には加入することができ、
その際の個人型年金の掛金の上限は月額（　②　）円となる。なお、
国民年金の第1号被保険者や任意加入被保険者となっている農業従事
者で、農業者年金の加入者については、個人型年金へ加入することが
（　③　）。

■ 解答・解説

```
設例のねらいと解答のポイント
```

ここでは、主に60歳以降の個人型年金に焦点を当てて確認する。個
人型年金も企業型年金も近年改正が行われている。改正に応じた実務的
な対応が求められるなか、改正内容も含め正確に理解しておきたい。

《問1》

1）最も不適切。国民年金の任意加入被保険者は、申出をした日にその資格を
取得する。そして、任意加入被保険者となることで個人型年金にも加入で
きるようになる。つまり、61歳になって任意加入被保険者となる申出を
する場合、60歳に遡って加入することができないため、個人型年金への
加入も60歳に遡ってはできない。（国年法附則5条3項、法62条1項）

2）適切。ここで65歳前で受給権がある者とは、繰上げ請求をしている場合（繰
上げ受給者）である。繰上げ受給者は、老齢基礎年金の受給権者だけでな
く、老齢厚生年金の受給権者も個人型年金には加入はできない。なお、65
歳前の特別支給の老齢厚生年金の受給権者は国民年金の第2号被保険者ま

247

たは任意加入被保険者であれば個人型年金への加入が可能である。（法62
条2項、法施行令34条の3）

3)適切。年齢に関係なく、個人型年金の掛金は全額所得控除の対象になる。

4)適切（法62条4）

答　1

《問2》

1)適切（法33条、法73条）

2)最も不適切。60歳を過ぎてから老齢給付金が受け取れる場合でも、受給
開始可能年齢は75歳までとなり、75歳を過ぎることはない。（法33条、
34条、法73条）

3)適切。要件を満たせば、75歳に達する日の前日（誕生日の2日前）まで障
害給付金の請求は可能である。（法37条、法73条、法令解釈第7）

4)適切（法41条、法73条）

答　2

《問3》

　①68,000　　②67,000　　③できない

　個人型年金の掛金拠出限度額は、国民年金の第1号被保険者や任意加入被
保険者の場合、月額68,000円（年間816,000円）である。ただし、国民年金基
金に加入する場合や国民年金付加保険料を納付する場合は、個人型年金の拠
出限度額は国民年金基金の掛金または付加保険料との合計額となる。ここで、
付加保険料は月額400円であるが、付加保険料を納付する場合の個人型年金
の月額拠出限度額は「68,000円 − 400円 = 67,600円」ではないことに注意
する。個人型年金の掛金拠出額が月額1,000円単位であるため、67,000円が
拠出限度額となる。

Part4　応用編（設例問題）

【設例６】　離転職時の資産移換

チェック欄 ☐☐☐

　Ａさん（日本国籍）は、このほど勤務していたＢ社を50歳で退職した。Ａさんが勤務していたＢ社は確定拠出年金を導入しており、その加入者であった。Ａさんはこれまで確定拠出年金の掛金をＢ社から毎月１万円、２年６カ月で30万円拠出されており、個人別管理資産は運用が好調だったため45万円となっていた。Ａさんは、Ｂ社退職時に運営管理機関から退職後の個人別管理資産の取り扱いについて説明を受けたが、よくわからなかったため、学生時代の友人でありDCプランナーのＣさんに相談し、アドバイスを求めた。なお、ＡさんはＢ社で初めて確定拠出年金の加入者となったものであり、過去に加入歴・運用指図者歴はない。

《問１》　Ａさんは、個人別管理資産を今後どうすべきかについてDCプランナーのＣさんにアドバイスを求めた。以下Ｃさんのアドバイスについて、適切なものには「○」印を、不適切なものには「×」印を記入し、不適切なものについては、その理由を簡潔に述べなさい。

① 「まだ就職先が決まっていなければ個人型年金に個人別管理資産を移換することができます」

② 「企業型年金の加入者資格を喪失した月から６カ月以内に、個人型年金の加入や転職先の企業型年金への加入がなく、何も行わないと自動移換の対象となります」

③ 「退職時に年金資産の額が１万5,000円を超えていても、企業型年金に脱退一時金の請求をできることがありますが、Ａさんの場合は脱退一時金の請求はできません」

④ 「今後は個人型年金の運用指図者となり、２年６カ月の加入者期間のみの場合、将来の老齢給付金は64歳から受け取れます」

249

《問2》 個人別管理資産が自動移換された場合のデメリットを箇条書きにしなさい。

《問3》 自動移換の手数料に関する次の文章の空欄①〜③に入る最も適切な数字を答え、文章を完成させなさい。

自動移換されるとその際の手数料として（ ① ）円、また管理手数料として月額（ ② ）円が個人別管理資産から自動移換された日の属する月の（ ③ ）カ月後から徴収される。

■ 解答・解説

設例のねらいと解答のポイント

確定拠出年金が普及していくのに伴い、企業型年金を資格喪失した自動移換者が増えており、2024年4月における自動移換者が129万6,529人となっている（国民年金基金連合会資料より）。自動移換の状態になってしまうと、運用ができないばかりでなく、通算加入者等期間にも算入されず給付開始年齢が遅れてしまうなどデメリットも少なくない。そこで、本問では、企業型年金を資格喪失した後のとり得る方法、自動移換のデメリットおよび自動移換された場合の手数料が理解できているかを確認する。

《問1》

① ○

② × 自動移換の対象となるのは、企業型年金の加入者資格を喪失してから翌月起算で6カ月以内に手続きをしない場合である。
　　※2018（平30）年5月より本人が移換手続きを行わない場合でも、一定の条件のもと自動移換時や自動移換後に転職先の企業型年金や個人型年金への資産移換がされるようになった

③ ○（Part2の脱退一時金支給要件参照→ p.79）

④ × 50歳のAさんは60歳になるまで運用指図者として運用を続ける

250

と通算加入者等期間は12年6カ月となるので60歳から老齢給付金を受給できる

《問2》（解答例）
・管理手数料がかかり、資産から差し引かれていく
・運用の指図ができない（資産は現金化されて管理）
・老齢給付金の受給が可能な年齢になっても受給ができない（ただし、75歳になれば自動移換者でも一時金で支給）
・通算加入者等期間（加入者期間および運用指図者の期間）に算入されないため、受給開始年齢が遅れる可能性がある

《問3》
①4,348　②52　③4

個人別管理資産が自動移換された場合、その際の手数料として4,348円（特定運営管理機関分3,300円、国民年金基金連合会分1,048円）、また管理手数料として月額52円が個人別管理資産から自動移換された日の属する月の4カ月後から徴収される。例えば、自動移換が4月であれば8月から徴収となる。実際の徴収は年1回4月に前年度分がまとめて資産から差し引かれる。

【設例7】 投資関係（シャープレシオとインフォメーションレシオの比較）

チェック欄 □□□

　　サラリーマンのAさんは、B投資信託（B投信）とC投資信託（C投信）に投資しようと考えている。パフォーマンス評価を行い、どちらがよいかを判断するつもりである。B、C両投信のベンチマークは共通とする。また、リスクフリーレートは2％である。

	トータルリターン	ベンチマークリターン	リスク（標準偏差）	トラッキングエラー
B投信	6.5％	2％	7.5％	6.8％
C投信	4％	2％	4％	2.6％

《問1》 投信B、投信Cのシャープレシオを求めなさい。計算過程を示すこと。

《問2》 投信B、投信Cのインフォメーションレシオを求めなさい。計算過程を示し、答は小数点以下第3位を四捨五入すること。

《問3》 投信B、投信Cのパフォーマンス評価について、次の記述のうち適切なものはいくつあるか。1)〜4)から選びなさい。

ア） シャープレシオは値の大きいほど、インフォメーションレシオは値の小さいほど、パフォーマンスが優れていると評価される。

イ） インフォメーションレシオの超過リターンは、ベンチマークが同じでないと横並びの比較は困難である。

ウ） インフォメーションレシオは、運用上の指標に対する相対的な比較として、リスク当たりのリターンを測定できる。

エ） シャープレシオでB投信のほうが良好な成績を示した場合、インフォメーションレシオも必ずB投信のほうが良好な成績を示す。

1) 1つ　　2) 2つ　　3) 3つ　　4) 1つもない

Part4　応用編（設例問題）

■ 解答・解説

設例のねらいと解答のポイント

　シャープレシオとインフォメーションレシオの違いを理解する問題である。シャープレシオは、リスクの総量に対するリターン（リスクフリーレートを上回る分）の総量を比較しているにすぎないのに対し、インフォメーションレシオは運用上の指標（ベンチマーク）に対する相対的な比較として、リスク当たりのリターンを測定することができる。

《問1》

　シャープレシオは、ファンドのリターンが「リスクフリーレート（無リスク資産のリターン）」に対してどの程度上回ったか（超過リターンが得られたか）を見たものである。つまり、リスクの大きさ（＝ファンドの標準偏差）に対してどの程度超過リターン（対無リスク資産）が得られたかを見たものである。シャープレシオは、値が大きいほどパフォーマンスが優れていると評価される。シャープレシオは次のように計算できる。

　　シャープレシオ ＝（トータルリターン − リスクフリーレート）÷ リスク（標準偏差）

　B投信のシャープレシオ ＝（6.5% − 2%）÷ 7.5% ＝ <u>0.6</u>

　C投信のシャープレシオ ＝（4% − 2%）÷ 4% ＝ <u>0.5</u>

《問2》

　シャープレシオと並んで使われるリスク調整後リターンの指標に、インフォメーションレシオがある。この数値が大きいほど運用によって超過収益（ベンチマークに対するリターン）が効率的に得られたと判断される。市場によるリスク部分を除いているため、ファンドマネジャーの運用成績の評価に用いられることが多い。ただし、ベンチマークの設定が非常に重要である。

　インフォメーションレシオは次のように計算できる。

　　インフォメーションレシオ ＝（トータルリターン − ベンチマークリターン）÷ トラッキングエラー

なお、次の用語は覚えておいてほしい。

・トラッキングエラー：アクティブリターンの標準偏差
・アクティブリターン：ファンドとベンチマークのリターンの差。対ベンチマーク超過収益率
・ベンチマーク：運用パフォーマンス相対評価の基準。一般的に、その資産を代表する市場インデックスが選ばれる。

B投信のインフォメーションレシオ ＝ (6.5% − 2%) ÷ 6.8% ≒ <u>0.66</u>

C投信のインフォメーションレシオ ＝ (4% − 2%) ÷ 2.6% ≒ <u>0.77</u>

《問3》

ア）不適切。シャープレシオとインフォメーションレシオは、どちらも値の大きいほどパフォーマンスが優れていると評価される。

イ）適切。一方、シャープレシオの分子のリスクフリーレートは、一度定めればどのファンドでも共通となるので横並びの比較ができる。

ウ）適切。リスクの総量に対するリターン（リスクフリーレートを上回る分）の総量を比較しているにすぎない点が、シャープレシオの欠点である。

エ）不適切。シャープレシオでB投信のほうが相対的に良好な成績だったとしても、インフォメーションレシオでも同様に相対的に良好な成績を示すとは限らない。当設例では、《問1》《問2》の計算結果でわかるようにシャープレシオとインフォメーションレシオのパフォーマンス評価が逆の結果となっている。B投信は、ベンチマークに対して大きなリスクをとったわりにはリターンが少なかったということで、C投信よりも劣るという結論になる。

したがって、適切な記述はイ）とウ）の2つで、正解は2）である。

Part4　応用編（設例問題）

【設例8】　投資関係（3資産のポートフォリオのリターンとリスク、効用）

―― チェック欄 □□□

　資産P、資産Q、資産Rがあり、データは次のとおりである。

〈3資産の期待リターン、リスク、相関係数〉

	期待リターン	リスク	相関係数		
			資産P	資産Q	資産R
資産P	10.0%	20.0%	1	− 0.3	0.5
資産Q	7.0%	12.0%	− 0.3	1	− 0.4
資産R	4.0%	7.0%	0.5	− 0.4	1

〈ポートフォリオの各資産の配分比率〉

	ポートフォリオA	ポートフォリオB
資産P	30%	（　　　）
資産Q	20%	35%
資産R	50%	（　　　）
期待リターン	（　　　）	8.35%
リスク	7.72%	（　　　）

《問1》　ポートフォリオAの期待リターンを計算しなさい。答は％表示ですること。

《問2》　ポートフォリオBにおける資産Pおよび資産Rの配分比率を求めなさい。答は％表示ですること。

《問3》　リスク拒否度が0.03である投資家は、ポートフォリオA、Bどちらを選択すると考えられるか。なお、選択肢はこの2つ以外にはないものとし、投資家の効用は「効用＝期待リターン − リスク拒否度×リスク（分散、標準偏差の2乗）」で表されるものとする。

255

■ 解答・解説

設例のねらいと解答のポイント

　効率的（有効）フロンティア上にあるリスクとリターンの組合せの点を評価するための基準は、その投資家が持つ効用関数によって決められる。計算に時間のかかる3資産のポートフォリオのリスクを求めさせてから、効用の計算をさせる問題である。計算プロセスを理解し、必ず解けるようにしておくこと。

《問1》

　資産P、Q、RからなるポートフォリオAの期待リターンの計算式は以下のとおりである。

　（Pの期待リターン×Pの配分比率）＋（Qの期待リターン×Qの配分比率）

　　＋（Rの期待リターン×Rの配分比率）

　　＝（10%×0.3）＋（7%×0.2）＋（4%×0.5）＝6.4%

　以上の計算結果から、ポートフォリオAの期待リターンは6.4%である。

《問2》

　資産P、Rの配分比率をWP、WRとすると、次の連立方程式で求められる。

$$\begin{cases} (10\% \times WP) + (7\% \times 0.35) + (4\% \times WR) = 8.35\% \\ WP + 0.35 + WR = 1 \end{cases}$$

　ここから、WP＝0.55、WR＝0.10となる。

　以上の計算結果から、資産Pの配分比率は55%、資産Rの配分比率は10%である。

《問3》（解答例）

　ポートフォリオBのリスク（標準偏差）は、以下のように計算できる。

$\sqrt{}$（Pのリスク^2×Pの配分比率^2）＋（Qのリスク^2×Qの配分比率^2）

　＋（Rのリスク^2×Rの配分比率^2）＋2×（PとQの）相関係数×Pのリ

　スク×Qのリスク×Pの配分比率×Qの配分比率＋2×（PとRの）相

関係数×Pのリスク×Rのリスク×Pの配分比率×Rの配分比率＋2
×（QとRの）相関係数×Qのリスク×Rのリスク×Qの配分比率×R
の配分比率

$$= \sqrt{(20^2 \times 0.55^2) + (12^2 \times 0.35^2) + (7^2 \times 0.10^2) + 2 \times (-0.3) \times 20 \times}$$

$$\overline{12 \times 0.55 \times 0.35 + 2 \times 0.5 \times 20 \times 7 \times 0.55 \times 0.10 + 2 \times (-0.4) \times 12}$$

$$\overline{\times 7 \times 0.35 \times 0.10}$$

$$= \sqrt{116.758} \quad ≒ \quad 10.81\%$$

以上で求められた数値から、以下の投資家の効用の計算式に当てはめて
ポートフォリオ A および B の効用を計算する。

効用関数：効用＝期待リターン－リスク拒否度×リスク（分散、標準偏差
の2乗）

投資家の効用はそれぞれ以下のようになる。

ポートフォリオ A：$6.40 - 0.03 \times 7.72^2 ≒ 4.61$

ポートフォリオ B：$8.35 - 0.03 \times 10.81^2 ≒ 4.84$

以上の計算結果から、リスク拒否度が 0.03 である投資家は、効用の値が
大きいポートフォリオ B を選択する。

【設例9】 投資関係（相関係数、分散投資によるリスク軽減効果）

── チェック欄 □□□ ──

　資産Ａと資産Ｂにおける、特定の４期の観察期間におけるリターンの推移が以下のとおりであった。これをもとに以下の《問１》から《問３》に答えなさい。

期間	資産Ａ	資産Ｂ
Ⅰ	10％	20％
Ⅱ	－ 10％	5％
Ⅲ	8％	4％
Ⅳ	4％	15％

《問１》　資産Ａと資産Ｂのリターンの標準偏差を求め、これをもとに両資産の相関係数を求めなさい。計算過程を示し、答は％表示における小数点第３位を四捨五入すること。

《問２》　組入比率を《問１》の資産Ａが30％、資産Ｂが70％としたファンドがある。２資産のリターンの相関係数およびこの実績値に基づくファンドのリスク（標準偏差）を求めなさい。計算過程を示し、答は％表示における小数点第３位を四捨五入すること。

《問３》　分散投資の効果に関する次の文章の空欄①〜④に入る最も適切な語句等を（　　）内に記入しなさい。答は％表示における小数点第４位を四捨五入すること。

　資産Ａと資産Ｂのリスクの加重平均値は、（　①　）となり、《問２》で計算された組み合わせ（ファンド）よりも（　②　）なる。また、この数値は、相関係数（　③　）のポートフォリオのリスクと一致する。これにより、相関係数が（　④　）なるほど分散投資によるリスク低減効果が大きくなることがわかる。

258

Part4　応用編（設例問題）

■ 解答・解説

設例のねらいと解答のポイント

　互いの値動きが異なる資産に幅広く分散投資することによって、リスクを低減する効果がある。相関係数が1でない限りファンドのリスク（標準偏差）はファンドを構成する資産のリスク（標準偏差）の加重平均よりも小さくなることを数式的に理解することが大切である。

《問1》

　資産Aと資産Bのリターンの相関係数は、以下の計算式によって求められる。

$$\frac{資産Aと資産Bの共分散}{資産Aの標準偏差 \times 資産Bの標準偏差}$$

資産Aの平均リターン $= (10 - 10 + 8 + 4) \div 4 = 3\%$

資産Bの平均リターン $= (20 + 5 + 4 + 15) \div 4 = 11\%$

資産Aの分散 $= \{(10 - 3)^2 + (-10 - 3)^2 + (8 - 3)^2 + (4 - 3)^2\}$
　　　　　　　$\div 4 \fallingdotseq 61\%^2$

資産Aの標準偏差 $= \sqrt{61\%^2} \fallingdotseq \underline{7.81\%}$

資産Bの分散 $= \{(20 - 11)^2 + (5 - 11)^2 + (4 - 11)^2 + (15 - 11)^2\}$
　　　　　　　$\div 4 \fallingdotseq 45.5\%^2$

資産Bの標準偏差 $= \sqrt{45.5\%^2} \fallingdotseq \underline{6.75\%}$

　共分散（covariance）とは、2組の対応するデータ間での平均からの偏差（平均との差）の積の平均値である。本設問に当てはめると2組の対応するデータは「資産Aと資産Bのリターン」、平均は「資産Aが3％、資産Bが11％」、期間は4期であるから、以下のように計算できる。

　資産Aと資産Bの共分散 ＝ 〔｛(資産AのⅠ期のリターン－資産Aの平均リターン)×(資産BのⅠ期のリターン－資産Bの平均リターン)｝ ＋ ……＋ ｛(資産AのⅣ期のリターン－資産Aの平均リターン)×(資産BのⅣ期のリターン－資産Bの平均リターン)｝〕 ÷ 4期

　　＝ 〔｛(10－3)×(20－11)｝ ＋ ｛(－10－3)×(5－11)｝ ＋ ｛(8－3)

259

$\times (4-11)\} \quad + \quad \{(4-3) \times (15-11)\} \,] \div 4 = 27.5\%^2$

よって、資産Aと資産Bの相関係数は

相関係数 $= 27.5 \div (7.81 \times 6.75) \fallingdotseq \underline{0.52}$

《問2》

《問1》より、資産Aのリターンの標準偏差は、<u>7.81％</u>、資産Bのリターンの標準偏差、<u>6.75％</u>である。資産Aと資産Bから構成されている ファンドのリスク（標準偏差）は、以下のように計算できる。ここでは、期待リターンの数値は使用しないことに注意。

ファンドの分散 ＝ （Aのリスク^2 × Aの投資比率^2） ＋ （Bのリスク^2 × Bの投資比率^2） ＋ 2 × 相関係数 × Aのリスク × Bのリスク × Aの投資比率 × Bの投資比率

$= (7.81^2 \times 0.3^2) + (6.75^2 \times 0.7^2) + 2 \times 0.52 \times 7.81 \times 6.75 \times 0.3 \times 0.7$

$\fallingdotseq 39.33\%^2$

よって、リスク（標準偏差） $= \sqrt{39.33\%^2} = \underline{6.27\%}$

《問3》（解答例）

　① 7.068％　　② 高く　　③ 1　　④ 低く

資産Aと資産Bのリスクの加重平均値を計算すると、$7.81 \times 0.3 + 6.75 \times 0.7$ ＝ 7.068％となり、これは相関係数が1の場合の標準偏差に一致する。

ファンドの分散（相関係数が1の場合）

$= (7.81^2 \times 0.3^2) + (6.75^2 \times 0.7^2) + 2 \times 1 \times 7.81 \times 6.75 \times 0.3 \times 0.7$

$\fallingdotseq 49.957\%^2$

よってリスク（標準偏差） $= \sqrt{49.957\%^2} \fallingdotseq \underline{7.068（\%）}$

また、これは《問2》で計算されたポートフォリオの標準偏差よりも高い値になる。ここから、相関係数が低いほど分散によるリスク低減効果が発揮されることがわかる。

◇《問3》の分散投資をさらに数式から理解してみよう

資産Aと資産Bから構成されている2資産のファンド分散の一般式は次

のように表現される。

ファンドの分散＝（Aのリスク^2×Aの投資比率^2）＋（Bのリスク^2×Bの投資比率^2）＋2×相関係数×Aのリスク×Bのリスク×Aの投資比率×Bの投資比率　　（－1≦相関係数≦1である）

ここで、資産Aと資産Bの相関が極めて強く、値動きが同期していて相関係数が1の場合、上記の式はシンプルになる。

ファンドの分散＝（Aのリスク^2×Aの投資比率^2）＋（Bのリスク^2×Bの投資比率^2）＋2×Aのリスク×Bのリスク×Aの投資比率×Bの投資比率＝（Aのリスク×Aの投資比率＋Bのリスク×Bの投資比率）^{2}

分散の平方根をとれば標準偏差になる。

ファンドの標準偏差＝Aのリスク×Aの投資比率＋Bのリスク×Bの投資比率

上式は単純に標準偏差を資産Aと資産Bの投資比率で加重平均しているにすぎない。2資産のファンド分散の一般式に戻ってみると、相関係数が1以外では、ファンドの分散が小さくなることがわかる。

最小になる相関係数は－1であり、相関係数が－1の場合、

ファンドの分散＝（Aのリスク^2×Aの投資比率^2）＋（Bのリスク^2×Bの投資比率^2）－2×Aのリスク×Bのリスク×Aの投資比率×Bの投資比率＝<u>（Aのリスク×Aの投資比率－Bのリスク×Bの投資比率）</u>^{2}

となる。カッコ内（下線部）がゼロになれば最小となる。

本例の場合、ファンドの分散（相関係数が－1の場合）

$= (7.81^2 × 0.3^2) + (6.75^2 × 0.7^2) + 2 × (－1) × 7.81 × 6.75 × 0.3 × 0.7$

$= \underline{(7.81 × 0.3 － 6.75 × 0.7)^2} = (－2.382)^2 ≒ 5.674\%^2$

よって、リスク（標準偏差）＝$\sqrt{5.674\%^2} = \underline{2.382\%}$

本例の組入比率では、相関係数が－1でもカッコ内（下線部）はゼロとはならず、無リスクとはならないが、リスクを最小とすることができる。

カッコ内はゼロとするには、次の連立方程式を解くことで得られる資産Aと資産Bの組入比率を選択することで、無リスクとすることは可能である。

$7.81X － 6.75Y = 0$　　　　$X + Y = 1$

以上より、相関係数が 1 より小さい場合は、単純な加重平均よりも全体のリスク(標準偏差)を小さくできることがわかる。

【設例 10】　税額計算、在職老齢年金、変額年金保険

チェック欄 □□□

　A さん(64 歳男性、昭和 35 年 4 月 10 日生まれ)は、B 社を 60 歳で定年退職した後、現在 B 社で嘱託勤務している。給料は月額 24 万円受け取っているが、賞与の支給はない。また、A さんは給料のほかに在職老齢年金を月額 8.56 万円(年間 102.72 万円)、雇用保険から高年齢雇用継続給付を月額 3.6 万円(年間 43.2 万円)、財形制度から財形年金を年額 90 万円、個人年金保険(10 年確定年金、保険料総額 720 万円)から年額 120 万円をそれぞれ受け取っている。

《問 1》　A さんの 1 年間における雑所得の金額はいくらか、計算過程を示して答えなさい。なお、A さんに設例に記載されている以外の収入はないものとする。

〈公的年金等の控除額表（65 歳未満）〉※その他所得 1,000 万円以下

公的年金等の収入	公的年金等の控除額
130 万円以下	60 万円
130 万円超 410 万円以下	収入 × 25% + 275,000 円
410 万円超 770 万円以下	収入 × 15% + 685,000 円
770 万円超 1,000 万円以下	収入 × 5% + 1,455,000 円
1,000 万円超	1,955,000 円

Part4　応用編（設例問題）

《問2》　Aさんは、厚生年金保険に加入しているのと同時に厚生年金（在職老齢年金）を受給している。65歳前の在職老齢年金の仕組みについて、次の文章の空欄①〜④に適当な数字を入れなさい。

　　Aさんは、給料月額（総報酬月額相当額）24万円と年金月額（　①　）万円の合計額が（　②　）万円を超えた金額の2分の1に相当する（　③　）万円の年金が支給停止となり、高年齢雇用継続給付の支給停止分（　④　）万円もあるので、年金受給額は月額8.56万円となる。

《問3》　Aさんは、B社から受け取った退職金の一部で変額年金保険に加入することを検討している。変額年金保険における運用面・税制面の特徴について箇条書きしなさい。

■ 解答・解説

設例のねらいと解答のポイント

　DCプランナーにとって、確定拠出年金などの企業年金の理解は必要不可欠であるが、それに加えて公的年金、税金、投資および運用商品、ライフプランニングの知識等をもっていないと加入者からの質問に正確に答えることはできない。そこで、本問においては、課税所得と非課税所得の区別および雑所得の計算、厚生年金における在職老齢年金の仕組み、変額年金保険の特徴についてトータルに理解できているかを確認する。

《問1》

まず、課税所得と非課税所得に区分する。

・課税所得………在職老齢年金（厚生年金）と個人年金保険

・非課税所得……高年齢雇用継続給付と財形年金

　上記課税所得は雑所得であるが、さらに公的年金等に係る雑所得（在職老齢年金）と公的年金等以外の雑所得（個人年金保険）に区分される。在職老齢

263

年金の雑所得は、設問にある公的年金等控除額表にあてはめると公的年金等の収入は年額 102.72 万円、その他所得（給料、個人年金保険）年額 1,000 万円以下なので公的年金等の控除額は 60 万円であり 42.72 万円となる（A）。

　一方、個人年金保険の雑所得は、その年に受け取る年金の額から必要経費を控除する。必要経費の額は、

その年に受け取る年金額×（払込保険料総額÷年金支給総額）

で求められる。

　ここで、設問の数値をあてはめると個人年金保険収入は 120 万円、必要経費は「120 万円×（720 万円÷1,200 万円〈120 万円×10 年〉）= 72 万円」であるので、公的年金等以外の雑所得は、120 万円 − 72 万円 = 48 万円となる（B）。

　したがって、A さんの雑所得は以下の「（A）+（B）」の計算式で求められる。

　（102.72 万円 − 60 万円）+（120 万円 − 72 万円）= 90.72 万円

《問 2》

　① 10　　② 50　　③ 0　　④ 1.44

　在職老齢年金は、65 歳未満の場合、以前は支給調整開始の基準額が 28 万円だったが、法改正により 2022（令 4）年 4 月からは 47 万円となり、65 歳以降の在職老齢年金とルールが同じになった。

☆在職老齢年金の計算式

　基本月額−｛（総報酬月額相当額＋基本月額−50 万円）×1／2｝

　※支給停止調整額の 50 万円は 2024 年度額（物価変動率と名目手取り賃金変動率
　　に応じて毎年見直される）

　また、高年齢雇用継続給付を受給する場合、在職老齢年金は本来の支給停止に加えて高年齢雇用継続給付による支給停止がある。設問の場合、高年齢雇用継続給付の支給率は「月額 3.6 万円÷24 万円 = 15%」であることがわかる。支給率が 15%（60 歳時等の賃金が 61% 以下に低下）のときは、在職老齢年金の支給停止額は標準報酬月額の 6% となるので、A さんの在職老

齢年金の停止額は「24万円×6％＝1.44万円」となる。したがって、A さんの在職老齢年金の基本月額は、「8.56万円＋1.44万円＝10万円」である。

　よって、「24万円＋10万円＝34万円≦50万円」となるので、在職老齢年金本来の減額はない。高年齢雇用継続給付の減額だけが適用されて、A さんの在職老齢年金額は月額8.56万円となる。

《問3》（解答例）

　運用面……特別勘定で運用

　　　　　　一般に元本が保証されていない

　税制面……所得控除は最高4万円の生命保険料控除のみ

　　　　　　運用益は課税の繰り延べ

　　　　　　年金給付として受け取る場合は公的年金等以外の雑所得

Part **5**

総合編（実践演習）
実践演習模試
法制度改正・重要事項確認演習

　実践演習模試は、「DC プランナー認定試験（1級）」の本番試験の形式（分野別に四答択一式10問、総合問題4題〈各小問3問〉）と同じ構成にした模擬試験問題である。各分野とも100点満点の配点となっている。

　※解答にあたって必要な場合は、368・369ページの係数表を使用すること

実践演習模試（A 分野）

四答択一式

《問1》 国民年金の被保険者と保険料に関する次の記述のうち、適切なもの
はどれか。　　　　　　　　　　　　　　　　チェック欄 ☐☐☐

1) 厚生年金保険の被保険者が65歳に達して被保険者のまま勤務を続けた
場合、老齢基礎年金および老齢厚生年金の受給権を取得したときは65歳
に達した日の翌日に国民年金第2号被保険者の資格を喪失する。

2) 退職して国民年金第2号被保険者から第1号被保険者に種別変更になる
場合、市町村長へ7日以内に届け出なければならない。

3) 海外居住の国民年金任意加入被保険者が保険料を滞納し、納付しないま
ま2年が経過した場合は、その翌日に任意加入被保険者の資格を喪失する。

4) 国民年金保険料を滞納している者が保険料免除を申請する場合、1年前
まで遡って免除を受けることができる。

《問2》 老齢年金の繰上げ支給および繰下げ支給に関する次の記述のうち、
適切なものはどれか。　　　　　　　　　　　　チェック欄 ☐☐☐

1) 1962（昭和37）年3月2日生まれの男性が、老齢年金の繰上げ支給を請
求する場合、減額率は1000分の4に繰上げ請求日の属する月から65歳に
達する日の属する月の前月までの月数を乗じた率となる。

2) 1951（昭和26）年7月10日生まれの者が2024（令和6）年7月（73歳到
達月）に老齢基礎年金の繰下げ支給の請求をした場合、2024年8月分から
42%の増額率で支給開始となる。

3) 1952（昭和27）年4月2日生まれの者が73歳誕生月に老齢厚生年金を
繰下げではなく一時金請求した場合、増額率25.2%で過去5年分を一時金

受給し、本来額での受給開始となる。

4) 老齢基礎年金の繰下げ待機中の女性が68歳のとき夫が死亡し、遺族厚生年金の受給権を取得した場合、68歳の増額率で老齢基礎年金を受給開始できる。

《問3》在職老齢年金に関する次の記述のうち、適切なものはどれか。

チェック欄 ☐☐☐

1) 総報酬月額相当額とは、「標準報酬月額」と「その月を除く過去1年間の標準賞与額の総額を12で除した額」との合計額である。

2) 在職老齢年金の受給者は、毎年9月1日を基準日として当年8月から前年9月までの厚生年金保険料が反映され、10月分から年金額が改定される。

3) 64歳の男性が、在職老齢年金を受給する場合、基本月額が10万円、総報酬月額相当額が42万円である場合、月額1万円が支給停止となる。

4) 加給年金額、経過的加算額がある65歳以上の在職老齢年金では、加給年金額は基本月額に含まれないが、経過的加算額は基本月額に含まれる。

《問4》障害年金に関する次の記述のうち、最も不適切なものはどれか。

チェック欄 ☐☐☐

1) 20歳前障害による障害基礎年金は受給権者に所得制限があり、前年の所得が一定額を超えた場合、その年の10月から翌年9月まで、年金額の全部または2分の1が支給停止となる。

2) 夫の死亡により遺族厚生年金の受給権を得た64歳の女性が、障害基礎年金を受けている場合、障害基礎年金と遺族厚生年金はどちらかの選択になる。

3) 障害認定日に1級または2級の障害であっても、障害基礎年金の請求が障害認定日の翌月以降に遅れた場合は、請求月の翌月分からの支給となる。

4) 1級または2級の障害厚生年金受給の独身者が、生計を維持する65歳未満の配偶者を得た場合、翌月から障害厚生年金に加給年金額が加算される。

◇実践演習模試（問題）A分野

《問5》遺族年金に関する次の記述のうち、最も不適切なものはどれか。

チェック欄 ◻◻◻

1) 遺族基礎年金には子の加算があるが、子のみが受給する場合の加算額（2024〈令和6〉年度価額）は第1子と第2子が各23万4,800円、第3子以降が各7万8,300円である。

2) 第3号被保険者の妻が死亡した場合、50歳の夫（年収800万円）と12歳の子がいる場合、夫は遺族基礎年金を受給することができる。

3) 遺族厚生年金の中高齢寡婦加算は妻が64歳までで打ち切りになるが、65歳からは経過的寡婦加算が支給される。ただし、1956（昭和31）年4月2日生まれ以降の妻には経過的寡婦加算の支給はない。

4) 遺族基礎年金と遺族厚生年金を受給していた妻が28歳のとき子が死亡した場合、遺族基礎年金が支給されなくなるとともに、遺族厚生年金は子の死亡日から5年経過後に支給終了となる。

《問6》国民年金基金に関する次の記述のうち、最も適切なものはどれか。

チェック欄 ◻◻◻

1) 国民年金保険料の全額免除者（産前産後免除を除く）は国民年金基金に加入できないが、一部免除であれば国民年金基金に加入できる。

2) 掛金は2口目以降に限り、口数単位で増減ができるが、月ごとに何度でも可能である。

3) 国民年金基金の掛金は6カ月前納、1年前納、2年前納ができる前納割引制度があり、いちばん有利な2年前納では、0.1カ月分の掛金が割引される。

4) 国民年金基金の給付は老齢年金、障害年金、遺族一時金の3種類がある。

《問7》中小企業退職金共済（以下、「中退共」という）と特定退職金共済（以下、「特退共」という）に関する次の記述のうち、最も不適切なものはどれか。

チェック欄 ◻◻◻

Part5　総合編（実践演習）

1) 　中退共新規加入時（制度導入時）に勤続 1 年以上の従業員については、過去の勤続期間（最高 10 年）を通算することができる。
2) 　合併により企業型年金（確定拠出年金）から中退共に資産移換を行うときは、新規加入の掛金助成を受けることができる。
3) 　特退共の掛金は月額 1,000 円から 3 万円まで 1,000 円刻みで 30 種類ある。
4) 　特退共は他の特退共と重複して加入することはできない。

《問 8》小規模企業共済に関する次の記述のうち、最も適切なものはどれか。

チェック欄 ☐☐☐

1) 　サービス業である宿泊業は、従業員 5 人以下であれば個人事業主または法人役員が小規模企業共済に加入することができる。
2) 　掛金は全額非課税であるが、法人役員の場合は損金算入、個人事業主の場合は小規模企業共済等掛金控除となる。
3) 　共済金を一時金と年金の併用で受け取るには、受取金額が 300 万円以上である必要がある。
4) 　共済金の分割（年金）による受け取りの場合、年 6 回の奇数月（1 月、3 月、5 月、7 月、9 月、11 月）の支給となる。

《問 9》確定給付企業年金と退職給付会計に関する次の記述のうち、最も適切なものはどれか。

チェック欄 ☐☐☐

1) 　確定給付企業年金の老齢給付金の年齢要件による支給開始年齢は 60 歳以上 70 歳以下の年齢を規約により定めることができる。
2) 　事業主等は、少なくとも 5 年ごとの決算において、積立金の額の額および最低積立基準額を上回っているかを計算し、検証しなければならない。
3) 　退職給付債務は、退職給付見込額の総額を現在価値に割り引いた額である。
4) 　退職給付会計では、親会社が原則法を採用している場合は子会社も原則法を適用しなければならない。

271

◇実践演習模試（問題）A 分野

《問 10》中高齢期の社会保険に関する次の記述のうち、最も不適切なものは
　　　　どれか。　　　　　　　　　　　　　　　　　チェック欄 ☐☐☐

1)　任意継続被保険者は退職後 2 年間加入可能であるが、期間中、希望すれ
ば任意に脱退することができる。

2)　60 歳以上の定年による離職の場合、希望すれば一定期間求職の申込み
を休止する申し出をすることができる。この場合、基本手当の受給期間を
最長 2 年間延長し、受給期間を最長 3 年にすることができる。

3)　高年齢雇用継続基本給付金は、原則として 60 歳到達時の賃金が 75％未
満に低下したときに支給され、61％以下に下がったときは新賃金の一律
15％が支給される。

4)　高年齢求職者給付金は、要件を満たしていれば何回でも請求することが
でき、年齢上限はないので 70 歳以上の者でも受給できる。

272

Part5 総合編（実践演習）

| 総合問題 |

1. 公的年金（中高齢期の加入と受給）

【第1問】次の設例に基づき、各問に答えなさい。

┌─── 設 例 ───┐

　Aさんは、1961（昭和36）年4月1日生まれの男性である。60歳で
X社を定年退職して継続雇用で働いており、希望すれば70歳になるま
で社会保険に加入しながら働くことができる。専業主婦の妻のBさん
は1964年5月生まれで結婚前に5年間の厚生年金保険加入歴がある。
Aさんは、60歳時点で給与が月額50万円から月額28万円に下がり、
賞与はなくなった。65歳前に年金の支給も開始になるが、受給額は年
額120万円の見込みである。また、65歳からの老齢基礎年金は年額76
万円の見込みである。

※特に断りのないかぎり、以上の条件以外は考慮せず、各問に従うこと

《問11》Aさんはとりあえず65歳になるまでは継続雇用の勤務を続けるつ
　　　　もりである。継続雇用中の給与は変わらない。Aさんの受けられる給
　　　　付等に関する次の記述について適切なものをすべて選びなさい。

チェック欄 ☐☐☐

1)　Aさんは、60歳時点の給与が月額50万円であるが、再雇用後は月額
　　28万円（賞与なし）となった。そのため、高年齢雇用継続給付の対象と
　　なり、60歳から65歳になるまで高年齢雇用継続基本給付金(以下「給付金」)
　　が支給される。支給率は60歳到達時の賃金額に対する減額率で決まるが、
　　Aさんの場合は60歳時の50万円に対して28万円となったので、「28万
　　円÷50万円＝56%」の減額率として判定される。

2)　給付金の額は新賃金28万円の15%の毎月4.2万円であり、新賃金と合
　　わせたAさんの総収入は、32.2万円となる。

3)　Aさんは、64歳から報酬比例部分のみの特別支給の老齢厚生年金を在
　　職老齢年金として受給することができる。年金月額は10万円の見込みで、

273

◇実践演習模試（問題）A分野

給与との合計は 38 万円であり、支給停止調整額の 50 万円より少ないので年金は全額受給できる。年金の支給停止がないため、高年齢雇用継続給付との支給調整もない。

4) Ａさんの妻Ｂさんは、厚生年金保険の被保険者期間が 20 年未満であるので、Ａさんが年金を受給し始めると加給年金額が加算されるが、Ａさんが 65 歳になると加給年金に代えて振替加算額が加算されるようになる。

《問 12》Ａさんは 70 歳までの働き方についても、いろいろなケースを考えてみた。Ａさんが以下の働き方を選択した場合の社会保険に関する次の記述のうち、適切なものをすべて選びなさい。　チェック欄 ☐☐☐

1) Ａさんが 65 歳以降もそのままの条件でＸ社での継続雇用を続けた場合、健康保険はそのままだが、Ａさんの介護保険料は天引き徴収されなくなる。

2) Ａさんが 65 歳から短時間勤務の継続雇用に切り替えて社会保険（健康保険、厚生年金保険）から外れた場合、雇用保険からも脱退となる。

3) Ａさんが 65 歳で転職のために退職した場合、雇用保険の基本手当の受給ができる。

4) Ａさんが 65 歳以降に退職して雇用保険の給付を受けてから再就職し、その 1 年後に再就職先を退職した場合、雇用保険の高年齢求職者給付金の受給ができる。

Part5　総合編（実践演習）

《問13》Aさんがこのまま70歳になるまで在職した場合の公的年金に関する以下の文章の空欄①〜③に入る適切な語句または数値を下記の〈語句群〉のなかから選びなさい。

チェック欄 □□□

　Aさんは64歳から報酬比例部分の厚生年金の支給が始まるが、65歳からは（　①　）歳からの被保険者期間および厚生年金保険料と（　②　）が反映された老齢厚生年金に切り換わる。65歳以降の老齢厚生年金は、毎年1回、前回以降の被保険者期間および厚生年金保険料が反映されて年金額が改定されるが、Aさんが初回に反映される厚生年金保険料は（　③　）分である。

┌─〈語句群〉─────────────────────────
│ ㋐60　　　㋑64　　　㋒老齢基礎年金　　　㋓経過的加算　　　㋔振替加算
│ ㋕1カ月　　　㋖2カ月　　　㋗6カ月　　　㋘12カ月
└───────────────────────────────

275

◇実践演習模試（問題）A分野

> **2. 公的年金（障害年金と遺族年金）**

【第2問】次の設例に基づき、各問に答えなさい。

> ［設　例］
>
> 　Cさんは43歳の会社員で、家族は妻のDさん（40歳）、長男（15歳）、長女（10歳）である。Cさんは定年まで勤務を続けるつもりだが、万が一、自分がケガや病気で働けなくなったときや死亡したときに、公的な給付はどうなるのか知りたいと思っている。検討に必要な家族の資料は以下のとおりである。Cさんの公的年金加入歴は厚生年金保険のみである。
>
> ・Cさん（1981〈昭和56〉年9月10日生まれ）
> 　厚生年金保険：21年3カ月（255カ月）
> ・Dさん（1984〈昭和59〉年8月20日生まれ）
> 　国民年金：第3号被保険者期間16年。厚生年金保険の加入歴なし
> ・長男（2009〈平成21〉年7月15日生まれ）
> ・長女（2014〈平成26〉年5月12日生まれ）
> ※特に断りのないかぎり、以上の条件以外は考慮せず、各問に従うこと

《問14》Cさんに関係する障害年金の制度に関する以下の文章の空欄①〜④に入る適切な語句または数値を下記の〈語句群〉のなかから選びなさい。

チェック欄 ☐☐☐

　厚生年金保険の被保険者であるCさんが在職中に（　①　）のあるケガや病気で一定以上の障害状態になった場合に対象となるのは、障害基礎年金と障害厚生年金である。障害基礎年金額は、障害等級2級で老齢基礎年金の満額と同額の（　②　）円（令和6年度額）、1級はその1.25倍である。また、障害等級2級または1級の場合、障害基礎年金には（　③　）の加算、障害厚生年金には（　④　）の加算がつく。

> 〈語句群〉
>
> ㋐ 795,000　　㋑ 813,700　　㋒ 816,000　　㋓障害認定日　　㋔受給者
> ㋕初診日　　㋖子　　㋗配偶者　　㋘請求日

276

Part5 総合編（実践演習）

《問 15》C さんが今、万が一亡くなった場合の遺族給付に関する次の記述の
　　　うち、不適切なものをすべて選びなさい。　　　　チェック欄 ☐☐☐

1)　妻 D さんが受ける遺族基礎年金には、2 人の子の加算がつく。加算額は、
　　1 人目が年額 23 万 4,800 円、2 人目が年額 7 万 8,300 円である（令和 6 年
　　度額）。

2)　妻 D さんが受ける遺族厚生年金は、C さんの厚生年金保険被保険者期
　　間が 20 年を超えているので、実際の被保険者期間（21 年 3 カ月）で年金
　　額が計算される。

3)　妻 D さんは 40 歳以上なので遺族厚生年金の受給開始と同時に中高齢寡
　　婦加算が加算される。

4)　妻 D さんが 65 歳になると D さん自身の老齢基礎年金の受給開始年齢と
　　なるが、D さんは老齢基礎年金を繰り下げて年金額を増やすことはできな
　　い。

《問 16》C さんが今、障害状態または死亡した場合の障害年金や遺族年金に
　　　関する次の記述のうち、適切なものをすべて選びなさい。

　　　　　　　　　　　　　　　　　　　　　　　　　チェック欄 ☐☐☐

1)　C さんが障害年金の 1 級・2 級の受給者となって退職した場合、または
　　C さんの死亡により妻 D さんが遺族年金の受給者となった場合、C さん、
　　D さんの国民年金保険料はいずれも法定免除となる。

2)　C さんが受給する障害年金や妻 D さんが受給する遺族年金は、いずれ
　　も非課税となる。

3)　C さんが労災による障害で労災保険からの傷病年金（障害年金）も受け
　　られるときは、障害基礎年金と障害厚生年金は全額支給され、労災保険か
　　らの障害年金は 0.73 に減額される。

4)　妻 D さんが遺族厚生年金を受給しながら 60 歳になったとき、老齢基礎
　　年金を繰り上げて受給すると遺族厚生年金は老齢基礎年金との差額の支給
　　となる。

277

◇実践演習模試（問題）Ａ分野

> ### ３．私的年金（国民年金基金その他）

【第３問】次の設例に基づき、各問に答えなさい。

設 例

　Ｅさんは現在35歳の男性会社員であるが、ITスキルを生かして自営業者として独立する予定である。30歳の妻（専業主婦）と３歳の子がいる。自営業者の場合、会社員のときより収入が増えたとしても国民年金だけでは老後資金の備えは薄い。そこで、自営業者が活用できる老後資金づくりについて、国民年金基金、個人型年金（確定拠出年金）、小規模企業共済の３つの制度について調べてみることにした。

《問17》最初にＥさんは、３つの制度の加入要件とメリットについて確認した。加入要件とメリットに関する次の記述について適切なものをすべて選びなさい。　　　　　　　　　　　チェック欄 ◯◯◯

1)　国民年金基金と個人型年金はどちらもＥさんと妻が２人同時に加入できるが、小規模企業共済はＥさんしか加入できない。

2)　Ｅさんの業種がサービス業（宿泊業・娯楽業ではない）とした場合、小規模企業共済に加入する従業員数の要件は５人以下である。

3)　国民年金基金と個人型年金は最大65歳になるまで加入でき、小規模企業共済は最大80歳になるまで加入できる。

4)　所得控除による節税で最も有利になるのは、Ｅさんが小規模企業共済に加入し、妻が個人型年金に加入することである。

《問18》次にＥさんは、加入者が拠出する掛金の取扱い等について３つの制度についてそれぞれ確認した。各制度の掛金の取扱い等に関する次の記述について適切なものをすべて選びなさい。なお、掛金はいずれも毎月拠出するものとする。　　　　　　　　チェック欄 ◯◯◯

1)　Ｅさんは国民年金基金（掛金41,200円）と個人型年金、妻は付加年金（付加保険料納付）と個人型年金に加入した場合、Ｅさんの個人型年金の拠出限度額は26,800円、妻の個人型年金の拠出限度額は67,600円となる。

278

Part5　総合編（実践演習）

2)　国民年金基金と小規模企業共済では手数料は発生しないが、個人型年金
　　は各種手数料が発生する。国民年金基金連合会に対する手数料は、新規加
　　入時に 2,829 円、加入後の掛金納付の都度 105 円が掛金から控除される。

3)　国民年金基金、個人型年金、小規模企業共済のうち、掛金の前納ができ
　　るのは国民年金基金のみである。

4)　個人型年金の掛金は 5,000 円以上、小規模企業共済の掛金は 1,000 円以
　　上から、いずれも限度額まで 1,000 円単位で設定できる。

《問 19》最後に E さんは、3 つの制度の給付について確認した。各制度の
　　　　給付に関する以下の文章の空欄①～④に入る適切な語句または数値
　　　　を下記の〈語句群〉のなかから選びなさい。　　チェック欄 □□□

　主な給付は 3 つの制度とも老齢給付であるが、国民年金基金には（　①　）
はない。老齢給付金には年金と一時金があるが、（　②　）では一時金受給
ができない。また、（　③　）の年金受給には（　④　）万円以上の受給総
額であるなど一定の要件がある。

┌─〈語句群〉─────────────────────────────
│　⑦障害給付　　⑦遺族給付　　⑦個人型年金　　⑨国民年金基金
│　⑦小規模企業共済　　⑤ 100　　⑦ 300　　⑨ 330
└──────────────────────────────────

279

◇実践演習模試（問題）A分野

> **4. 退職給付会計（退職給付債務、退職給付費用、簡便法）**

【第4問】次の設例に基づき、各問に答えなさい。

設　例

　Fさんは、Y社で働く従業員で、この度、企業年金を担当する部署に異動となった。Y社では確定給付企業年金を実施しており、担当者は一定の退職給付会計の知識が必要である。異動したばかりのFさんは企業年金についてほとんど知らなかったので、先輩でDCプランナーの資格を持つGさんに、退職給付会計について手ほどきを受けることになった。

《問20》最初にFさんは、退職給付会計の基本的な内容についてGさんに質問した。Gさんの説明した退職給付会計に関する次の記述について、不適切なものをすべて選びなさい。　　　　　チェック欄 ☐☐☐

1)「退職給付会計とは、退職給付債務を時価評価する会計制度です」

2)「退職給付債務は、退職時の退職給付見込額のうち、期末までに発生していると認められる額を期末時点に割り引いて計算します」

3)「退職給付会計では、当期の退職給付費用と当期の退職給付債務の差額である退職給付引当金（退職給付に係る負債）を計算して財務諸表に計上します」

4)「退職給付会計では、退職給付債務のうち当期発生分に対応する費用見積額を退職給付費用として計算します」

《問21》次にFさんは、原則法と簡便法についてGさんに質問した。Gさんの説明した原則法と簡便法に関する次の記述について、適切なものをすべて選びなさい。　　　　　チェック欄 ☐☐☐

1)「従業員300人以上の企業は原則法、従業員300人未満の企業は簡便法を適用しなければなりません」

2)「親会社が原則法を適用している連結子会社でも、簡便法を適用することは可能です」

Part5　総合編（実践演習）

3)「簡便法による退職給付債務の計算方法の1つとして、企業年金制度の場合、直近の年金財政上の数理債務を用いる方法があります」

4)「退職給付費用の計算においては、原則法では未認識債務を即時認識で処理していきますが、簡便法では未認識債務は遅延認識で処理できます」

《問22》最後にFさんは、前期のY社の個別財務諸表等に基づき、確定給付企業年金の会計処理についてGさんのアドバイスを受けながら確認した。Y社では簡便法が適用されており、前期の状況は資料の数値となっている。Gさんが計算した退職給付引当金と退職給付費用の結果について、最も適切なものは次のうちどれか。　チェック欄 ☐☐☐

	退職給付引当金	退職給付費用
1)	95 百万円	130 百万円
2)	130 百万円	185 百万円
3)	140 百万円	80 百万円
4)	185 百万円	170 百万円

〈Y社の前期の退職給付に関する数値〉

項目	期首	期末
会社都合要支給額	750 百万円	880 百万円
年金財政上の数理債務	820 百万円	970 百万円
年金資産	740 百万円	785 百万円
年金資産運用益	25 百万円	
掛金拠出額	65 百万円	
年金支払額	45 百万円	

281

◇実践演習模試（解答・解説）A分野

実践演習模試解答・解説

A分野（年金・退職給付制度等）

■正解と配点

《四答択一式》（配点40点）

問題番号	問1	問2	問3	問4	問5	問6	問7	問8	問9	問10
正解	3	4	3	3	1	2	2	4	1	2
配点	4	4	4	4	4	4	4	4	4	4

《総合問題》（配点60点）

設例番号	第1問			第2問			第3問		
問題番号	問11	問12	問13	問14	問15	問16	問17	問18	問19
正解	2	1、4	㋑㋓㋗	㋕㋒㋖㋗	1、2、3	2、3	1、2	2	㋐㋓㋔㋖
配点	5	5	5	5	5	5	5	5	5

設例番号	第4問		
問題番号	問20	問21	問22
正解	3	2、3	4
配点	5	5	5

※以下の解説では、参照法令名等を次のように略称表記している

国年法…………国民年金法　　　　　　厚年法…………厚生年金保険法
国年法施行令…国民年金法施行令　　　　国年法施行規則……国民年金法施行規則
厚年法施行令…厚生年金保険法施行令　　厚年法施行規則……厚生年金保険法施行規則
法………………確定拠出年金法　　　　　確給法……………確定給付企業年金法
中退共法………中小企業退職金共済法　　小企法……………小規模企業共済法

282

Part5　総合編（実践演習）

◆解答のポイントと解説

A分野（年金・退職給付制度等）

〈四答択一式〉

問1 《正解 3》

1)不適切。「65歳に達した日の翌日」ではなく、65歳に達した日である。国民年金の第2号被保険者ではなくなるが、厚生年金保険の被保険者には引き続き該当する。（国年法9条、同法附則3条）

2)不適切。「7日以内」ではなく、14日以内である。（国年法12条1項、同法施行規則6条の2第1項）

3)適切。なお、国内居住の任意加入被保険者の場合は、保険料を滞納し督促状に指定した日までに納付しないときは、その指定した日の翌日に喪失する。（国年法96条、同法附則5条8項4号、平6附則11条7項2号）

4)不適切。保険料の納付期限から2年を経過していない期間（申請時点から2年1カ月前までの期間）について、遡って免除等を申請することができる。（国年法90条1項、平26厚労省告示191号）

問2 《正解 4》

1)不適切。1カ月当たりの減額率は法改正により1000分の4（0.4％）となったが、1962（昭和37）年4月1日生まれ以前の者は改正前の1000分の5（0.5％）となる。なお、支給開始は請求日の翌月分からだが、減額率の適用期間は繰上げ請求日の属する月から65歳到達日の属する月の前月となるので注意する。

（国年法施行令12条、国年法附則9条の2、厚年法附則7条の3第2項）

2)不適切。70歳になった2021（令和3）年7月の翌月の8月分に遡って42％の増額率で支給される。なお、2022年4月1日以降に70歳に到達する1952（昭和27）年4月2日生まれ以降の者は、法改正により75歳まで繰下げ支給の請求が可能になった。そのため、75歳前の請求は請求月の翌月分から請求時点の増額率で支給開始となる。また、75歳到達後に繰下

◇実践演習模試（解答・解説）A分野

げ請求した場合は、75歳到達月の翌月に遡って84％増で支給開始となる。（国年法28条2項2号、同法令2附則6条）

3)不適切。受給開始も本来額ではなく、5年前の68歳時に請求したとみなして68歳時の増額率25.2％で受給開始となる。

4)適切。66歳前に老齢給付以外の年金（障害年金、遺族年金）の受給権を有している場合には、老齢給付（老齢基礎年金、老齢厚生年金）の繰下げ支給の請求はできない。厚生年金も同様であるが、障害基礎年金の受給権のみを有している場合には、老齢厚生年金の繰下げ支給の請求のみ可能（老齢基礎年金の繰下げ請求は不可）である。また66歳以降の繰下げ待機中にこれら他の年金の受給権が発生した場合も同様であるが、受給権発生時点で請求があったものとみなされ、受給権発生時点の増額率で受給することは可能である。（国年法28条2項、厚年法44条の3第1項）

問3《正解 3》

1)不適切。「その月を除く」ではなく、その月以前である。標準賞与額の対象期間は「その月」を含むことに注意。例えば、6月の場合は、6月から前年5月までの過去1年間が対象期間となる。（厚年法46条1項）

2)不適切。従来、在職中は65歳時と70歳時を除いて在職老齢年金の年金額の改定はされなかった。法改正により、2022（令和4)年4月から在職中も年1度保険料納付実績を反映して年金額を改定する在職定時改定が導入された。ただし、対象は60歳台後半の在職老齢年金に限られ、65歳前の在職老齢年金には適用されない。（厚年法43条2項）

3)適切。基本月額と総報酬月額相当額を足した額から50万円（支給停止調整額という）を引いた額の半額が支給停止額になる。65歳前の在職老齢年金は支給停止の基準額が28万円だったが、法改正により47万円（2024年度は50万円）となり65歳以降の在職老齢年金と同じ停止ルールとなった。（厚年法附則11条1項）

{（10万円＋42万円）－50万円}　÷2＝1万円

4)不適切。基本月額の対象は報酬比例部分のみで、加給年金額や経過的加算

Part5　総合編（実践演習）

額は含まれない。なお、経過的加算額は1階部分の老齢基礎年金と同様に支給調整の対象にならず、全額支給される。また、加給年金額は老齢厚生年金が一部でも支給されれば全額支給されるが、老齢厚生年金（報酬比例部分）が全額支給停止の場合（支給停止額が基本月額以上となる場合）は加給年金額も全額支給停止となる。（厚年法46条1項、昭60附則59条2項、62条1項）

問4《正解 3》

1) 適切。法改正により、2021（令和3）年度から「その年の8月から翌年7月まで」から「その年の10月から翌年9月まで」に変更になった。（国年法36条の3）

2) 適切。65歳前は一人一年金の原則により、支給事由（老齢、障害、遺族）の異なる年金は併給されず、どちらかの選択となる。なお、65歳以降は例外的に支給事由の異なる「障害基礎年金と遺族厚生年金」の併給が可能になる。その他65歳以降の例外として「障害基礎年金と老齢厚生年金」「老齢基礎年金と遺族厚生年金」の併給も認められている。（国年法20条、厚年法38条、同法附則17条）

3) 最も不適切。認定日請求（障害認定日に1級または2級に該当）では、請求月が遅れても障害認定日の翌月にさかのぼって年金が支給される。一方、事後重症（障害認定日後65歳に達する日の前日までに障害等級1級または2級に該当）の場合は請求により受給権が発生し、請求月の翌月からの年金支給となる。（国年法18条、30条の2）

4) 適切。なお、障害年金1級または2級の場合、障害厚生年金では配偶者加算、障害基礎年金では子の加算がある。受給権発生後に子を有した場合は、障害基礎年金に加給年金額（子の加算）が加算される。（国年法33条の2、厚年法50条の2）

問5《正解 1》

1) 最も不適切。遺族基礎年金の子の加算は、「子のある配偶者」が受給する

285

◇実践演習模試（解答・解説）A 分野

ときは設問のように第1子と第2子に各23万4,800円、第3子以降が各7万8,300円となるが、子のみの受給の場合は第1子の加算はなく、第2子に23万4,800円、第3子以降が各7万8,300円となる。（国年法39条の2）

2) 適切。第3号被保険者の妻の死亡でも、生計維持要件（年収850万円未満等）を満たしている夫であれば遺族基礎年金を受給することができる。なお、死亡した妻が厚生年金保険の被保険者の場合は55歳以上の夫であれば遺族厚生年金も受けられるが、本問の夫は50歳なので遺族厚生年金は受けられない。ただし、子が遺族厚生年金を受けられる。（国年法37条の2、厚年法59条）

3) 適切。1956年4月2日生まれの者は2021（令和3）年4月1日に65歳に到達するので、今後65歳を迎える妻には経過的寡婦加算は支給されないことに注意。（厚年法昭60附則73条）

4) 適切。遺族基礎年金を受けていても、30歳未満で失権した場合は子のない妻として遺族厚生年金の受給権は遺族基礎年金の失権日から5年経過後に消滅（5年間の有期給付）する。（厚年法63条1項5号ロ）

問6 《正解 2》

1) 不適切。国民年金保険料の免除を一部でも受けていれば、国民年金基金には加入できない。納付猶予、学生納付特例も同様である。なお、産前産後免除は通常の納付とみなされるため、国民年金基金に加入できる。（国年法127条）

2) 最も適切。以前は、増口は年度内1回のみだったが、2014（平26）年4月より増口・減口とも月ごとに何回でも可能になった。

3) 不適切。国民年金基金の前納割引は4月から翌年3月までの掛金を一括納付する1年前納(0.1カ月分割引)のみである。その他に翌年3月までの一定期間の一括納付もできるが割引はない。国民年金保険料の前納割引制度（2年、1年、6カ月などの前納割引あり）と混同しないようにする。

4) 不適切。国民年金基金の給付の種類は老齢年金と遺族一時金であり、障害による給付はない。（国年法128条1項）

Part5　総合編（実践演習）

問7《正解 2》

1) 適切。中退共への制度新規加入時には、従業員の過去の勤続期間（1年以上の継続雇用期間で、上限10年）を加えて開始することができる（過去勤務期間の通算）。ただし、通常の掛金とは別に通算する期間分の過去勤務掛金の納付が必要となる。（中退共法27条、28条）

2) 最も不適切。企業型年金から中退共への資産移換ができるのは合併等による場合に限られるが、新規加入の掛金助成は受けられない。ただし、掛金増額の助成は受けることができる。なお、中退共の掛金助成の内容は以下のとおりである。（中退共法施行規則45条、46条、69条の11第5項）

・新規加入の助成……事業主に掛金月額の2分の1（上限5,000円）を加入後4カ月目から1年間助成

・掛金増額の助成……1万8,000円以下の掛金を増額する場合、事業主に増額分の3分の1を増額月から1年間助成

3) 適切。なお、中退共、特退共、小規模企業共済の掛金は比較して覚えておくとよい。各制度の掛金の主な特徴と比較は以下のとおりである。

	中退共	特退共	小規模企業共済
最低掛金月額	5,000円 ※パート特例掛金除く	1,000円	1,000円
最高掛金月額	3万円	3万円	7万円
掛金額の種類	16種類（1万円まで1,000円刻み、1万円超2,000円刻み） ※パート特例掛金除く	30種類 （1,000円刻み）	140種類 （500円刻み）
税制	全額損金算入	全額損金算入	全額所得控除（小規模企業共済等掛金控除）

4) 適切。所得税法上の特定退職金共済団体の要件を備えているとして税務署長の承認を受ければ特退共制度を実施することができ、商工会議所や商工会など複数の特退共が存在する。しかし、他の特退共と重複して契約を締結（加入）することはできない。なお、中退共との重複加入は可能である。（所得税法施行令73条1項2号）。

287

◇実践演習模試（解答・解説）A 分野

問8 《正解 4》

1) 不適切。小規模企業共済加入の人数要件は、常時使用する従業員の数が20人以下であるが、商業・サービス業については5人以下となっている。ただし、サービス業のうち宿泊業と娯楽業については20人以下となっている。（小規模企業共済法〈以下、「小企法」〉2条1項2号、3号、6号、7号、同法施行令1条1項）

2) 不適切。掛金は事業資金から拠出することはできないので、事業上の損金あるいは必要経費に算入することはできない。あくまでも本人の所得からしか控除できず、法人役員も個人事業主も小規模企業共済等掛金控除による個人としての所得控除となる。（所得税法75条）

3) 不適切。併用払いの受取金額は「300万円以上」ではなく330万円以上である。なお、共済金は一括払い（一時金払い）が基本だが、分割払い（年金）や併用払いの支払額基準については以下のように定められている。

    分割払い……支払額300万円以上

    併用払い……支払額330万円以上（ただし、一括30万円以上、分割300万円以上であることが必要）

また、分割払いと併用払いには「共済金AまたはBであること」「60歳以上であること」「死亡による請求でないこと」も要件である。（小企法9条の3、同法施行規則10条の2の2）

4) 最も適切。2016（平成28）年4月より、従来の年4回払いから年6回払いとなった。支給は奇数月なので偶数月支給の公的年金と合わせて毎月受給できる。（小企法9条の3第3項）

問9 《正解 1》

1) 最も適切。「60歳以上75歳以下」の確定拠出年金の受給開始可能年齢と混同しないようにする。（確給法36条2項1号）

2) 不適切。「少なくとも5年ごとの決算」ではなく、毎事業年度の決算である。最低積立基準額とは、期末に全従業員が退職したときに給付できる額（現時点で発生している過去分の給付額）で、計算は非継続基準の検証と呼ば

れる。一方、将来にわたって給付できる額(過去分と将来分を合わせた給付額)である責任準備金の計算は、継続基準の検証と呼ばれる。責任準備金と最低積立基準額の水準は毎事業年度の決算で検証する必要がある。一方、将来にわたり財政の均衡を保つための掛金の額の再計算は、少なくとも5年ごとに行う(積立不足が発生している場合を除く)。(確給法57条、58条、60条、61条、62条)

3)不適切。退職給付見込額には、従業員の過去分(過去の勤務期間により権利が生じた部分)と将来分(今後の勤続により退職時点までに権利が発生する部分)がある。退職給付債務は、退職給付見込額のうち、現時点(当期末)で発生している過去分の額を現在価値で見積もった(割り引いた)額である。なお、企業会計基準委員会(財務会計基準機構)の「退職給付に関する会計基準」と「退職給付に関する会計基準の適用指針」からは、退職給付会計の出題がよく出されるので、キーワードとなる項目を中心に目を通しておいてほしい。(退職給付に関する会計基準16項)

4)不適切。親会社が原則法であっても、子会社が簡便法の要件を満たしている場合は、子会社は簡便法を適用することができる。(退職給付に関する会計基準の適用指針110項)

問10《正解 2》

1)適切。従来は、任意に脱退することはできなかったが、法改正により2022(令和4)年1月からは任意に脱退が可能になった。(健康保険法38条1項7号)

2)最も不適切。基本手当の受給期間は原則1年間であるが、定年等(定年後の継続雇用者の離職も含む)による場合は、離職日の翌日から2カ月以内に求職申込みをしない期間を申し出ることによって、申し出た期間(最長1年間)だけ受給期間が延長される。そのため、原則の1年間と合わせて受給期間を2年間とすることができる。(雇用保険法20条2項)

3)適切。その他、雇用保険の被保険者期間が5年以上、雇用保険の基本手当を受給していない、65歳未満の雇用保険の一般被保険者であるなどの要

◇実践演習模試（解答・解説）A分野

件も満たしている必要がある。基本手当を受給した後の再就職で受給できる（支給残日数が100日以上あることが必要）高年齢再就職給付金と比較（共通要件と異なる要件）して整理しておくとよい。（雇用保険法61条、61条の2）

※高年齢雇用継続給付の最大支給率15%（賃金が61%以下に下落）は、2025（令和7）年4月に60歳になる者(1965〈昭和40〉年4月2日生まれ)から10%（賃金が64%以下に下落）に引き下げられる。その後、段階的に廃止される予定となっている(廃止時期は未定)

4) 適切。雇用保険の失業等給付では、65歳未満は基本手当、65歳以上は高年齢求職者給付金(一時金)の支給となる。以前は65歳以降の雇用保険加入は65歳時の継続雇用者に限られていたが、法改正により2017（平成29)年1月からは65歳以上の転職者も加入することになった。請求回数や年齢に上限はないので、65歳以降に転職を繰り返しても離職以前1年間に通算6カ月以上の雇用保険の被保険者期間があれば、離職するたびに受給することができる。（雇用保険法37条の3、37条の4）

290

Part5　総合編（実践演習）

〈総合問題〉

【第1問】

問11 《正解 2》

1) 不適切。高年齢雇用継続給付の60歳到達時の賃金月額は、上限および下限があり、上限は486,300円（2024〈令和6〉年7月31日まで。毎年8月1日改定）である。Aさんの60歳時賃金は上限を超えているので、上限額として減額率を判定する。したがって、Aさんの減額率は「28万円÷486,300円＝57.577……％＝57.58％（小数点以下第3位を四捨五入）」となる。ただし、上限額に対する減額率でも61％以下に低下しているので、給付金の支給率には影響がない（最大の15％の支給率が適用）。

（参考）2024年8月1日からの60歳到達時賃金月額の上限は494,700円となった。試験では7月1日時点の額となるので、改定前の486,300円を用いて計算する

2) 適切。なお、支給限度額（370,452円）にも注意する。新賃金と給付金の合計額が支給限度額を超えるときは「支給限度額－新賃金額」が給付金の支給額となる。本問の場合は支給限度額内に収まっている。

3) 不適切。特別支給の老齢厚生年金の支給停止がなくても、在職老齢年金を受給していれば高年齢雇用継続給付の支給調整はある。Aさんの場合、給与月額（標準報酬月額）28万円の6％に相当する16,800円が年金月額から支給停止となるので、「10万円－16,800円＝83,200円」が在職老齢年金の受給額となる。

4) 不適切。Aさんは64歳から特別支給の老齢厚生年金の受給が始まるが、加給年金額の加算は65歳の老齢厚生年金受給開始時からである。また、振替加算は受給者（夫であるAさん）ではなく、配偶者（妻であるBさん）の年齢が65歳に達したときからBさんの老齢基礎年金に加算される。

問12 《正解 1、4》

1) 適切。企業等に勤務する被用者従業員は40歳以上65歳未満の者は介護保険の第2号被保険者として保険料が健康保険料と一緒に給与・賞与からの天引きで徴収される。65歳からは介護保険は第1号被保険者となり、給

291

◇実践演習模試（解答・解説）A分野

与等からの天引きではなくなる。介護保険料は原則として年金からの天引きになるが、繰下げ待機などで年金を受給していない場合は市区町村から送付される納付書(口座振替も可)により自分自身で介護保険料を納める。

2)不適切。社会保険から外れても、週20時間以上の労働時間と31日以上の雇用見込みがあれば雇用保険に加入することはできる。(雇用保険法6条)

3)不適切。65歳以上で退職した者(高年齢被保険者)の雇用保険の給付は基本手当ではなく、高年齢求職者給付金(一時金)の支給となる。(雇用保険法37条の2)

4)適切。高年齢求職者給付金は一度受給しても、再就職により新たな高年齢被保険者となり6カ月以上被保険者期間があれば何度でも受給可能である。Aさんは被保険者期間が1年以上なので基本手当の50日分(1年未満の場合は30日分)の一時金が受給できる。(雇用保険法37条の3、4)

問13《正解 ⓘ①ⓚ》

①　①64　　　②　①経過的加算　　　③　②6カ月

Aさんの場合、64歳の報酬比例部分(特別支給の老齢厚生年金)の支給開始時に64歳になるまでの被保険者期間と保険料が反映された年金額となる。65歳時の改定では、①64歳から1年間加入した分の厚生年金保険料が反映されて老齢厚生年金の支給開始となる。このとき、定額部分と老齢基礎年金の計算上の差額である②経過的加算も上乗せされる。なお、Aさんにはこの他、65歳から68歳までの約3年間(妻Bさんが65歳になるまで)加給年金も加算される。老齢厚生年金の在職定時改定では、毎年9月1日を基準日として前年9月から当年8月までの厚生年金保険の加入歴が反映されて年金額が改定される。Aさんの場合、4月生まれなので初回の基準日は65歳になった年の9月1日となる。65歳時の改定では、65歳到達日の前月までの保険料が反映されているので、Aさんの場合は2月までとなる。したがって、初回の基準日には3月から8月までの③6カ月分の保険料が反映されて10月分から年金額が改定される。このように、在職定時改定では初回と最後の基準日は、年金に反映される期間が誕生月によって異なってくる。

Part5　総合編（実践演習）

【第2問】

問 14 《正解 カ ウ キ ク》

①　カ初診日　　　②　ウ 816,000　　　③　キ子　　　④　ク配偶者

（注）Cさんは、67歳以下であるため、障害基礎年金は新規裁定者の額となる

問 15 《正解 1、2、3》

1)不適切。子の加算は、2人目までが各23万4,800円、3人目以降が各7万8,300円である。Dさんの場合は各23万4,800円が加算される。なお、子のみが遺族基礎年金の受給者の場合は1人目に加算はなく、2人目が23万4,800円、3人目以降が各7万8,300円となる。（国年法39条1項、39条の2）

2)不適切。短期要件の遺族厚生年金は、被保険者期間が25年（300カ月）に満たない場合は300カ月の月数として計算される。（厚年法60条）

3)不適切。中高齢寡婦加算は、遺族基礎年金を受給中は支給停止となる。そのため、Dさんに中高齢寡婦加算が始まるのは長女が18歳年度末に達する約8年後からとなる。なお、中高齢寡婦加算の支給要件は、以下の2つがある。いずれも妻が65歳になるまでの支給である。（厚年法62条）

①在職中等の死亡：夫の死亡時に40歳以上65歳未満の子のない妻。夫の厚生年金保険の被保険者期間は問われない

②退職者等の死亡：20年以上の厚生年金保険被保険者期間がある夫の死亡で、死亡時に40歳以上65歳未満の子のない妻

（注）①②とも、40歳未満で遺族基礎年金受給中の場合は遺族基礎年金の終了時に40歳以上の妻も含む

4)適切。老齢基礎年金の受給権発生時点(Dさんの場合は65歳到達時点)で他の年金(障害年金や遺族年金)の受給権がある場合は、老齢基礎年金の繰下げ請求はできない。Dさんは遺族厚生年金を受給しているため、自身の老齢基礎年金の繰下げ増額はできない。（国年法28条、厚年法44条の3）

293

◇実践演習模試（解答・解説）A分野

問16《正解 2、3》

1) 不適切。障害年金（障害等級1級、2級）の受給権者の国民年金保険料は法定免除となるが、遺族年金の受給者は法定免除の対象とならない。そのため、Cさんの国民年金保険料は法定免除となるが、Dさんの国民年金保険料は法定免除とはならない。なお、障害年金受給権者でも、原則、障害等級3級（障害厚生年金3級）は対象にならないことに注意。（国年法89条）

2) 適切（国年法25条、厚年法41条）

3) 適切。なお、Cさんが労災により死亡した場合、労災保険の遺族年金は0.8（遺族基礎年金と遺族厚生年金受給時）および0.84（遺族厚生年金のみの受給時）に減額される。このように、労災保険と公的年金の併給調整は、公的年金（障害年金、遺族年金）は全額支給され、労災保険の年金が減額される。（労働者災害補償保険法14条2項）

◇労災年金と公的年金との併給調整（→ p.71）

4) 不適切。繰上げ支給の老齢基礎年金と遺族厚生年金はどちらかの選択となる。65歳以降は繰上げ支給の老齢基礎年金と遺族厚生年金が全額併給される。（国年法20条、附則9条の2の4、厚年法38条、附則17条）

【第3問】

問17《正解 1、2》

1) 適切。小規模企業共済には、専業主婦の妻は原則として加入できない。ただし、妻が共同経営者の要件（事業に必要な資金を負担していることなど）を満たしていれば加入できる。（小企法施行規則1条2項2号）

2) 適切。サービス業の場合、宿泊業と娯楽業は従業員20人以下だが、その他は従業員5人以下となる。（小企法2条2号、小企法施行令1条1項）

3) 不適切。小規模企業共済には年齢の上限はないので、事業を続ける限り何歳まででも加入可能である。

4) 不適切。Eさんの場合、妻が専業主婦なので妻が国民年金基金に加入して妻の掛金をEさんが負担するのが節税上は最も有利になる。Eさんは3つのどの制度への加入でもよい（複数加入も可能）が、掛金の限度額が最も

大きいのは小規模企業共済である。国民年金基金の掛金は公的年金の保険料と同じく社会保険料控除になるのに対し、個人型年金と小規模企業共済の掛金は小規模企業共済等掛金控除の対象となる。社会保険料控除と小規模企業共済等掛金控除の違いは押さえておいてほしい。社会保険料控除では、配偶者等の同世帯の者(生計を一にする配偶者やその他の親族)の掛金も負担すれば自分の所得控除の対象にできる。一方、小規模企業共済等掛金控除では本人(自分)の掛金しか所得控除の対象にならない。(所得税法74条1項、2項5号、75条)

問18 《正解 2》

1) 不適切。個人型年金の掛金拠出限度額は68,000円と国民年金基金掛金または付加保険料との差額である。ただし、個人型年金の掛金設定は1,000円単位なので、個人型年金の拠出限度額は、Aさんが26,000円、付加保険料(400円)を納めるEさんの妻は67,000円となる。

2) 適切。国民年金基金連合会のほかに、運営管理機関等の手数料も発生する。

3) 不適切。掛金の前納は、個人型年金はできないが、国民年金基金と小規模企業共済はできる。

4) 不適切。掛金の設定は、個人型年金は1,000円単位、小規模企業共済は500円単位である。(小企法4条、個人型年金規約73条)

問19 《正解 ⑦⑤⑦⑤》

① ⑦障害給付　② ⑤国民年金基金　③ ⑦小規模企業共済　④ ⑤300

国民年金基金の給付は、老齢給付が年金のみで一時金給付がないこと、障害給付がないことが他の制度と異なる特徴である。また小規模企業共済の場合は、障害給付、遺族給付という名称の給付はないが、共済金A(法人役員の場合は共済金B)が病気やケガによる退任(廃業)、および死亡による給付の対象となる。小規模企業共済では一括受取り(一時金)が基本で、分割受取り(年金)は300万円以上、一括受取りと分割受取りの併用は330万円以上である必要がある。

◇実践演習模試（解答・解説）A分野

【第4問】

問20 《正解 3》

　退職給付会計では、企業会計基準委員会が公表している「退職給付に関する会計基準」（本問では「退職給付会計基準」と略）と「退職給付に関する会計基準の適用指針」（本問では「退職給付適用指針」と略）が主な基準を示している。

1)適切。退職時に支払う退職一時金と企業年金を包括して退職給付といい、退職給付総額（退職給付見込額）のうち決算の<u>当期末時点で発生している額を時価評価（現在価値に換算した額）</u>したものが退職給付債務である。退職給付会計は退職給付債務を決算時の財務諸表（貸借対照表、損益計算書）に計上する会計処理で、退職給付引当金（連結財務諸表では「退職給付に係る負債」）と退職給付費用を計算して計上する。

2)適切。1)の解説参照。退職給付債務の計算では、退職時の退職給付見込額のうち期末までに発生していると認められる額（＝過去勤務期間分の退職給付見込額）を将来の退職見込み時から期末現在まで割り引いた現在価値として評価する。（退職給付会計基準16項）

3)不適切。退職給付引当金（退職給付に係る負債）は、簡単にいえば<u>退職給付債務と年金資産との差額</u>である。退職給付債務に対する不足分を示しており、貸借対照表に計上される。なお、不足分は「退職給付引当金＋未認識債務」（＝退職給付に係る負債）であるが、個別財務諸表では退職給付引当金のみ、連結財務諸表では退職給付に係る負債が計上される。（退職給付会計基準13項、39項）

4)適切。退職給付費用とは、退職給付見込額のうち当期に発生した分の退職給付債務（当期の退職給付債務増加分）の支払いに対応する費用見積額であり、損益計算書に計上される。計算上の見積額なので実際に支払われた費用ではない。（退職給付会計基準8項、14項）

問21 《正解 2、3》

1)不適切。簡便法を適用できるのは、原則として従業員300人未満の企業で

296

Part5　総合編（実践演習）

あるが、300 人以上の企業であっても年齢や勤務期間に偏りがあるなどにより、原則法による計算の結果に一定の高い水準の信頼性が得られないと判断される場合には、簡便法によることができる。また、300 人未満の企業であっても原則法を適用することは可能である。（退職給付会計基準 26 項、退職給付適用指針 47 項）

2) 適切。原則法か簡便法かの選択は企業の制度ごとに行う。連結子会社の場合、親会社が原則法を選択していても、簡便法の要件を満たしていれば簡便法を適用することができる。（退職給付適用指針 110 項）

3) 適切。簡便法による退職給付債務の計算は、退職一時金制度と企業年金制度でそれぞれ主に 3 つの方法がある。企業年金制度の場合、「直近の年金財政上の数理債務を用いる方法」が最も簡単である。また、退職一時金制度の場合は自己都合要支給額を退職給付債務とするのが最も簡単である。（退職給付適用指針 50 項、112 項）

4) 不適切。簡便法では期末と期首の差額が退職給付費用となるため、未認識債務の遅延という概念がない。具体的には、退職給付引当金と期首の退職給付引当金の差額で計算するが、当期中に退職一時金の支払いや企業年金の掛金拠出がある場合は、それも含めて以下のように計算する。（退職給付適用指針 49 項）

退職給付費用＝期末退職給付引当金 － ｛期首退職給付引当金 －（退職一時金支払額 ＋ 年金掛金拠出額）｝

一方、原則法では未認識債務を遅延認識でき、毎期に未認識債務償却費用として処理していく。退職給付債務の即時認識と混同しないようにする。

問 22 《正解 4》

簡便法による退職給付引当金と退職給付費用の計算方法は以下のとおりである。

退職給付引当金＝退職給付債務（期末） － 年金資産（期末）

＝ 970 百万円 － 785 百万円 ＝ 185 百万円

※本問では年金財政上の数理債務（期末）を退職給付債務としている

◇実践演習模試（解答・解説）A分野

退職給付費用＝期末退職給付引当金－｛期首退職給付引当金－（退職一時
　　　　　金支払額＋年金掛金拠出額）｝
　　　　　　＝185百万円－｛80百万円－（0円＋65百万円）｝＝170百万円

※期首退職給付引当金は期末と同様の計算式で「820百万円－740百万円＝80
　百万円」
※掛金拠出額は退職給付引当金に影響するが、年金支払額は影響しない。また退
　職一時金制度の場合は退職一時金支払額は退職給付引当金に影響する

実践演習模試（B分野）

四答択一式

《問1》 企業型年金の加入に関する次の記述のうち、適切なものはどれか。

チェック欄 ☐☐☐

1) 企業型年金規約で資格喪失年齢を65歳としている場合、63歳で入社した者が転職前の企業型年金で老齢給付金の裁定をしている場合、一時金で受給が終了している場合は転職先の企業型年金に新たに加入できるが、企業型年金運用指図者として年金を受給している場合は転職先の企業型年金に加入することはできない。

2) 企業型年金の加入期間は、加入者の資格を取得した月から資格を喪失した月の前月までの月数となる。

3) 営業職員のうち、営業成績によるインセンティブにより一定の報酬以上になった者のみを達成時点で企業型年金の加入者とすることができる。

4) 企業型年金規約で65歳に達した時に加入者資格を喪失する定めがある場合、65歳に達した日の翌日に当該企業型年金の運用指図者となる。

《問2》 次の者のうち、個人型年金の加入者となれる者として適切なものはいくつあるか（他の要件は満たしている）。

チェック欄 ☐☐☐

> ㋐ 海外に居住する国民年金任意加入被保険者で62歳の者
> ㋑ 国民年金保険料の免除を受けている障害基礎年金受給者
> ㋒ 小規模企業共済に加入している65歳未満の会社役員
> ㋓ 企業型年金の老齢給付金を受給した者

---

1) 1つ 2) 2つ 3) 3つ 4) 4つ

◇実践演習模試（問題）B分野

《問3》確定拠出年金の掛金に関する次の記述のうち、最も適切なものはどれか。　　　　　　　　　　　　　　　　　　　　チェック欄 ☐☐☐

1)　企業型年金の掛金拠出において、事業主掛金と加入者掛金は拠出区分期間を同じにする必要がある。

2)　2022（令和4）年10月からは、企業型年金と個人型年金の同時加入の掛金について規約に定めれば事業主掛金拠出限度額は法定限度額まで可能となり、法定限度額との差額が個人型年金の掛金拠出限度額となった。

3)　中小事業主掛金納付制度では、個人型年金加入者である従業員が設定した掛金に事業主が掛金を上乗せできるが、事業主掛金の拠出限度額は従業員ごとに拠出限度額との差額となる。

4)　企業型年金加入者掛金を可能な拠出限度額の範囲内で、1円単位で任意に加入者が設定できるようにすることは可能である。

《問4》老齢給付金に関する次の記述のうち、最も適切なものはどれか。　　　　　　　　　　　　　　　　　　　　　　　　チェック欄 ☐☐☐

1)　老齢給付金の受給権発生後、老齢給付金の請求を行わないまま70歳に達したときは、記録関連運営管理機関等の裁定に基づいて老齢給付金が支給される。

2)　62歳になって初めて確定拠出年金に加入した者は、65歳から老齢給付金の請求ができる。

3)　老齢給付金を年金で受給する場合には、年間受取額を個人別管理資産額の2分の1を超えず、かつ20分の1を下回らないように設定する必要がある。

4)　老齢給付金を年金で受給する場合には、5年以上20年以下の期間としなければならず、終身年金とすることはできない。

Part5　総合編（実践演習）

《問5》障害給付金と死亡一時金に関する次の記述のうち、最も適切なものはどれか。　チェック欄 □□□

1)　障害給付金は、確定拠出年金加入期間中（加入者または運用指図者）に初診日があり、障害認定日に一定の障害状態だったときに受給できる。ただし、65歳到達日の前日までに請求しなければならない。

2)　障害給付金を年金で受給する場合は、規約に定めがあれば個人別管理資産が過少になった場合に1回に限り受給額の算定方法の変更が認められる。

3)　死亡した者が死亡一時金の受給者を指定していなかった場合、生計を維持していた兄弟姉妹は、生計を維持していなかった子より優先順位が低い。

4)　死亡一時金を受給できる遺族がいないときは、死亡した者の個人別管理資産額に相当する金銭は、死亡した者の相続財産とみなされる。

《問6》脱退一時金に関する次の記述のうち、最も適切なものはどれか。

チェック欄 □□□

1)　個人別管理資産額が25万円以下で他の一定の要件を満たしていれば、企業型年金に直接脱退一時金を請求することができる。

2)　企業型年金の脱退一時金を請求は、資格喪失日の属する月の翌月から2年以内に行わなければならない。

3)　個人型年金の脱退一時金を請求は、資格喪失日の属する月の翌月から6カ月以内に行わなければならない。

4)　62歳で個人型年金の資格を喪失した者は、一定の要件を満たしていれば脱退一時金を請求することができる。

301

◇実践演習模試（問題）B分野

《問7》運用と投資教育に関する次の記述のうち、最も不適切なものはどれか。

チェック欄 □□□

1) 加入者等に運用プランモデルを示す場合、提示運用方法（商品）に元本確保型が含まれている場合には、元本確保型のみで運用する方法による運用プランモデルも含め、選定した運用の方法間の比較ができるように工夫し、提示する。

2) 提示されている運用の方法について過去10年間の利益または損失の実績を提供する場合には、少なくとも3カ月ごとの利益または損失の実績を提供しなければならない。

3) 規約により指定運用方法を定める場合には、元本確保型以外の運用方法を選定し、利益の見込みおよび損失の可能性を情報提供しなければならない。

4) 提示されている運用の方法を除外するときは、原則として除外運用方法指図者（所在不明者除く）の3分の2以上の同意が必要である。

《問8》個人別管理資産の移換に関する次の記述のうち、最も不適切なものはどれか。

チェック欄 □□□

1) 転職先で企業型年金加入者となった場合、転職前の企業型年金の個人別管理資産は転職先の企業型年金または個人型年金に移換することができる。

2) 確定給付企業年金の加入者が退職する場合、脱退一時金相当額を確定拠出年金の個人型年金に移換することができる。

3) 企業型年金（DC）と確定給付企業年金（DB）の加入者が退職した場合、企業年金連合会へは確定給付企業年金の資産のみ移換できる。

4) 企業型年金加入者が離職し、資格喪失日の翌月から6カ月以内に転職先の企業型年金に加入したことが確認された場合は、移換の申出を行っていなくても、資格喪失日の翌月から6カ月経過時点で個人別管理資産が転職先の企業型年金に移換される。

302

Part5 総合編（実践演習）

《問9》規約とコンプライアンスに関する次の記述のうち、最も適切なもの
はどれか。　　　　　　　　　　　　　　　　　　チェック欄 ☐☐☐

1) 資産管理契約の相手方の変更により企業型年金規約を変更する場合は、
労働組合等の同意は不要だが、厚生労働大臣への届出が必要である。

2) 企業型年金規約で一定の加入者資格を定めた場合の加入者とならない従
業員へは、事業主掛金に相当するカフェテリアプランを代替措置とするこ
とができる。

3) 事業主は、いかなる場合であっても、緊密な資本関係、取引関係、人的
関係がある相手を運営管理機関や資産管理機関に選任することはできな
い。

4) 運用関連業務に関して生じた加入者等の損失は、運営管理機関の自己の
責めに帰すべき事故であれば、損失の補てんをすることができる。

《問10》確定拠出年金の手数料や税制に関する次の記述のうち、最も適切な
ものはどれか。　　　　　　　　　　　　　　　　チェック欄 ☐☐☐

1) 個人型年金加入者は、新規加入時に国民年金基金連合会手数料として
2,829円が初回掛金等から差し引かれるとともに、加入中は月額105円の
事務手数料が掛金または個人別管理資産から差し引かれる。

2) 退職一時金の勤続年数30年(30歳から59歳まで)、企業型年金(確定拠
出年金)の勤続年数(掛金拠出期間) 10年(50歳から59歳まで)の者が退職
一時金と企業型年金の老齢給付金(一時金)を60歳の退職時に同時に受け
取る場合、退職所得控除額の勤続年数は30年で計算する。

3) 老齢給付金を年金で受け取る場合、退職所得として公的年金等控除が適
用される。

4) 障害給付金と死亡一時金は非課税である。

303

◇実践演習模試（問題）B分野

総合問題

1. 確定拠出年金の実施（手続、規約等）

【第1問】 次の設例に基づき、各問に答えなさい。

┌─── 設 例 ───┐

X社の退職給付制度は退職一時金のみであるが、今般、確定拠出年金の企業型年金を導入することとし、導入に関する手続等の検討を始めたところである。また、企業型年金の対象となるX社の従業員は500名である。X社には労働組合はない。

※特に断りのないかぎり、以上の条件以外は考慮せず、各問に従うこと

《問11》X社が企業型年金の実施するにあたっての必要な手続等に関する以下の文章の空欄①～④に入る適切な語句または数値を下記の〈語句群〉のなかから選びなさい。　　　チェック欄 □□□

　企業型年金を実施するときは、（　①　）の（　②　）を代表する者の同意を得て企業型年金規約を作成し、当該規約について（　③　）の承認を得なければならない。企業型年金規約に定める事項は、確定拠出年金法第3条第3項に規定されているが、必須事項のほか一定の資格を設けたり、3年未満で退職する従業員に対する事業主掛金の返還など実施する場合に定めなければならない事項もある。なお、企業型年金規約の承認が得られるには、申請してから約（　④　）カ月の審査期間がかかるので制度開始に間に合うように申請書類を準備する必要がある。

┌─〈語句群〉─────────────────────────
│ ㋐全従業員　　　　　㋑第1号等厚生年金被保険者　　　㋒取締役会
│ ㋓厚生労働大臣　　　㋔過半数　　　㋕3分の2　　　　㋖4分の3
│ ㋗2　　　　㋘3　　　　㋙5
└─────────────────────────────

304

Part5　総合編（実践演習）

《問12》X社が、企業型年金規約として定めなければならない事項に関する
　　　　次の記述のうち、適切なものをすべて選びなさい。

チェック欄 ☐☐☐

1)　運営管理業務を委託した運営管理機関および当該運営管理機関の再委託
　　先、再々委託先運営管理機関の名称、住所、業務。

2)　企業型年金の実施に要する事務費の負担に関する事項。

3)　投資教育の内容および方法に関する事項。

4)　企業型年金の事業年度に関する事項。

《問13》X社が企業型年金規約の承認を申請した場合の承認基準に関する次
　　　　の記述のうち、適切なものをすべて選びなさい。

チェック欄 ☐☐☐

1)　X社が委託した運営管理機関が、運営管理業務の一部または全部を再委
　　託する場合は再委託契約に関する事項を規約に定める必要がある。

2)　企業型年金の加入者等による運用の指図は、少なくとも1カ月に1回以
　　上行えるようにしなければならない。

3)　事業主掛金について、定額、給与の定率、これらの併用により算定した
　　額によることが定められていなければならない。

4)　X社が簡易企業型年金を導入する場合は、資産管理契約の契約書は承認
　　申請の添付書類から省略することができる。

◇実践演習模試（問題）B分野

| 2．加入者の手続・運用等（加入から受給まで） |

【第2問】次の設例に基づき、各問に答えなさい。

設 例

　Aさんは35歳の会社員で、勤務するY社を2024（令和6）年10月31日をもって退職する予定である。Y社は、企業型年金（確定拠出年金）を導入しており、Aさんは退職時点で10年の加入となる。個人型年金の加入歴はなく企業型年金もY社での加入期間のみである。退職後は他社に転職するか自営業者として独立するか決めかねており、未定である。Aさんの退職時点で個人別管理資産額は420万円とする。

※特に断りのないかぎり、以上の条件以外は考慮せず、各問に従うこと

《問14》Y社の退職給付は退職一時金と企業型年金（マッチング拠出なし）のみであり、事業主掛金は拠出限度額の半額を毎月拠出で拠出している。在職中のAさんの企業型年金に関する次の記述について適切なものをすべて選びなさい。　　　　　チェック欄 ☐☐☐

1)　Aさんの毎月の拠出額は2万7,500円である。

2)　Y社の企業型年金規約に無給の休業期間中に事業主掛金の拠出を停止する定めがある場合、Aさんが休業した期間は通算加入者等期間に算入されない。

3)　Aさんが在職中に傷病により障害給付金の受給権を得た場合、在職中は、企業型年金の加入者として事業主掛金の拠出を受けて運用を続けることができるが、障害給付金は支給停止となる。

4)　確定拠出年金は加入者等が自己責任で投資商品を運用する制度なので、加入者等に対して加入時はもちろん加入後も継続的な投資教育が求められる。Y社は運営管理業務を運営管理機関に委託している。そのため、Y社から委託を受けた運営管理機関は、Aさんに対して投資に関する継続教育の努力義務を負っている。

306

Part5　総合編（実践演習）

《問15》Aさんが転職するにあたって、Y社の個人別管理資産額の扱いについてはさまざまな選択肢がある。転職に際して可能なAさんの個人別管理資産額の選択に関する次の記述について適切なものをすべて選びなさい。　　　　チェック欄 □□□

1)　Aさんが、転職先の企業型年金の加入者（事業主掛金月額3万6,000円）となった場合、個人別管理資産額は転職先の企業型年金に移換することも、個人型年金に移換して個人型年金加入者または個人型年金運用指図者となることもできる。

2)　Aさんは、個人別管理資産額を企業年金連合会に移換して、将来、通算企業年金を受給することもできる。

3)　転職先の企業型年金にマッチング拠出が導入されていた場合、Aさんが加入者掛金ではなく個人型年金を選択したときは、Y社の個人別管理資産額は個人型年金に移換できるが転職先の企業型年金には移換できない。

4)　Aさんが自営業者として独立した場合、個人別管理資産額をY社に残したままY社の企業型年金運用指図者として運用を続けることもできる。

《問16》Aさんの退職後の状況に関する次の文章の空欄①〜③に入る適切な語句を下記の〈語句群〉のなかから選びなさい。　チェック欄 □□□

　Aさんが、退職の翌月から（　①　）以内に個人型年金に加入したり、転職先で企業型年金加入者となった場合は、（　②　）で個人型年金や転職先の企業型年金にY社の個人別管理資産額が自動的に移換される。これらが確認されず、Aさんが移換手続きをしないまま（　①　）が経過すると自動的に（　③　）に移換される。

┌─〈語句群〉─────────────────────────────
│　㋐6カ月　　㋑12カ月　　㋒6カ月経過時点　　㋓12カ月経過時点
│　㋔確認された時点　　㋕国民年金基金連合会　　㋖企業年金連合会
└────────────────────────────────

307

◇実践演習模試（問題）B分野

```
3. コンプライアンス（事業主、運営管理機関等）
```

【第3問】次の設例に基づき、各問に答えなさい。

設　例

　Z社は、企業型年金(確定拠出年金)を導入して10年になる。運営管理業務は金融機関U社を運営管理機関として選定し、委託している。企業型年金導入当初から時間がたち、担当社員の多くが入れ替わり、人員も増えてきたため、事業主および運営管理機関の法令遵守の徹底を再確認することとなった。

《問17》企業型年金を実施する事業主の行為準則に関する次の記述について適切なものをすべて選びなさい。　　　　チェック欄 ☐☐☐

1)　事業主は、企業型年金の実施に係る業務の遂行に必要な範囲内であれば、個人別管理資産額に関する情報を加入者等の同意を得ることなく使用できる。

2)　加入者等以外の利益を図る目的でなければ、事業主と緊密な資本関係、取引関係、人的関係がある相手を運営管理機関に選任することができる。

3)　企業型年金規約を作成するときには、規約の同意が必要となる労働組合等に資産管理機関や運営管理機関の選定理由を示さなければならない。

4)　加入者等から企業型年金の実施状況に関し照会または苦情があったときは、事業主自らが誠実かつ迅速に対応する必要があり、運営管理機関に対応させてはならない。

《問18》運営管理業務を行うにあたり、運営管理機関の行為準則に関する次の記述について不適切なものをすべて選びなさい。

チェック欄 ☐☐☐

1)　提示している運用の方法のうちS投資信託について、加入者から説明を求められたため、S投資信託のみの詳しい説明を行った。

2)　運用の方法の選定にあたっては、もっぱら加入者等の利益のみを考えるため、手数料等は考慮しない加入者等の利益が最大となるように検討した。

3) 加入者等が選択しているR投資信託の価格相場が、専門的な知見から明らかに大きく下がる見込みであったので、加入者等の利益を考えてR投資信託への投資を一時的に控えるように助言をした。
4) 運営管理機関として複数の営業所で運営管理業務を行っているので、本店だけでなくすべての営業所で、公衆の見やすい場所に主務省令で定める様式の標識を掲示した。

《問19》Z社では、事業主による運営管理機関の評価について、U社に対する評価ポイントをまとめた。運営管理機関の評価の概要に関する次の文章の空欄①〜③に入る適切な語句または数値を下記の〈語句群〉のなかから選びなさい。　　　　　　　　　　　チェック欄 ☐☐☐

　運営管理機関に運営管理業務を委託している場合、事業主は少なくとも（　①　）年ごとに運営管理機関の評価をするように努めなければならない。評価すべき項目や手法は、企業規模、加入者等の構成、制度導入からの定着度、投資教育の充実度等により異なるが、評価を行い、当該報告内容および評価の内容を加入者等に開示することが望ましいとされている事項が法令解釈通知で示されている。また、事業主が年（　②　）回以上定期的に運営管理機関から受ける業務の実施状況等についての報告も評価の際に考慮することとされている。

　評価を行うことが望ましい項目としては、提示された運用商品が合理的なものかに関する事項や運営管理機関による運用方法のモニタリングの内容があるが、モニタリングの内容には商品や運用会社の（　③　）も含まれる。

　運営管理機関の評価結果に基づいて、必要に応じて運営管理機関の変更その他の措置を講じることが、事業主の努力義務となっている。

〈語句群〉
㋐ 1　　㋑ 2　　㋒ 3　　㋓ 4　　㋔ 5　　㋕ 事務
㋖ 業績　　㋗ 評価基準　　㋘ 選定

◇実践演習模試（問題）B 分野

4．他制度から DC への移行（退職一時金、確定給付企業年金等）

【第4問】次の設例に基づき、各問に答えなさい。

設　例

現在、T 社では退職一時金制度のみを実施しているが、新たな退職給付制度の導入について、退職一時金を移換するかどうかも含めて検討している。候補としては企業型年金(確定拠出年金)が有力だが、中小企業退職金共済と確定給付企業年金も企業型年金と比較検討している。また、個人型年金(確定拠出年金)へ掛金を上乗せする中小事業主掛金納付制度も候補の一つである。2024（令和6)年度の期首における T 社と退職一時金制度等の概要は下記のとおりである。

〈T 社および退職一時金制度等の概要〉

・業種：卸売業

・資本金：1 億 2,000 万円

・従業員数：100 人

・会社都合要支給額：450 百万円

・自己都合要支給額：310 百万円

《問 20》最初に T 社は、企業型年金以外の制度の導入可否や退職一時金制度の資産の移換について確認することにした。次の記述について適切なものをすべて選びなさい。　　　　チェック欄 ☐☐☐

1)　T 社は中小企業退職金共済（以下「中退共」）の加入要件を満たしているので中退共を導入できるが、導入時の従業員の過去勤務期間についても過去勤務掛金を追加で納めることによって最大過去 20 年間まで加入期間として通算できる制度がある。

2)　中退共を導入する際に過去勤務期間の通算を行う場合、既存の退職一時金制度の過去勤務に係る資産の一部または全部を非課税で移換できる。

3)　T 社が確定給付企業年金の基金型年金を導入する場合は、企業年金基金を設立する必要がある。

4)　中小事業主掛金納付制度を導入する場合は、退職一時金制度や中退共と

Part5　総合編（実践演習）

の併用はできない。

《問21》次に T 社は、退職一時金制度から確定拠出年金の企業型年金に移
　　　　行する場合の移換額や会計処理について確認した。次の文章の空欄①
　　　　～③に入る適切な語句または数値を下記の〈語句群〉のなかから選び
　　　　なさい。　　　　　　　　　　　　　　　　　　チェック欄 ☐☐☐

　退職一時金制度から企業型年金への移行では、退職一時金制度の過去分に
相当する資産の全部（退職金規程の廃止）または一部（退職金規程の減額改
正）を移換することができる。資産の移換額は、制度変更前後の（　①　）
の差額の範囲内となる。企業型年金への移行で発生する移換額の会計処理と
しては（　②　）の会計処理を行う。また、退職一時金からの移換は一括で
行うことができず、移行年度から（　③　）年度の範囲で均等に分割して移
換される。

┌〈語句群〉────────────────────────────────
│　㋐自己都合要支給額　　㋑会社都合要支給額　　㋒退職給付債務
│　㋓終了　　㋔減額　　㋕終了または減額　　㋖3 ～ 7　　㋗4 ～ 8
└──────────────────────────────────────

《問22》最後に T 社は、退職一時金制度のすべてを企業型年金へ移換する
　　　　場合の移換額について確認した。2024 年度の期首の数値が移換額で
　　　　ある場合、最短の期間で移換を行った場合の 1 年あたりの移換額とし
　　　　て適切なものは次のうちどれか。答は百万円未満を四捨五入するこ
　　　　と。　　　　　　　　　　　　　　　　　　　　チェック欄 ☐☐☐

1)　78 百万円
2)　103 百万円
3)　113 百万円
4)　150 百万円

311

◇実践演習模試（解答・解説）B分野

実践演習模試解答・解説

B分野（確定拠出年金制度）

■正解と配点

《四答択一式》（配点40点）

問題番号	問1	問2	問3	問4	問5	問6	問7	問8	問9	問10
正解	2	4	4	3	4	1	3	3	4	2
配点	4	4	4	4	4	4	4	4	4	4

《総合問題》（配点60点）

設例番号	第1問			第2問			第3問		
問題番号	問11	問12	問13	問14	問15	問16	問17	問18	問19
正解	⒤⒪㊉㊗	2、3、4	3	1	1、2	㋐㋒㋕	1、3	1、2、3	㋔㋐㋗
配点	5	5	5	5	5	5	5	5	5

設例番号	第4問		
問題番号	問20	問21	問22
正解	2	㋐㋓㋗	1
配点	5	5	5

※以下の解説では、参照法令名等を次のように略称表記している

法……確定拠出年金法　　　　　　施行令……確定拠出年金施行令
施行規則……確定拠出年金法施行規則
法令解釈……厚生労働省通達平成13年8月21日年発第213号
Q&A…………確定拠出年金Q&A　　確給法……確定給付企業年金法
中退共法……中小企業退職金共済法　小企法………………小規模企業共済法

Part5　総合編（実践演習）

◆解答のポイントと解説

B分野（確定拠出年金制度）

〈四答択一式〉

問1《正解 2》

1)不適切。2022（令和4)年5月から60歳以上の企業型年金加入者に対する継続雇用要件はなくなり、転職者も加入できるようになった。ただし、一時金受給か年金受給かにかかわらず、企業型年金の老齢給付金の裁定請求済みの者は企業型年金加入者となることはできない。裁定をしていない企業型年金運用指図者であれば、転職先の企業型年金に加入できる。受給権が発生しても、裁定請求をしなければ受給権を有することにはならないためである。（法9条2項）

2)適切(法14条)

3)不適切。インセンティブは営業職員全員に適用されている労働条件であり、成績による区分を企業型年金の加入要件とすることはできない。（法令解釈第1-1(1)①)

4)不適切。「65歳に達した日の翌日」ではなく、65歳に達した日である。資格喪失年齢に達して資格喪失する場合は翌日ではなく当日の資格喪失となる。（法11条5号、15条1項1号、2項）

問2《正解 4》

㋐適切。従来、海外居住の国民年金任意加入被保険者は個人型年金に加入できなかったが、法改正により2022（令和4)年5月から20歳以上65歳未満の国民年金任意加入被保険者であれば、海外居住者も個人型年金に加入できるようになった。（法62条1項4号)

㋑適切。国民年金保険料の申請免除(全額免除、一部免除)、納付猶予を受けている者は個人型年金に加入できないが、法定免除のうち障害年金の受給権者は所得事由による免除ではないので個人型年金に加入することができる。（法62条1項1号)

313

◇実践演習模試（解答・解説）B分野

ⓦ適切。会社役員であっても厚生年金被保険者であれば、国民年金第2号被
保険者なので個人型年金に加入できる。小規模企業共済の加入は個人型年
金の加入可否には関係しない。（法62条1項2号）

㋲適切。企業型年金の老齢給付金の裁定請求（一時金、年金）をした者は、企
業型年金に加入することはできないが個人型年金に加入することはでき
る。（法62条2項）

[問3]《正解 4》

1)不適切。掛金の拠出と限度額を管理する単位（1年間）を「掛金拠出単位期
間」（12月から翌年11月まで）という。掛金拠出単位期間を実際の拠出回
数で区分（月単位のまとまりで任意に設定）したものを「拠出区分期間」と
いう。事業主掛金と加入者掛金の拠出区分期間は同じでなくてもよい。（法
令解釈第1-3(5)、Q&A71-17）

2)不適切。企業型年金加入者の個人型年金同時加入について規約の定めは不
要になった。拠出限度額は、法定限度額（他の企業年金がない場合は月額
55,000円、他の企業年金がある場合は月額27,500円）と事業主掛金の差額
が個人型年金の拠出限度額（月額20,000円または月額12,000円が上限）と
なった。

3)不適切。事業主が掛金を定額で設定し、従業員は掛金限度額の差額の範囲
内で任意に掛金を設定する。なお、加入者掛金（従業員掛金）と事業主掛金
の合計額は月額当たり5,000円以上にする必要がある。（法68条の2第4項、
個人型年金規約73条）

4)最も適切。企業型年金の加入者掛金は複数の具体的な額（簡易企業型年金
では1つの額も可）から選択できるようにすることとなっている。1円単
位で拠出限度額まで加入者が任意の額を選択して設定することは可能であ
る。なお、事業主掛金は定額や定率が可能であるが、加入者掛金は定額し
か認められておらず、「給与の○%」「事業主掛金額の○%」などの率によ
る設定はできない。（法令解釈第1-3(3)）

Part5　総合編（実践演習）

問4 《正解 3》

1) 不適切。「70歳に達したとき」ではなく、75歳に達したときである。法改正により、2022（令和4）年4月の受給開始年齢の上限が70歳から75歳に引き上げられたのに伴って老齢給付金の自動裁定の期限も75歳に引き上げられた。（法34条、73条）

2) 不適切。5年経過後の67歳から老齢給付金の請求ができる。法改正により2022（令和4）年5月から、60歳以上の者の確定拠出年金（企業型年金、個人型年金）への新規加入が可能になった。しかし、老齢給付金の受給に必要な通算加入者等期間は、60歳到達月までしか計算対象にならない。そのため、60歳超で初めて確定拠出年金に加入した者は、通算加入者等期間がゼロとなる。こうした通算加入者等期間を有しない者は、加入後5年経過後に老齢給付金の請求ができることとされた。（法33条1項）

3) 最も適切。なお、終身年金の場合はこの限りではない。また、年間受取額設定の基準額は請求日前月末の個人別管理資産額である。（施行令5条、施行規則4条1項1号ハ）

4) 不適切。受給期間は5年以上20年以下としなければならないが、終身年金はこの限りではない。運用商品に終身年金保険がある場合は、終身年金とすることができる。（施行令5条、施行規則4条1項1号ハ、ニ）

問5 《正解 4》

1) 不適切。障害給付金は、初診日が加入期間中でなくても障害認定日（初診日から1年6カ月経過日または傷病の治癒した日）から75歳到達日の前日（誕生日の2日前）までに一定の障害状態になれば、その期間内に請求できる。また、受給開始後、障害状態でなくなってもそのまま障害給付金として受給を継続できる。公的年金の障害年金との違いを確認しておきたい。（法37条、施行令19条、法令解釈第7）

2) 不適切。設問は老齢給付金の場合である。障害給付金は、5年以上の一定期間ごとに受給権者の申出によって給付額の算定方法および支給予定期間を変更できるように規約に定めなければならない。（施行令5条、施行規

315

◇実践演習模試（解答・解説）B分野

則4条1項2号イ）

3) 不適切。死亡一時金を受けられる遺族は、配偶者を除き、生計を維持していた親族が生計を維持していなかった親族より優先順位が高い。（法41条）

4) 最も適切。なお、死亡一時金が受給できる者がいても、請求がないまま死後5年間経過すると死亡一時金を受給できる遺族がいないものとみなされ、死亡した者の相続財産とみなされる。（法41条4項、5項）

問6 《正解 1》

1) 最も適切。法改正により2022（令和4）年5月から可能になった。改正前は個人別管理資産額が1万5,000円を超えている場合は、いったん個人型年金に移換して個人型年金に脱退一時金を請求する必要があった。（法附則2条の2第1項、3条、施行令59条、60条）

2) 不適切。「翌月から2年以内」ではなく翌月から6カ月以内である。（法附則2条の2第1項3号）

3) 不適切。「資格喪失日の属する月の翌月から6カ月以内」ではなく資格喪失日から2年以内である。（法附則3条1項7号）

4) 不適切。脱退一時金の請求は、60歳以上の者がすることはできない。（法附則2条の2第1項、3条1項1号）

問7 《正解 3》

1) 適切（法令解釈第3-3(4)）

2) 適切（法令解釈第5-2）

3) 最も不適切。指定運用方法に元本確保型の運用方法を選定してもよい。ただし、長期的な観点から収益の確保が図れることを考慮する必要がある。（法23条の2）

4) 適切。法改正により2018（平成30）年5月から、「全員同意」が「3分の2以上同意」に緩和された。（法26条1項）

Part5　総合編（実践演習）

問8 《正解 3》

1) 適切。企業型年金加入者が転職により別の企業型年金の加入者となった場合、転職先の企業型記録関連運営管理機関等に対し、その個人別管理資産の移換を申し出たときは、転職先の企業型年金に個人別管理資産を移換する。転職前の企業型年金の個人別管理資産は、国民年金基金連合会に移換して個人型年金加入者または個人型年金運用指図者となる選択もでき、必ず転職先の企業型年金に移換しなければならないわけではない。（法80条1項）

2) 適切。脱退一時金相当額は確定拠出年金（企業型、個人型）に移換することができる。また、確定給付企業年金規約に定めがあれば、転職により入社した者の確定拠出年金（企業型、個人型）の個人別管理資産を確定給付企業年金に移換することもできる。なお、2022（令和4）年5月からは、確定給付企業年金の制度終了（廃止）時にも確定給付企業年金の年金資産を確定拠出年金の個人型年金へ移換できるようになった（改正前は退職時の移換のみ可能だった）。（法54条の4、74条の2、4、確給法82条の3）

3) 最も不適切。どちらも企業年金連合会に資産移換できる。企業型年金の企業年金連合会への個人別管理資産の移換は法改正により2022年5月から可能になった。（確給法91条の23）

4) 適切。（法80条）

◇自動移換が救済されるケース（→ p.82）

問9 《正解 4》

1) 不適切。企業型年金規約の変更をするときは、"労働組合等の同意〈合意〉（以下「同意」）" "厚生労働大臣の承認（以下「承認」）" "厚生労働大臣への届出（以下「届出」）" の手続きが変更内容によってどう異なるかを確認しておく必要がある。基本は、「同意と承認」である。ただし、厚生労働省令で定める軽微な変更については「同意と届出」だけでよく、軽微な変更のうち "特に軽微な変更" とされるものは「届出」だけでよいとされている。さらに届出が不要なものもある。資産管理契約の相手方の変更は軽微

◇実践演習模試（解答・解説）B分野

な変更に該当する。この場合、<u>労働組合等の同意は必要</u>であるが、<u>厚生労</u>
<u>働大臣に対しては承認は不要で</u>、<u>届出でよい</u>。なお、2020（令和2）年10
月からは、「資産管理機関の名称および住所の変更」は届出不要となった。
（法5条1項、2項、6条、施行規則5条1項8号、6条、7条、7条の2）

2）不適切。カフェテリアプランは、代替措置として認められていない。カフェ
テリアプランとは、複数の福利厚生メニュー（育児補助、家賃補助、旅行
費補助、食費補助など）から従業員が選択して利用できる福利厚生制度で
あるが、老後資産形成支援に特化した制度ではない。（法令解釈第1-1(2)、
Q&A29）

3）不適切。専門的能力の水準、提示が見込まれる運用の方法、業務・サービ
ス内容、手数料の額等に関する適正な評価の結果、合理的な理由があれば
選任することができる。（法令解釈第9-1(1)①）

4）最も適切（法100条3号）

問10《正解 2》

1）不適切。加入後の国民年金基金連合会の手数料は掛金納付のつど105円が
掛金から差し引かれる。毎月拠出であれば月額105円を毎月差し引かれる
ことになるが、掛金拠出単位期間を2カ月以上に設定すれば掛金拠出月の
み105円が差し引かれる（例えば、年3回の掛金拠出であれば「105円×
3回＝315円」が年間の手数料となる。（個人型年金規約142条、143条）

2）最も適切。複数の退職一時金の勤続年数が重複している場合は、長いほう
の勤続年数で退職所得控除額を計算する。（所得税法施行令69条1項3号）

3）不適切。年金受給の場合は「退職所得」ではなく公的年金等に係る雑所得
となる。（所得税法施行令82条の2第2項6号）

4）不適切。障害給付金は非課税であるが、死亡一時金はみなし相続財産とし
て相続税が課税される。ただし、法定相続人1人につき500万円までは非
課税である。なお死亡後3年経過後は一時所得課税となり、5年経過後は
死亡一時金の請求はできなくなり死亡した者の相続財産として扱われる。
（相続税法3条、同法施行令1条の3）

Part5　総合編（実践演習）

〈総合問題〉

【第1問】

問11 《正解 ④⑦⑤⑦》

① ⑦第1号等厚生年金被保険者　　② ⑦過半数
③ ⑤厚生労働大臣　　　　　　　　④ ⑦2

　企業型年金規約の承認申請をした場合、標準的な審査期間は2カ月とされ
ている。

問12 《正解 2、3、4》

1)不適切。運営管理機関は再委託まではできるが、再々委託はできない。（法
　3条3項4号、7条、Q&A95）
2)適切（法3条3項11号）
3)適切。法22条は、いわゆる「投資教育」の規定である。（施行令3条5号、
　法令解釈第3-3、3-4）
4)適切（施行令3条9号）

問13 《正解 3》

1)不適切。事業主は運営管理業務の一部または全部を運営管理機関に委託す
　ることができる。しかし、運営管理機関は運営管理業務の一部を再委託す
　ることはできるが、全部を再委託することはできない。（法7条1項、2項）
2)不適切。「少なくとも1カ月に1回以上」ではなく、少なくとも3カ月に
　1回以上である。（法4条1項5号）
3)適切（法4条1項3号、法令解釈第1-2(1)(2)(3)）
4)不適切。X社は従業員500人なので、簡易企業型年金は導入できない。従
　業員300人以下であれば、資産管理契約書（資産管理契約の契約書）は承認
　申請の際の添付書類から省略できる。その他、運営管理機関委託契約書（運
　営管理業務の委託に係る契約書）、運営管理機関の選任理由書、就業規則
　なども省略できる。（法3条4項、5項、4条）

319

◇実践演習模試（解答・解説）B分野

【第2問】

問14《正解 1》

1) 適切。他の企業年金(確定給付企業年金、厚生年金基金等)がない場合の企業型年金の掛金拠出限度額は5万5,000円なので、その半額の2万7,500円がAさんの掛金拠出額となる。

2) 不適切。企業型年金規約に定めがあれば、会社都合以外の休職・休業期間中で無給の場合は事業主掛金の拠出を停止することができる。具体的には、私傷病による休職、育児休業、介護休業などが該当する(産前産後休暇は認められない)。ただし、掛金拠出を停止しても企業型年金加入者ではあるので、通算加入者等期間には算入される。(法33条2項、Q&A151)

3) 不適切。障害給付金を受給しながら、企業型年金加入者として事業主掛金の拠出を受けて運用を続けることができる。(法11条、Q&A154)

4) 不適切。導入教育や継続教育といった投資教育の努力義務を負っているのは、運営管理機関ではなく事業主である(事業主の責務)。ただし、実施義務は事業主にあるが、運営管理機関や企業年金連合会などに実施を委託することができる。(法22条、法令解釈第3-1(1))

問15《正解 1、2》

1) 適切。法改正により、2022（令4)年10月からは企業型年金規約に個人型年金同時加入を認める規約は不要となり、同時加入の場合の企業型年金事業主掛金の上限設定(他の企業年金がない場合、月額3万5,000円)も不要になった。Aさんの転職は2022（令4)年10月以降であるため、転職先企業の企業型年金と個人型年金の同時加入ができる。改正前は個人型年金に転職前の個人別管理資産額の移換はできるが、転職先企業が同時加入を認めていない場合は個人型年金運用指図者となるしかなかった。

2) 適切。法改正により、2022年5月から可能になった。企業年金連合会へ移換後は、再度、確定拠出年金(企業型年金、個人型年金)や確定給付企業年金に移換することもできる。なお、個人型年金の個人別管理資産額を企業年金連合会へ移換することはできない。

Part5　総合編（実践演習）

3) 不適切。企業型年金にも個人型年金にも移換できる。なお、2022年9月
まで は、マッチング拠出導入企業の企業型年金加入者は個人型年金に加入
できなかったが、同年10月からはマッチング拠出と個人型年金加入を加
入者ごとに選択できるようになった。

4) 不適切。退職時に60歳未満で、Y社の企業型年金の障害給付金の受給権
がない場合には、Y社の企業型年金運用指図者となることはできない。

問16《正解 ⑦⑨⑩》

①⑦6カ月　　②⑨6カ月経過時点　　③⑩国民年金基金連合会

2018（平成30）年5月の法改正で導入された企業型年金個人別管理資産の
自動移換対策の措置である。自動移換の期限内（企業型年金加入者資格喪失
の翌月から6カ月以内）の新たな加入（他の企業型年金、個人型年金）の場合
は、加入が確認された時点ではなく、6カ月経過時点で新たな企業型年金等
への資産移換となることに注意する。6カ月経過後（国民年金基金連合会へ
の自動移換後）の新たな加入の場合は、加入確認時点での資産移換となる。（法
80条、82条、83条）

【第3問】
問17《正解 1、3》

1) 適切。業務遂行に必要な範囲内であれば、氏名、住所、生年月日、個人別
管理資産額などの個人情報の保管または使用にあたって、加入者等の同意
は必要ない。また、加入者等の同意を得た場合には、業務遂行に必要な範
囲外に使用することができる。（法43条2項、法令解釈第9-1(2)①）

2) 不適切。運営管理機関や資産管理機関に選任できるのは、専門的能力の水
準、提示が見込まれる運用の方法、業務・サービス内容、手数料の額等に
関する適正な評価の結果、合理的な理由がある場合である。単に加入者等
以外の利益を図る目的ではないという理由だけでは、運営管理機関の選定
理由の要件を満たしているとはいえない。（法令解釈第9-1(1)①）

3) 適切（法令解釈第9-1(1)①）

321

◇実践演習模試（解答・解説）B分野

4)不適切。事業主自ら、または運営管理機関に誠実かつ迅速に対応させることができる。（法令解釈第9-1(1)⑥）

問18《正解 1、2、3》

1)不適切。加入者等から特定の運用の方法（運用商品）の説明を求められたときは、運用の方法の一覧を示して行う必要がある。Ｓ投資信託（特定の運用方法）の説明のみをすると法100条6号の禁止事項である「特定のものについて指図を行うこと、または行わないことを勧めること」に抵触するおそれがある。（法令解釈第9-2(4)①エ）

2)不適切。もっぱら加入者等の利益のみを考えるためには、手数料等も考慮した加入者等の利益が最大となるように検討して運用の方法の選定、提示および情報提供をしなければならない。（法令解釈第9-2(1)②）

3)不適切。確定拠出年金は自己責任を原則とする制度なので、運営管理機関はいかなる場合にも、特定の運用の方法について指図を行うことまたは行わないことを勧めてはならない。（法100条6号、法令解釈第9-2(4)①）

4)適切。本店など代表的な店舗だけに標識を掲示することは認められていない。（法94条1号）

問19《正解 オアク》

①　オ5　　　②　ア1　　　③　ク評価基準

事業主は、少なくとも5年ごとに、運営管理業務の実施に関する評価を行い、運営管理業務の委託について検討を加え、必要があると認めるときは、確定拠出年金運営管理機関の変更その他の必要な措置を講ずるよう努めなければならないとされている（努力義務）。また、事業主は、運営管理機関から業務の実施状況について、少なくとも年1回以上定期的に報告を受けるとともに、加入者等の立場から見て必要であると認められる場合には、業務内容の是正または改善を申し入れることとされている。（法7条4項、法令解釈第9-1(1)⑦、第10-2②）

Part5　総合編（実践演習）

【第4問】

問20 《正解 2》

1）不適切。中退共への加入要件は卸業の場合、資本金1億円以下または従業員数100人以下である。T社は従業員100人以下なので<u>中退共へ加入できる</u>。また、過去勤務期間の通算制度は、導入時の従業員について過去勤務に相当する過去勤務掛金を納付することによって可能だが、<u>10年が限度</u>である。過去勤務掛金は、従業員ごとに加入時の掛金月額と同額以下で設定し、一定の掛金率を乗じた額を一定の納付期間、通常掛金に追加して納付する。（中退共法2条、27条）

2）適切。中退共の過去勤務掛金に退職一時金制度の過去勤務期間に係る資産の一部または全部を非課税で移換できる（ただし、通算可能期間と限度額の範囲内）。（所得税基本通達30-2（1）、所得税法施行令64条1項1号）

3）不適切。確定給付企業年金は規約型と基金型があるが、基金型は従業員300人以上でないと導入できない。T社は従業員100人なので規約型の確定給付企業年金を導入することになる。（確給法施行令6条）

4）不適切。中小事業主掛金納付制度は従業員300人以下で企業年金（企業型年金〈確定拠出年金〉、確定給付企業年金、厚生年金基金）を導入していない企業の個人型年金加入者に企業が掛金を上乗せできる制度である。退職一時金制度や中退共、特退共（特定退職金共済）などがあっても中小事業主掛金納付制度の導入は可能である。（法55条2項4の2号、法令解釈第2-1）

問21 《正解 ⑦⑨⑨》

①　⑦自己都合要支給額　　　②　⑤終了　　　③　⑨4～8

退職給付制度の変更に伴う退職給付会計の会計処理は、移換額が発生する場合は「終了」、移換額が発生しない場合は「増減額」の処理となる。退職一時金から確定拠出年金への移行の場合、退職一時金の全額を移換する場合は「全部終了」、一部を移換する場合は「一部終了」の扱いとなり、いずれも終了の会計処理となる。（退職給付制度間の移行等に関する会計処理3項

323

◇実践演習模試（解答・解説）B分野

～ 13 項）

退職一時金からの移換額は、制度改正前後の<u>自己都合要支給額の差額の範囲内</u>となる。退職給付会計の会計処理上、改正後の退職給付債務と移換額との差額は特別損益として認識する。また、移換は確定給付企業年金からの移換のように一括で行うことはできない。移換期間は制度移行の翌年度起算で３年度以上７年度以下だが、制度移行年度の移換も可能なので<u>移行年度起算だと４年度以上８年度以下</u>となり最短で４年度、最長で８年度の均等分割での移換となる。（施行令22条1項5号）

問22《正解 1》

退職一時金からの移換額は自己都合要支給額、最短の移換期間は４年度となるので、T社の数字に基づいて計算すると以下のようになる。

310百万円 ÷ 4年 = 77.5百万円 ≒ 78百万円

実践演習模試（C分野）

四答択一式

《問1》 わが国の投資信託の種類と特徴に関する次の記述のうち、最も適切なものはどれか。　　　　　　　　　　　　チェック欄 ☐☐☐

1) 「単位型」の投資信託とは、投資信託が運用されている期間中、原則としていつでも購入できるタイプである。

2) 「クローズド・エンド型」の投資信託は、運用期間中であれば基準価額で解約し、払い戻すことができる。

3) 信託財産留保額は、投資信託を中途解約するときに差し引かれる手数料だが、証券会社や運用会社、信託銀行の報酬にはならない。

4) ファミリーファンドでは、マザーファンドとベビーファンドは、通常、異なる運用会社が運用する。

《問2》 投資信託の目論見書と運用報告書に関する次の記述のうち、最も適切なものどれか。　　　　　　　　　　　　チェック欄 ☐☐☐

1) 交付目論見書は、投資判断に必要な基本的な重要事項であるファンドの目的・特色、運用実績、経理状況などが記載されている。

2) 交付目論見書と請求目論見書は投資信託の購入の際に原則として必ず投資家へ交付しなければならない。

3) 交付運用報告書は、運用状況に関する重要な事項を記載したもので、投資者（保有者）に必ず交付する必要があるが、投資信託約款に定めがある場合には電磁的方法による提供で交付したものとみなされる。

4) 交付運用報告書は、投資信託の決算期ごとに作成して投資者に交付するのが原則だが、毎月決算型（毎月分配型）投資信託は6カ月ごとに作成・

◇実践演習模試（問題）C分野

交付すればよい。

《問3》 ある会社の財務状況が以下の数字のとおりであるとき、次の記述の
うち、不適切なものはどれか。 チェック欄 ☐☐☐

当期純利益（＝税引き後利益）	60億円
純資産（＝自己資本）	600億円
配当金総額	24億円
発行済株式数	3,000万株
株価	3,200円

1) PER（株価収益率）は16倍である。

2) PBR（株価純資産倍率）は1.5倍である。

3) ROE（自己資本利益率）は10％である。

4) 配当性向は40％である。

《問4》 ある資産の運用結果が下記のリターンとなった。4期間の平均リター
ンの算術平均と幾何平均の組合せとして最も適切なものはどれか。な
お、計算結果は％表示における小数点以下第3位を四捨五入すること。

チェック欄 ☐☐☐

	第1期	第2期	第3期	第4期
リターン	5％	－10％	2％	6％

	算術平均	幾何平均
1)	0.54％	0.75％
2)	0.75％	0.54％
3)	1.73％	1.32％
4)	1.32％	1.73％

Part5　総合編（実践演習）

《問5》あるファンドの1年間のリターンが次の5つのケースで予想される
とき、このファンドの1年間の期待リターンとして最も適切なものは
どれか。　　　　　　　　　　　　　　　チェック欄 ☐☐☐

	ケース1	ケース2	ケース3	ケース4	ケース5
リターン	8.0%	− 3.0%	− 2.0%	4.0%	3.0%
生起確率	0.3	0.1	0.4	0.1	0.1

1)　− 0.5%　　2) 1.5%　　3)　2.0%　　4)　3.0%

《問6》効率的（有効）フロンティアに関する次の記述のうち、最も適切な
ものはどれか。　　　　　　　　　　　　チェック欄 ☐☐☐
1)　縦軸を期待リターン、横軸をリスクとしたとき、効率的（有効）フロンティ
アは、一般的に右下がりで下に凸の曲線を描く。
2)　効率的（有効）フロンティアの考え方は、リスク愛好的な投資家を前提と
している。
3)　最適なポートフォリオとは、投資家の同じ効用を表す線と効率的（有効）
フロンティアとの接点である。
4)　リスク回避的投資家の場合、縦軸を期待リターン、横軸をリスクとした
とき、（効用）無差別曲線は一般的に上に凸の曲線を描く。

《問7》東京証券取引所の市場再編（2022年4月4日）と株価指数に関す
る次の記述のうち、最も適切なものはどれか。　　チェック欄 ☐☐☐
1)　市場再編により東証株価指数（TOPIX）はプライム市場に上場する全銘
柄を対象とする株価指数に変わった。
2)　市場再編により日経平均株価はプライム市場に上場する225銘柄を対象
とする株価指数に変わった。
3)　プライム市場は、流通株式時価総額500億円以上、株主数1,000人以上、
流通株式比率35％以上などが上場基準である。
4)　東証株価指数（TOPIX）は最終的に流通株式時価総額1,000億円以上の銘
柄で構成されるようになる。

327

◇実践演習模試（問題）C分野

《問8》資産運用におけるパフォーマンス評価に関する次の記述のうち、不適切なものはどれか。　　　　　　　　　　　　　　チェック欄 □□□

1) トータル・リターンは、値上がり益（キャピタルゲイン）と値下がり益（キャピタルロス）に加えて、利息や配当などの収入（インカムゲイン）も含めた額である。

2) ベンチマークを上回っていれば、トータル・リターンがマイナスであってもパフォーマンスは高いと評価される。

3) リスク調整後リターンとは、無リスク資産をベンチマークとしたときの超過リターンである。

4) シャープ・レシオが優れていてもインフォメーション・レシオが優れているとは限らない。

《問9》運用商品のリバランス、リアロケーション、スイッチングに関する次の㋐～㋓の記述のうち、不適切なものはいくつあるか。　　　　　　　　　　　　　　チェック欄 □□□

　㋐　リバランスとは、当初設定した資産の配分比率を変更することである。

　㋑　リアロケーションとは、当初設定した資産の配分比率が大きく乖離した場合に元の配分比率に戻すことである。

　㋒　リアロケーションは定期的に行う必要があるが、リバランスは必要に応じて行えばよい。

　㋓　スイッチングとは、定期的に購入する複数の運用商品の購入比率を変更することである。

---

1)　1つ　　2) 2つ　　3)　3つ　　4)　4つ

328

Part5 総合編（実践演習）

《問10》ライフプランの作成とキャッシュフロー表に関する次の記述のうち、最も適切なものはどれか。　　　　　チェック欄 ☐☐☐

1) リタイア後は資産運用を終了し、計画的な取崩しによって老後資金が枯渇しないようなライフプランを作成する必要がある。

2) ライフイプランの作成では、必要資金の見積もりと継続した資金の確保が必要である。そのため、ライフイベントに必要となる金額を現在価値で把握し、その金額をキャッシュフロー表に記入していく。

3) 可処分所得とは、収入金額から税（所得税、住民税）、社会保険料を差し引いた金額であるが、会社員の場合、財形貯蓄や生命保険料など天引き徴収分があれば、これらも差し引かれた金額となる。

4) 年間収支がマイナスになる年があっても、必ずキャッシュフロー表の見直しをしなければならないわけではない。

329

◇実践演習模試（問題）C分野

総合問題

1．リターンとリスクの計算（標準偏差、相関係数）

【第1問】次の設例に基づき、各問に答えなさい。

設 例

　会社員のAさんは、自社の企業型年金（確定拠出年金）の運用商品として、投資信託P、Qの2商品を選択している。過去4年間の運用実績（リターン）と1年後の運用予測は以下のとおりである。

〈Y社の前期の退職給付に関する数値〉

リターン	1年目	2年目	3年目	4年目
投資信託P	8.0%	6.0%	− 2.5%	1.2%
投資信託Q	10.0%	4.2%	− 4.5%	1.5%

〈投資信託P、Qの1年後の運用実績予測〉

	期待リターン	標準偏差	相関係数
投資信託P	4.0%	4.5%	− 0.3
投資信託Q	3.5%	5.0%	

《問11》投資信託P、Qの過去4年間の平均リターン（幾何平均〈年率〉）の組合せとして最も適切なものは次のうちどれか。なお、計算結果は％表示における小数点以下第2位を四捨五入すること。

チェック欄 ☐☐☐

	投資信託P	投資信託Q
1)	1.9%	1.8%
2)	3.1%	2.7%
3)	3.2%	2.8%
4)	3.6%	3.3%

330

Part5　総合編（実践演習）

《問12》投資信託 P、Q の過去 4 年間の標準偏差の組合せとして最も適切な
ものは次のうちどれか。計算結果は％表示における小数点以下第 2 位
を四捨五入すること。　　　　　　　　チェック欄 ☐☐☐

	投資信託 P	投資信託 Q
1)	0.3%	0.4%
2)	2.1%	2.6%
3)	2.9%	3.2%
4)	4.1%	5.2%

《問13》投資信託 P に 60％、投資信託 Q に 40％投資するポートフォリオ
を組んだ場合、1 年後にポートフォリオのリターンが約 68％の確率
で収まる利回りの範囲は下記のうちどれか。計算結果は％表示におけ
る小数点以下第 2 位を四捨五入すること。　　　チェック欄 ☐☐☐

1)　− 1.8% ～ 9.4%

2)　− 1.0% ～ 6.6%

3)　　1.0% ～ 6.6%

4)　　1.9% ～ 2.6%

◇実践演習模試（問題）C分野

2．運用効率の検証（時間加重収益率、財産加重収益率）

【第2問】次の設例に基づき、各問に答えなさい。

設　例

　Bさんは、確定拠出年金の企業型年金に加入している。加入してから10年が過ぎ、運営管理機関から受け取っている「お取引状況のお知らせ」を資料として、これまでの運用成果を検証してみた。Bさんの毎月の掛金は2万円で、4つの投資信託(P〈国内株式型〉、Q〈国内債券型〉、S〈外国株式型〉、T〈外国債券型〉)に分散投資している。配分割合は当初から変更していない。以下は、資料の一部である。

〈現在の資産状況〉

資産残高	拠出累計額	損益	実現収益率
3,122,456 円	2,400,000 円	722,456 円	30.10%

〈投資信託Pの直近4カ月の月次収益率の実績〉

	1月	2月	3月	4月
基準価額	10,015 円	10,321 円	11,112 円	10,916 円
月次収益率	2.64%	3.1%	7.7%	－ 1.8%

※特に断りのないかぎり、以上の条件以外は考慮せず、各問に従うこと

《問14》Bさんは10年間の実現収益率から、現時点での運用成果についての評価を以下のように行った。Bさんの評価に関する次の文章の空欄①〜③に入る最も適切な語句等を下記の〈語句群〉のなかから選びなさい。

チェック欄 ☐☐☐

　Bさんは、当初の期待リターン（期待収益率）を年率4.2％と想定していた。10年後の現在の実現リターン（実現収益率）が30.10％であり、資産残高は3,122,456円となった。この資産残高は、毎年24万円（便宜上年1回まとめて投資したものとする）を年率（　①　）で10年間投資した実績金額であり、運用成果は（　②　）だとBさんは評価した。評価にあたっては、（　③　）を活用した。

332

Part5 総合編（実践演習）

┌─〈語句群〉
│ ⑦約3％　　⑦約4％　　⑦約5％　　⑤好調　　⑦低調　　⑦ほぼ達成
│ ⑦終価係数　　⑦現価係数　　⑦年金終価係数　　⑩年金現価係数
└─

《問15》Bさんは運用実績を比較するときに時間加重収益率と財産加重収益
　　　　率をどう使い分けるかわからなかった。時間加重収益率と財産加重収
　　　　益率に関する次の記述のうち、適切なものをすべて選びなさい。

チェック欄 ☐☐☐

1)　時間加重収益率は、投資期間は考慮するが、キャッシュフローを考慮し
　　ない。

2)　時間加重収益率は、投資者の運用効率の評価に向いている。

3)　財産加重収益率は、幾何平均収益率で計算できる。

4)　財産加重収益率は、ファンドマネジャーのパフォーマンス評価には適さ
　　ない。

《問16》Bさんは直近4カ月の運用成果についても確認してみた。投資信託
　　　　Pの1月から4月までの4カ月間の収益率（単利による年率換算）と
　　　　して最も適切なものは次のうちどれか。計算結果は％表示における小
　　　　数点以下第3位を四捨五入すること。

チェック欄 ☐☐☐

1)　22.16％

2)　34.8％

3)　34.92％

4)　35.76％

333

◇実践演習模試（問題）C 分野

> ### 3．パフォーマンス評価（シャープ・レシオ等）

【第3問】次の設例に基づき、各問に答えなさい。

> ┌─────── 設 例 ───────┐
>
> 　Cさんの会社は、このたび企業型年金(確定拠出年金)を導入すること
> になった。Cさんは提示された運用商品のなかから、下記の3つの投資
> 信託(P：国内株式型、Q：外国株式型、R：バランス型)を選択の候補と
> して考えている。資金配分をするにあたっては、DCプランナーのDさ
> んからポートフォリオのリターンとリスク、パフォーマンス評価の基本
> 的な考え方について説明をしてもらった。選択候補の各商品の期待リ
> ターンとリスク(標準偏差)、期待リターンの相関係数は下記のとおりで
> ある。
>
> 〈投資信託P、Q、Rの期待リターンとリスク〉
>
> | | 期待リターン | リスク |
> |---|---|---|
> | P | 5.0% | 8.0% |
> | Q | 10.0% | 11.0% |
> | R | 7.0% | 9.0% |
>
> 〈投資信託P、Q、Rの期待リターンの相関係数〉
>
> | | P | Q | R |
> |---|---|---|---|
> | P | | 0.4 | 0.8 |
> | Q | 0.4 | | 0.6 |
> | R | 0.8 | 0.6 | |

《問17》 Dさんは、ポートフォリオのパフォーマンス評価の指標（尺度）に
ついてCさんに説明した。Dさんのパフォーマンス評価の説明に関
する次の記述について適切なものをすべて選びなさい。

チェック欄 ◯◯◯

1) 「シャープ・レシオは、無リスク資産に対してどれだけリターンが上回っ
たかを示しており、どの投資信託やポートフォリオとも比較できます。数
値が大きいほど成果が高いと評価されます」

2) 「インフォメーション・レシオは、ベンチマークに対してどれだけリター

334

ンが上回ったかを示しており、ベンチマークをリスクフリーレートとすれ
ばシャープ・レシオと同じになります。数値が大きいほど成果が高いと評
価されます」

3)　「ジェンセンのアルファは、期待リターンに対してどれだけリターンが
上回ったかを示しており、期待リターンには主に CAPM を用います。数
値が大きいほど成果が高いと評価されます」

4)　「トレイナー・レシオは、市場リスク（システマティックリスク）に対
してどれだけリターンが上回ったかを示しており、β をリスクとして用い
ます。数値が大きいほど成果が高いと評価されます」

《問 18》 C さんは、検討した結果、3 つの投資信託の配分比率を P60％、
　　　　Q30％、R10％としてポートフォリオを組んだ。ポートフォリオの期
　　　　待リターンとリスク（標準偏差）の組合せとして最も適切なものは次
　　　　のうちどれか。計算結果は％表示における小数点以下第2位を四捨五
　　　　入すること。　　　　　　　　　　　　　　チェック欄 ☐☐☐

　　　　期待リターン　　　リスク
1)　　　4.7％　　　　　　5.3％
2)　　　6.7％　　　　　　7.6％
3)　　　7.3％　　　　　　9.3％
4)　　　13.2％　　　　　16.8％

《問 19》 C さんが前問で組んだポートフォリオで1年後、期待リターンどお
　　　　りの成果を上げた場合、シャープ・レシオの値はいくらになるか。以
　　　　下の数値のうち最も適切なものはどれか。リスクフリーレートは
　　　　0.3％とする。計算結果は小数点以下第3位を四捨五入すること。

　　　　　　　　　　　　　　　　　　　　　　　チェック欄 ☐☐☐

1)　0.75　　　2)　0.84　　　3)　0.88　　　4)　0.92

◇実践演習模試（問題）C分野

| 4. リタイアメントプラン（老後の必要資金、税金） |

【第4問】次の設例に基づき、各問に答えなさい。

┌─── 設 例 ───┐

　Eさんは、40歳の会社員である。妻は38歳の専業主婦であるが、子供が生まれるまでOLをしており、8年間の厚生年金保険の加入歴がある。Eさんは、40歳代を迎えたことから必要となる老後生活資金の確認を現在加入後5年となる企業型年金（確定拠出年金）も含めて行ってみた。Eさんが勤務している会社は65歳定年制であり、退職給付制度は企業型年金（65歳で資格喪失）のみである。Eさんの現時点での企業型年金加入歴は5年で、会社が拠出する毎月3万円の掛金を運用している。

　なお、Eさんが現在のまま65歳になるまで勤務した場合、Eさん夫婦の公的年金の見込額は以下のとおりである。

・Eさん：老齢基礎年金　年額78万円、老齢厚生年金　年額126万円
・妻　　：老齢基礎年金　年額78万円、老齢厚生年金　年額18万円

※特に断りのないかぎり、以上の条件以外は考慮せず、各問に従うこと。また、税金・手数料、老齢厚生年金の経過的加算額は考慮しないものとする

《問20》Eさんが現在のまま65歳を迎えた時点で企業型年金の資産残高はいくらになっているか。また、65歳時点で全額一時金受給した場合の退職所得はいくらか。資産残高と退職所得の組合せとして最も適切なものを以下のなかから選びなさい。なお、運用利率は年率3％とし、掛金の拠出は毎月拠出ではなく、年1回まとめて拠出するものとして計算すること。計算過程の1万円未満は四捨五入すること。

チェック欄 □□□

	資産残高	退職所得
1)	1,404 万円	0 円
2)	1,404 万円	127 万円
3)	1,764 万円	132 万円
4)	1,764 万円	307 万円

《問21》Eさんは、65歳になった時点で自分が85歳になるまで生きると
してそれまでの必要資金について検証してみた。夫婦で毎月28万円、
ゆとりある生活の場合は毎月38万円が必要と想定した。検証結果に
ついて、次の①～④に入る最も適切な語句等を下記の〈語句群〉のな
かから選びなさい。なお、企業型年金は20年間の年金受給とし、年
率1%で運用するものとした。〔計算過程〕および計算結果における
1万円未満の端数は四捨五入すること。取崩しは毎月ではなく、年1
回まとめて取り崩すものとして計算すること。また、Eさんは加給年
金が年額40万円受給できる。　　　　　　　　　　チェック欄 ☐☐☐

Eさんが85歳になるまでに確保できる世帯資金は、企業型年金の毎年の
受給額（　①　）を含めて総額は（　②　）である。そのため、毎月28万
円の必要資金は（　③　）。また、ゆとりある生活資金毎月38万円の必要資
金は（　④　）。

┌─〈語句群〉──────────────────────────────
│　⑦ 77 万円　　　　⑦ 88 万円　　　　⑦ 97 万円　　　　㊀ 7,828 万円
│　㊗ 8,020 万円　　　㋕ 確保できる　　　㋔ 確保できない
└──────────────────────────────────────

◇実践演習模試（問題）C分野

《問22》Eさんは、自分が85歳で死亡した後、妻が90歳まで生きるとしてその後の生活資金についても検証してみた。妻1人の生活費は20万円とした場合、Eさんの死亡後の妻の確保できる資金総額と必要資金に対する過不足についての組合せとして最も適切なものは次のうちどれか。〔計算過程〕および計算結果における1万円未満の端数は四捨五入すること。Eさんの死亡時点の資産残高は考慮しないものとする。

チェック欄 ▢▢▢

	資産総額	過不足
1)	1,211万円	469万円不足
2)	1,337万円	343万円不足
3)	1,337万円	137万円超過
4)	2,511万円	831万円超過

Part5　総合編（実践演習）

実践演習模試解答・解説

C分野（老後資産形成マネジメント）

■正解と配点

《四答択一式》（配点40点）

問題番号	問1	問2	問3	問4	問5	問6	問7	問8	問9	問10
正解	3	4	2	2	3	3	2	3	4	4
配点	4	4	4	4	4	4	4	4	4	4

《総合問題》（配点60点）

設例番号	第1問			第2問			第3問		
問題番号	問11	問12	問13	問14	問15	問16	問17	問18	問19
正解	2	4	3	⑦①⑦	1、4	4	1、2 3、4	2	2
配点	5	5	5	5	5	5	5	5	5

設例番号	第4問		
問題番号	問20	問21	問22
正解	3	⑦①⑦④	1
配点	5	5	5

339

◇実践演習模試（解答・解説）C分野

◆解答のポイントと解説

C分野（老後資産形成マネジメント）

〈四答択一式〉

問1 《正解 3》

1)不適切。募集期間中のみ購入でき、運用期間中に追加購入できないタイプを「単位型」といい、投資信託の運用期間中、原則としていつでも購入できるタイプを「追加型」という。

2)不適切。「クローズド・エンド型」とはファンド（発行者）が払戻し（解約）に応じない投資信託である。わが国ではREIT（不動産投資信託）、ETF（上場投資信託）などがあるがクローズド・エンド型は限定的である。一方、わが国で主流の契約型投資信託の大部分は「オープン・エンド型」で、ファンド（発行者）がいつでも基準価額で払戻しに応じる。なお、クローズド・エンド型で証券市場に上場しているREIT、ETFは証券市場での売買ができる。

3)最も適切。信託財産留保額は、解約する投資家に支払うために発生する費用（支払代金捻出のための運用している投資信託の資産売却費用など）を解約する投資家自身に負担させ、当該投資信託の他の保有投資家との公平性を図るためのものである。そのため、信託財産留保額は基準価額に反映され、販売会社（証券会社等）、委託会社（運用会社）、受託会社（信託銀行）の報酬にはならない。なお、信託財産留保額のない投資信託もある。

4)不適切。ファミリーファンドとは、一般の投資家がベビーファンドと呼ばれる小口の投資信託を購入し、運用会社がベビーファンドで集めた資金をマザーファンドと呼ばれる投資信託で規模のメリットを生かした投資を行うものである。そのため、通常は同じ運用会社が運用する。

問2 《正解 4》

1)不適切。「経理状況」は請求目論見書の記載事項である。目論見書には、基本的な重要事項を記載した「交付目論見書」（投資信託説明書）と詳細情

340

報を記載した「請求目論見書」がある。交付目論見書の主な記載事項は、①ファンドの目的・特色、②投資のリスク、③運用実績、④手続・手数料等である。請求目論見書には、ファンドの沿革や経理状況などの追加的な詳細情報が記載されている。

2) 不適切。交付目論見書は、原則として投資家に必ず交付しなければならない。請求目論見書は投資家から請求があった場合に交付すればよい。なお、これらは顧客(投資家)の同意があれば電磁的方法(Eメール送信やホームページからのダウンロード、ホームページ閲覧など)での交付も認められる。(金融商品取引法15条2項)

3) 不適切。運用報告書は、購入後の投資信託の運用状況を記載したもので、「交付運用報告書」と「運用報告書(全体版)」がある。交付運用報告書は必ず受益者(投資信託の保有者)に交付しなければならない。交付運用報告書は個別の投資家の同意があれば電磁的方法による提供が認められる。なお、運用報告書(全体版)は、投資信託約款に定めがあれば、電磁的方法で提供すれば交付したものとみなされる。

4) 最も適切。毎月分配型投資信託などのように決算期間が6カ月未満の短期の投資信託は6カ月ごとに作成・交付すればよい。なお、日々決算型のMMFは1年ごとの作成・交付でよく、MRFは作成・交付の義務が免除されている。

問3 《正解 2》

1) 適切

PER(株価収益率) = 株価 ÷ 1株当たり当期純利益 = 3,200円 ÷ 200円 = 16倍

→ 1株当たり当期純利益 = 当期純利益 ÷ 発行済株式数

= 60億円 ÷ 0.3億株 = 200円

＊発行済株式数3,000万株は億の単位にそろえておくと計算がしやすい

2) 不適切

PBR(株価純資産倍率) = 株価 ÷ 1株当たり純資産

= 3,200円 ÷ 2,000円 = 1.6倍

$$→1株当たり純資産＝純資産÷発行済株式数＝600億円÷0.3億株＝2,000円$$

3）適切

$$ROE（自己資本利益率）＝当期純利益÷純資産×100$$
$$＝60億円÷600億円×100＝10\%$$

4）適切

$$配当性向＝配当金総額÷当期純利益×100$$
$$＝24億円÷60億円×100＝40\%$$

※配当利回りも関連して覚えておきたい

$$配当利回り＝1株当たり配当金÷株価×100＝80円÷3,200円×100＝2.5\%$$
$$→1株当たり配当金＝1株当たり当期純利益×配当性向$$
$$＝200円×40\%＝80円$$

〔参考〕「PER＝PBR÷ROE」という関係も知っておきたい。これを知っていれば、1）と2）の結果から3）の数値は、以下の計算でも求められる。

$$ROE＝PBR÷PER＝1.6倍÷16倍＝0.1＝10\%$$

問4 《正解 2》

平均パフォーマンス（平均リターン）は以下の式によって求められる。

・算術平均リターン

$$＝（第1期のリターン＋第2期のリターン＋第3期のリターン＋第4期のリターン）÷4期＝（5\%－10\%＋2\%＋6\%）÷4＝0.75\%$$

・幾何平均リターン＝

$$\sqrt[4]{(1＋第1期のリターン)(1＋第2期のリターン)(1＋第3期のリターン)(1＋第4期のリターン)}－1$$

$$＝\sqrt[4]{(1＋0.05)(1－0.1)(1＋0.02)(1＋0.06)}－1≒0.00538≒0.54\%$$

※4乗根は電卓で√キーを2回押せばよい

問5 《正解 3》

生起確率とは、実際に起こる確率のことで、リターンの生起確率とは期待リターンが実現する確率を表す。複数のケースの期待リターンから生起確率をもとにファンドの期待リターンを求めるには、以下のように各ケースの期

待リターンに生起確率を乗じた値の合計を計算すればよい。なお、生起確率の合計は1（100%）になる。

$(8.0\% \times 0.3) + (-3.0\% \times 0.1) + (-2.0\% \times 0.4) + (4.0\% \times 0.1)$
$+ (3.0\% \times 0.1) = 2.0\%$

問6 《正解 3》

1)不適切。「右下がりで下に凸の曲線」ではなく、右上がりで上に凸の曲線である。期待リターンの増加よりリスクの増加のほうが小さいためである。

2)不適切。「リスク愛好的な投資家」ではなくリスク回避的な投資家を前提としている。リスク選好に対する投資家の分類には、以下の3つがある。
   ①リスク回避的…同じリターンであれば、リスクの小さい資産を選ぶ
   ②リスク中立的…リスクの大小にかかわらずリターンの大きい資産を選ぶ
   ②リスク愛好的…リスクの大きい資産を選ぶ（ハイリスク・ハイリターン）

3)最も適切。投資家の同じ効用を表す線とは、同じ効用（投資家の満足度）が得られるリスクとリターンの組み合わせを結んだ曲線のことであり、「（効用）無差別曲線」と呼ばれる。効率的（有効）フロンティアは、同一のリターンなら最小のリスク、同一のリスクなら最大のリターンとなるポートフォリオ（資産の組み合わせ）を表した曲線であり、（効用）無差別曲線との接点がリスク回避的な投資家にとっての最適なポートフォリオとなる。

4)不適切。「上に凸の曲線」ではなく、下に凸の曲線である。曲線の向きは1)の効率的（有効）フロンティアと併せて押さえておいてほしい。（効用）無差別曲線は投資家のリスクの取り方のタイプによって、リスク回避者、リスク愛好者、リスク中立者の3つがある。リスク愛好者の場合は上に凸、リスク中立者の場合は水平な（効用）無差別曲線となる。

問7 《正解 2》

1)不適切。東証株価指数（TOPIX）は、変更前は東証1部市場に上場する全銘柄を対象とする株価指数だったが、市場再編後は市場区分と切り離され、市場を代表する銘柄構成となった。なお、変更時点では市場の区分に関わ

◇実践演習模試（解答・解説）C分野

らず、既存の TOPIX 構成銘柄は全銘柄が変更後の TOPIX 構成銘柄に組み込まれている。今後、2025（令和7）年1月まで段階的に調整され、流通株式時価総額100億円未満の銘柄は除外される。

2）最も適切。東証株価指数と異なり、日経平均株価は対象市場が旧東証1部市場からプライム市場に変わっただけである。ただし、2022年10月から株価の算出ルールなどの見直しが行われている。

3）不適切。「流通株式時価総額500億円以上、株主数1,000人以上」ではなく、<u>流通株式時価総額100億円以上、株主数800人以上</u>である。その他の市場の主な上場基準は、スタンダード市場が「流通株式時価総額10億円以上、株主数400人以上、流通株式比率25％以上」、グロース市場が「流通株式時価総額5億円以上、株主数150人以上、流通株式比率25％以上」となっている。なお、変更時点では他市場への移行希望等があった銘柄を除き、旧東証1部市場の銘柄は上場基準を満たしていない企業に経過措置を設けたうえでそのままプライム市場に移行になった。

4）不適切。「流通株式時価総額1,000億円以上」ではなく<u>流通株式時価総額100億円以上</u>である。

問8 《正解 3》

1）適切

2）適切。定量的なパフォーマンス評価ではベンチマークを上回っていればパフォーマンスは高いと判断される。市況全体が悪ければベンチマークを上回っていてもトータル・リターンがマイナスになることもある。

3）不適切。リスク調整後リターンとは、ベンチマークに対する超過リターン（ベンチマークをどの程度上回ったか）のことであり、ベンチマークは無リスク資産（リスクフリーレート）とは限らない。

4）適切。パフォーマンスがリスクフリーレートを上回っていればシャープ・レシオはパフォーマンスが優れている（リスクに対してプラス）と評価されるが、ベンチマークを下回っていればインフォメーション・レシオはパフォーマンスが劣っている（市場に負けている）と評価される。

Part5　総合編（実践演習）

問9 《正解 4》

㋐不適切。当初の資産の配分比率の変更はリアロケーションである。

㋑不適切。資産の配分比率の乖離を元に戻すのはリバランスである。

㋒不適切。アセット・アロケーション（資産配分）の定期的な検証は必要だが、リバランスやリアロケーションは必要に応じて行えばよい。また、リバランスやリアロケーションには売買手数料などのコストがかかるため、頻繁に行うのは得策ではなく、コストも考慮したうえで適切な時期に行うべきである。

㋓不適切。運用商品の購入比率変更は「配分変更」である。スイッチングとは保有している運用商品を売却・解約して、その資金で他の運用商品に買い換えることである。

問10 《正解 4》

1) 不適切。高齢社会では、リタイヤ後もまだ20～30年の人生が続くことを前提に、中長期的な資産運用（長期・積立・分散投資等）の継続・実行とその後の計画的な取崩しの実行が必要である。

2) 不適切。それぞれのライフイベントごとに必要となる金額がいくらかを認識する際は現在価値で見積もるが、将来の支出になるためキャッシュフロー表では将来価値（物価変動、貯蓄の運用利率などを考慮）で計上する必要がある。

3) 不適切。可処分所得は、収入金額から税（所得税、住民税）、社会保険料を差し引いた金額である。財形貯蓄や生命保険料、組合費などが給与から差し引かれていても、可処分所得からの支出となる。キャッシュフロー表は資金収支（実際に使える額）の把握に利用するため、可処分所得に基づくのが一般的である。

4) 最も適切。車の購入や住宅改修などで年間収支が一時的にマイナスになる年があっても貯蓄残高がプラスを維持して継続できる場合は、キャッシュフロー表を見直さなくてよい場合もある。ただし、貯蓄残高がマイナスになったり、年間収支のマイナスが継続的に続くようであればキャッシュフロー表の見直しが必要となる。

345

◇実践演習模試（解答・解説）C分野

〈総合問題〉

【第1問】

問11《正解 2》

過去4年間の幾何平均のリターン（収益率）は、以下の式で計算できる。

$$\sqrt[4]{(1 + 1\text{年目のリターン})(1 + 2\text{年目のリターン})(1 + 3\text{年目のリターン})(1 + 4\text{年目のリターン})} - 1$$

※4乗根は電卓で√キーを2回押せばよい

・投資信託Pの平均リターン

$$\sqrt[4]{(1 + 0.08)(1 + 0.06)(1 - 0.025)(1 + 0.012)} - 1 = 0.0309\cdots\cdots \fallingdotseq 3.1\%$$

・投資信託Qの平均リターン

$$\sqrt[4]{(1 + 0.10)(1 + 0.042)(1 - 0.045)(1 + 0.015)} - 1 = 0.0266\cdots\cdots \fallingdotseq 2.7\%$$

問12《正解 4》

幾何平均による平均リターンに基づく標準偏差（リスク）は、以下のように計算できる。

$$\sqrt{\frac{(1\text{年目のリターン}-\text{平均リターン})^2 + (2\text{年目のリターン}-\text{平均リターン})^2 + \cdots\cdots + (n\text{年目のリターン}-\text{平均リターン})^2}{\text{期間数（年数）}}}$$

・投資信託Pの標準偏差

$$\sqrt{\frac{(8.0\%-3.1\%)^2 + (6.0\%-3.1\%)^2 + (-2.5\%-3.1\%)^2 + (1.2\%-3.1\%)^2}{4\text{年}}}$$

$$= 4.10\cdots\cdots\% \fallingdotseq 4.1\%$$

・投資信託Qの標準偏差

$$\sqrt{\frac{(10.0\%-2.7\%)^2 + (4.2\%-2.7\%)^2 + (-4.5\%-2.7\%)^2 + (1.5\%-2.7\%)^2}{4\text{年}}}$$

$$= 5.21\cdots\cdots\% \fallingdotseq 5.2\%$$

この式の意味は年ごとに平均リターンからの差によって平均からの乖離を示している。例えば、1年目の場合、投資信託Pの平均リターンが3.1％なので1年目のリターン8.0％との差が「8.0％ － 3.1％ = 4.9％」となる。つま

Part5　総合編（実践演習）

り、平均リターンからの乖離（離れている度合い）が4.9％あるということである。そのため、数値が大きいほど乖離が大きいことを意味する。3年目は「－2.5％－3.1％＝－5.6％」であるから、マイナス側ではあるが乖離は1年目の4.9％より大きく、3年目のほうが乖離が大きいことがわかる。

なお、乖離は平均（中心）からの距離（差）を意味するのでプラス方向でもマイナス方向でもかまわない。しかし、数値にプラス・マイナスが付いているとわかりにくいのでいったん二乗して絶対値に変換し、計算結果を平方根で再び戻してやる。二乗して平方根で戻すのは、このためで、計算上のテクニックである。ちなみに二乗したものを分散、平方根で戻したものを標準偏差と呼んでおりいずれもリスク（平均リターンからの乖離の度合い）を表している。

問13《正解 3》

2資産（投資信託Pと投資信託Q）のポートフォリオの期待リターンは、以下のように計算できる。

（Pの期待リターン×Pの投資比率）＋（Qの期待リターン×Qの投資比率）
＝（4.0％×0.6）＋（3.5％×0.4）＝3.8％ ……………………………①

2資産（投資信託Pと投資信託Q）のポートフォリオの標準偏差（リスク）は、以下のように計算できる。

$$\sqrt{\begin{array}{l}(\text{Pのリスク}^2\times\text{Pの投資比率}^2)+(\text{Qのリスク}^2\times\text{Qの投資比率}^2)\\ +2\times\text{相関係数}\times\text{Pのリスク}\times\text{Qのリスク}\times\text{Pの投資比率}\times\text{Qの投資比率}\end{array}}$$

$$=\sqrt{(4.5^2\times0.6^2)+(5.0^2\times0.4^2)+2\times(-0.3)\times4.5\times5.0\times0.6\times0.4}$$

$$=\sqrt{8.05}=2.83\cdots\cdots\fallingdotseq 2.8\% \cdots\cdots\cdots\cdots\cdots\cdots\cdots②$$

実際のリターンが約68％（約3分の2）の確率で収まる利回りの範囲とは期待リターン±1標準偏差の範囲のことである。期待リターン（正規分布の平均値）が3.8％（①）、標準偏差が2.8％（②）なので、以下のようになる。

＋1標準偏差＝3.8％＋2.8％＝6.6％

－1標準偏差＝3.8％－2.8％＝1.0％

したがって、1.0％～6.6％が1標準偏差の範囲となる。

347

なお、±2標準偏差は約95％、±3標準偏差は約99.7％の確率で収まる範囲となる。

◇正規分布図と標準偏差値（→ P.100）

【第2問】

問14《正解 ⓌⒺⓀ》

①　Ｗ約5％　　　②　Ｅ好調　　　③　Ｋ年金終価係数

　落とし穴は、「現時点の実現収益率が30.10％」である。ここから過去10年の1年当たりの収益率が3.01％なので、期待収益率の年率4.2％よりかなり悪い（低調）と誤解しやすい。現時点の収益率30.10％は、投資期間やキャッシュフロー（資金の出し入れ）が考慮されていない拠出金累計（投資総額）に対する単純な収益率である。

　期待収益率と実績を比較して評価するには、投資期間とキャッシュフローを考慮した財産加重収益率（金額加重収益率）との比較が必要となる。財産加重収益率の計算は電卓で行うのは困難だが、年金終価係数表を使って求めることができる。手順は以下のとおりである。

①　年金終価係数を求める

　　毎年の拠出額×年金終価係数＝現在の資産残高

　　→ 24万円×年金終価係数 ＝ 3,122,456円（10年後＝現在の資産残高）

　　ここから、

　　10年後の年金終価係数 ＝ 3,122,456円 ÷ 24万円 ≒ 13.0102

②　年金終価係数表から近い運用利率を探す

　　年金終価係数の期間10年の欄の5％の欄の年金終価係数は13.2068

　　①②から、毎年24万円を運用利率約5％で10年間投資した実績金額であることがわかる。つまり期待収益率を大きく上回る好調な運用成果と評価できる。

　　このように、期待収益率はそのまま年金終価係数表の運用利率と考えることができるのである。

Part5　総合編（実践演習）

問 15 《正解 1、4》

1）適切

2）不適切。投資者の運用効率の評価には向かない。

3）不適切。幾何平均収益率で計算できるのは、時間加重収益率である。

4）適切

　ここで、本問のポイントとなる時間加重収益率と財産加重収益率について知識を整理しておきたい。

時間加重収益率	・投資期間は考慮するが、キャッシュフローを考慮しない ・幾何平均収益率で計算できる ・運用者（ファンドマネジャー）のパフォーマンス評価に適している ・投資者の運用効率の評価には向かない
財産加重収益率	・投資期間とキャッシュフローを考慮する ・運用者（ファンドマネジャー）のパフォーマンス評価には適さない ・投資者の運用効率の評価に向いている

　時間加重収益率は、投資期間中のキャッシュフロー（資金の投入や払い出し）を考慮せずに計算される収益率である。例えば、掛金の積立てによる資金の増加や投資者による引き出しはファンドマネジャーの技量とは関係がない。このように、ファンドマネジャーの巧拙に関わらない影響を取り除いて計算する（資金の出入りが収益率に影響を与えない）ため、ファンドマネジャーの運用能力を評価するのに適している。

　一方、財産加重収益率（金額加重収益率）は、投資期間中のキャッシュフローも含んで（考慮して）計算される収益率であり、内部収益率（IRR：Internal Rate of Return）とも呼ばれる。当初元本および投資期間中のキャッシュフローを一定の収益率で運用した結果を表すので、当初の期待収益率と比較でき、投資者の運用効率を評価するのに適している。

問 16 《正解 4》

　一定期間（1カ月、3カ月、1年、3年など）の収益率（累積収益率）は、以

349

◇実践演習模試（解答・解説）C分野

下のように計算できる。

{(1＋1期目の収益率)(1＋2期目の収益率)……(1＋n期目の収益率)}－1

ここから、投資信託Pの直近4カ月間（1月～4月）の収益率は、

{(1＋0.0264)(1＋0.031)(1＋0.077)(1－0.018)}－1

＝0.11918……≒11.92％

これを年率に換算すると「(11.92％÷4カ月)×12カ月)＝35.76％」となる。

(参考)なお、1カ月(1期間)当たりの平均収益率を求める場合には、幾何平均収益率(第1問の問11参照)の計算で求められ、累積収益率のn乗根(nは期間数)を使って計算する。本問の投資信託Pの直近4カ月間の場合、1カ月当たり平均収益率は以下のようになる。4カ月の収益率(11.92％)を4で割った2.98％とは異なることに注意してほしい。

$$\sqrt[4]{(1+0.0264)(1+0.031)(1+0.077)(1-0.018)}-1=0.02855……≒2.86\%$$

【第3問】

問17《正解 1、2、3、4》

1) 適切

2) 適切。リスクフリーレートとは無リスク資産(安全資産)のリターンのことである。リスクフリーレートには、預貯金や国債の利息などがあるが、一般的には10年物長期国債利回りが使われている。インフォメーション・レシオは、主にアクティブファンドのパフォーマンス評価に用いられている。

3) 適切。期待リターンからの上積みを意味する。ジェンセンのアルファとは、「ポートフォリオの収益率－資本資産評価モデル(CAPM：キャップエム)による収益率(リターン)」で計算された値である。資本資産評価モデル(CAPM)による収益率に対してどれだけ上回ったか(超過収益率)を評価する手法である。特定のリスク資産の分散投資のリスク低減効果を反映したリターンに対する超過収益率を表す。

※CAPM（Capital Asset Pricing Model)とは、無リスク資産の利子率と市場の期待リターンとβ(ベータ)をもとに資産の期待リターンを算出する評価モデルのこと。βは資産の市場全体に対するリスク

Part5　総合編（実践演習）

4) 適切。トレイナー・レシオとは、「ポートフォリオの収益率－安全資産利子率」（シャープ・レシオの分子と同じ）を β で除した値である。β（CAPMにおけるリスクの尺度）をリスクとした場合の超過収益率を評価する手法である。シャープ・レシオの計算式の分母が標準偏差から β に置き換わったものと覚えればよい。

問18《正解 2》

・ポートフォリオの期待リターン

$(5.0\% \times 0.6) + (10.0\% \times 0.3) + (7.0\% \times 0.1) = 6.7\%$

・ポートフォリオのリスク

3資産のポートフォリオのリスクは、以下のように計算できる。

$$\sqrt{\begin{array}{l}(\text{Pのリスク}^2 \times \text{Pの配分比率}^2) + (\text{Qのリスク}^2 \times \text{Qの配分比率}^2) \\ + (\text{Rのリスク}^2 \times \text{Rの配分比率}^2) + 2 \times (\text{PとQの})\text{相関係数} \times \text{P} \\ \text{のリスク} \times \text{Qのリスク} \times \text{Pの配分比率} \times \text{Qの配分比率} + 2 \times (\text{PとRの}) \\ \text{相関係数} \times \text{Pのリスク} \times \text{Rのリスク} \times \text{Pの配分比率} \times \text{Rの配分比率} + \\ 2 \times (\text{QとRの})\text{相関係数} \times \text{Qのリスク} \times \text{Rのリスク} \times \text{Qの配分比率} \times \\ \text{Rの配分比率}\end{array}}$$

$$= \sqrt{\begin{array}{l}(8.0^2 \times 0.6^2) + (11.0^2 \times 0.3^2) + (9.0^2 \times 0.1^2) + 2 \times 0.4 \times 8.0 \\ \times 11.0 \times 0.6 \times 0.3 + 2 \times 0.8 \times 8.0 \times 9.0 \times 0.6 \times 0.1 + 2 \times 0.6 \times 11.0 \\ \times 9.0 \times 0.3 \times 0.1\end{array}}$$

$= \sqrt{57.888} = 7.60\cdots \fallingdotseq 7.6\%$

問19《正解 2》

$$\text{シャープ・レシオ} = \frac{\text{ポートフォリオのリターン} - \text{リスクフリーレート}}{\text{標準偏差（リスク）}}$$

$$= \frac{6.7\% - 0.3\%}{7.6\%} = 0.842\cdots \fallingdotseq 0.84$$

【第4問】

問20《正解 3》

Eさんが、65歳になるまで企業型年金の運用を続けると加入期間は30年となる。そこで、30年間にわたり、毎年36万円（3万円×12カ月）を拠出する場合、65歳時点でいくらになるかを求める。

36万円×49.0027（年率3％、30年の年金終価係数）≒1,764万円

※毎年一定金額を拠出して一定利率で一定期間運用した場合、将来いくらになるかを計算するときには年金終価係数を用いる

次に、上記資産残高1,764万円を退職一時金として受給した場合の退職所得（課税所得）の金額を求める計算式は以下のとおりである。

（退職一時金－退職所得控除額）×2分の1＝退職所得額

※勤続年数5年以内の一定要件の者は全部または一部について2分の1を乗じない

退職所得控除額は以下の表の計算式によって求める。

勤続年数	退職所得控除額
20年以下	40万円×勤続年数（最低保障80万円）
20年超	{70万円×（勤続年数－20年）}　＋800万円

（注）勤続1年未満の端数は切り上げる

よって、Eさんが企業型年金を全額一時金で受給したときの退職所得の金額は、以下のとおりである。

{70万円×（30－20年）}　＋800万円＝1,500万円（退職所得控除額）

（1,764万円－1,500万円）×1/2＝132万円（退職所得額）

なお、老齢給付金の受給開始年齢の判定に用いられる通算加入者等期間は60歳到達月までしか算入されないが、退職所得控除額を計算する勤続年数は60歳以降も資格喪失年齢まで算入されることに注意する。

問21《正解 ㋒㋓㋕㋖》

①　㋒97万円　　②　㋓7,828万円　　③　㋕確保できる

④　㋖確保できない

Part5　総合編（実践演習）

〈Eさんが85歳になるまでに確保できる資金〉

・公的年金

　Eさんの老齢基礎年金 = 78万円 × 20年 = 1,560万円

　Eさんの老齢厚生年金 = 126万円 × 20年 = 2,520万円

　Eさんの加給年金 = 40万円 × 2年 = 80万円

　※妻は2歳年下なのでEさんが67歳になるまで加給年金は2年間支給される

　Eさんの妻の老齢基礎年金 = 78万円 × 18年 = 1,404万円

　Eさんの妻の老齢厚生年金 = 18万円 × 18年 = 324万円

　以上から、公的年金の受給総額は5,888万円‥‥‥‥‥‥‥‥‥‥‥‥‥‥　(1)

・企業型年金（受給期間20年の年金）

　毎年の受給額は以下の式で計算できる。

　1,764万円 ÷ 18.2260（年率1％、20年の年金現価係数）≒ 97万円

　ここから、20年間の受給総額は以下のように求められる。

　97万円 × 20年 = 1,940万円‥‥‥‥‥‥‥‥‥‥‥‥‥‥‥‥‥‥‥‥‥‥　(2)

　以上から、Eさんが85歳にまるまでに65歳から確保できる資金の総額は、

　「(1) + (2) = 7,828万円」となる

〈必要資金〉

　毎月28万円の場合：28万円 × 12カ月 × 20年 = 6,720万円

　毎月38万円の場合：38万円 × 12カ月 × 20年 = 9,120万円

　したがって、毎月28万円の場合は必要資金が確保できるが、毎月38万円の場合は確保できない。

問22 《正解 1》

　Eさんの妻は2歳年下なので必要資金は7年間分となる。

〈Eさんの妻が90歳になるまでの必要資金〉

　20万円 × 12カ月 × 7年 = 1,680万円

　※夫死亡後の妻1人の生活費は夫婦のときの7割程度で見積もるのが一般的

〈Eさんの妻が90歳になるまでに確保できる資金〉

　Eさんの妻の老齢基礎年金 = 78万円 × 7年 = 546万円

◇実践演習模試（解答・解説）C分野

Eさんの妻の老齢厚生年金 = 18万円 × 7年 = 126万円

Eさんの遺族厚生年金 = 77万円 × 7年 = 539万円

※Eさんの遺族厚生年金は、Eさんの老齢厚生年金（報酬比例部分）の4分の3なので、「126万円 × 3/4 ≒ 95万円」となる。しかし、Eさんの妻の老齢厚生年金との差額支給となるので「95万円 − 18万円 = 77万円」となる

　以上から、Eさんの妻が90歳になるまで7年間に確保できる資金の総額は、1,211万円となる。したがって、469万円の不足となる。そのため、夫の死亡時点で不足をカバーできる資産残高を確保しておく必要がある。

法制度改正・重要事項確認演習

※特に指示のない限り 2024（令 6）年 7 月 1 日現在施行の法令等に基づく

A 分野

《問 1》2024（令 6）年度の年金額・保険料等に関する次の記述のうち、最も適切なものはどれか。

―――― チェック欄 ☐☐☐ ――――

1) 2024 年度の老齢基礎年金額は、67 歳以下は 816,000 円、68 歳以上は 813,700 円となった。

2) 2024 年度は賃金変動率が物価変動率を下回ったため、マクロ経済スライドによる年金額調整は行われなかった。

3) 総報酬月額相当額 40 万円、基本月額 10 万円の在職老齢年金受給者が在職定時改定により基本月額 10.2 万円になった場合、在職老齢年金の支給停止額は 1.1 万円である。

4) 国民年金保険料を 2 年前納する場合、5 月に申請手続きをすることも可能である。

■ 解答・解説

1) 不適切。既裁定者 (68 歳以上) のうち、68 歳の者は新規裁定者 (67 歳以下) と同じ 816,000 円である。2024 年度は新規裁定者・既裁定者とも賃金変動率によって年金額が改定されたので基準となる改定率は同じである。しかし、68 歳の者は昨年度 (2023 年度) に新規裁定者であり、昨年度の新規裁定者の年金額を基準に改定されたため、新規裁定者と同じ年金額となった。

2) 不適切。2024 年度の場合、新規裁定者・既裁定者とも賃金変動率によって年金額が改定されたが、賃金変動率 3.1%、マクロ経済スライドのスライド調整率 0.4% だった。そのため、3.1% から 0.4% が差し引かれ、2.7%

◇法制度改正・重要事項確認演習

の年金額増額に抑えられる調整が行われた。

◇マクロ経済スライドの仕組み(→ p.42)

3)不適切。在職老齢年金の支給停止額の計算式は以下のとおりである。

{(基本月額＋総報酬月額相当額)－支給停止調整額} ÷2

※基本月額とは老齢厚生年金の年金月額だが、経過的加算、加給年金を除いた報酬比例部
分の額である

支給停止調整額は毎年改定され、2024 年度額は前年度より 2 万円上がっ
て 50 万円となった。上式に当てはめて計算すると以下のようになる。

{(10.2 万円＋40 万円)－50 万円} ÷2＝0.1 万円

このように在職定時改定によって年金額が上がっても、在職老齢年金の
支給調整により年金の減額が増えたり、減額が始まったりすることがある。

4)最も適切。前納の種類としては、早割(当月末口座振替)の他、6 カ月前納、
1 年前納、2 年前納がある。納付方法には、納付書払い(現金払い)、クレ
ジットカード払い、口座振替がある(早割は口座振替のみ)。対象期間は、
6 カ月前納が 4 月～9 月および 10 月～翌年 3 月、1 年前納が 4 月～翌年
3 月、2 年前納が 4 月～翌々年 3 月である。従来、前納の申請は早割(毎
月可)以外は年 1 回(6 カ月前納は 2 回)で、口座振替とクレジットカード
払いの申込期限は 2 月末(後半の 6 カ月前納は 8 月末)、納付書払いは 4 月
末(同 10 月末)だった。法改正により、2024 (令 6)年 3 月から、年度途中
にいつでも前納が申請できるようになった。割引額は申請時期によって異
なる。なお、口座振替の割引額が最も多い。納付書払い、クレジットカー
ド払いの割引額は同額である。2 年前納を口座振替で納付した場合が最も
割引額が有利になる。2024 年度の場合、口座振替の 2 年前納保険料は
397,290 円(納付書払い等 398,590 円)で、通常納付に比べて 16,590 円(同
15,290 円)割引となり、1 カ月分弱の保険料軽減となる。なお、2 年前納
の場合の社会保険料控除は、納めた年に全額控除するか各年分の保険料相
当額を各年で控除するかを選択できる。

正解 ⇨ 4

Part5　総合編（実践演習）

《問2》公的年金の各制度内容に関する次の記述のうち、不適切なものはどれか。

─────────── チェック欄 □□□

1) 1954（昭29）年4月2日生まれの者が81歳で老齢厚生年金を請求する場合、一時金請求の場合は、過去5年分の65歳時の本来額（増額なし）を受け取り、本来額で受給開始となる。

2) 寡婦年金は、死亡した夫が障害基礎年金受給権者だった場合、支給されない。

3) 62歳の国民年金任意加入被保険者が国民年金の保険料を納付しなかった場合、資格喪失までの未納期間は合算対象期間とはならない。

4) 学生納付特例の対象となる学生は、申請免除の要件を満たしていても申請免除を受けることはできない。

■ 解答・解説

1) 適切。1952（昭27）年4月2日生まれ以降の者等が70歳経過後に公的年金（老齢基礎年金、老齢厚生年金）を一時金で請求する場合、5年前の時点の繰下げ増額率（72歳で請求した場合は67歳の16.8％増）で過去5年分の年金額を一時金で受給し、5年前の増額率（同16.8％増）で受給開始となる（特例的な繰下げみなし増額制度）。ただし、みなし増額制度の適用は80歳未満に限られる。81歳で一時金請求をした場合は問題文の内容となるが、繰下げ請求であれば、過去5年分の75歳時の増額率（84％増）の年金額を一時金で受給し、5年前の増額率（同84％増）で受給開始となる。つまり、80歳以降に請求する場合は繰下げ請求のほうが有利であり、一時金請求は意味がない。（国年法28条5項、厚年法44条の3第5項）

　◇受給開始時期の選択肢の拡大と見直し（→ p.51）

2) 不適切。死亡した夫に老齢基礎年金の受給権が発生していても、受給していなければ、寡婦年金は支給される。一方、障害基礎年金は受給権が発生していれば、受給していなくても寡婦年金は支給されない取扱いだった。法改正により2021年4月1日以後の夫の死亡からは、障害基礎年金の受

357

◇法制度改正・重要事項確認演習

給権があっても受給していない夫の死亡であれば、寡婦年金は支給される
ことになった。これにより老齢基礎年金と障害基礎年金に関する寡婦年金
の要件が同じになった。(国年法49条)

3) 適切。国民年金任意加入被保険者の国民年金保険料が未納だった期間が合
算対象期間(カラ期間)になるのは、20歳以上60歳未満の部分に限られる。
国内に住む60歳以上の国民年金任意加入被保険者が保険料を納めないと
きは、督促状の指定期限までに保険料を納付しない場合、指定期限の翌日
に資格喪失となり、未納期間部分は合算対象期間とはならない。なお、海
外在住の国民年金任意加入被保険者の場合は督促状は送付されず、2年を
経過した翌日に資格喪失となる。同様に未納期間部分は合算対象期間とは
ならない。(国年法附則5条6項、8項、9条)

4) 適切。申請免除と学生納付特例の両方の要件を満たしている場合、学生納
付特例が優先され、申請免除を受けることはできない。ただし、生活保護
法の生活扶助など法定免除に該当する場合には法定免除を受けることがで
きる。(国年法90条、90条の3)

正解 ⇨ 2

Part5　総合編（実践演習）

> ## B 分野

《問1》 確定拠出年金の個人型年金の加入者と掛金に関する次の記述のうち、
　　　適切なものはどれか。

チェック欄 ☐☐☐

1) 企業型年金と個人型年金の同時加入の場合、個人型年金の掛金は給
　与天引きによる事業主払込みでなければならない。

2) 中小事業主掛金納付制度では、事業主掛金および加入者掛金とも各
　月の拠出限度額の範囲内での各月拠出でなければならない。

3) 中小事業主掛金納付制度の事業主掛金は加入者掛金の額を超えては
　ならない。

4)「希望する者」を一定の資格として規約に定めた場合は、企業型年
　金を選択しない従業員の個人型年金の掛金拠出限度額は他の企業年
　金がない場合、月額 23,000 円である。

■ 解答・解説

1) 不適切。個人型年金の掛金は事業主払込みのほか、加入者本人が本人名義
　の口座から納付する個人払込みもできる。なお、中小事業主掛金納付制度
　の場合は、個人型年金として一体となった拠出とするため、事業主払込み
　しか認められていない。個人払込みにしている加入者は事業主払込みに変
　更する必要がある。（法 70 条 2 項、68 条の 2 第 1 項）

2) 不適切。各月拠出が要件になっているのは企業型年金と個人型年金の同時
　加入の場合である（法令解釈第 1-2(10)①）。中小事業主掛金納付制度の場
　合は、事業主・加入者とも拠出区分期間を設定して年単位拠出とすること
　も可能である。なお、年単位拠出を行っている加入者（従業員）がいる場合
　は、事業主掛金の納付時期を考慮する必要がある。（施行令 35 条、35 条
　の 2、36 条、36 条の 2）

3) 不適切。加入者掛金の額を事業主掛金の額が超えてもよい。ただし、事業
　主掛金を月額 23,000 円（掛金拠出限度額）に設定して加入者掛金をゼロと

359

することはできない。中小事業主掛金納付制度の加入者掛金は、事業主掛金との差額で加入者ごとに設定する。例えば、事業主掛金を月額1万円に設定した場合、加入者は個別に掛金を13,000円の範囲内で設定できる。1万円に満たない掛金を設定した加入者は事業主掛金より少なくなる。企業型年金のマッチング拠出の加入者掛金(事業主掛金を超えることはできない)と混同しないようにする。(法69条)

4) 適切。企業型年金を選択しなかった従業員が個人型年金に加入する場合は、企業型年金がない企業の掛金拠出限度額となる。他の企業年金(確定給付企業年金など)の加入者の場合は月額12,000円である。掛金は各月拠出のほか、年単位拠出も可能である。なお、2024(令6)年12月からは改正により、他の企業年金加入者の場合は、掛金拠出限度額は月額2万円となり、各月拠出に限られる(年単位払い不可)こととなる。(施行令36条、Q&A15)

正解 ⇨ 4

Part5　総合編（実践演習）

《問2》確定拠出年金の法制度等に関する次の記述のうち、適切なものはどれか。

チェック欄 □□□

1）企業型年金および個人型年金の同時加入者が離職した場合、個人別管理資産を企業年金連合会に移換することは、企業型年金の資産は可能であるが個人型年金の資産は移換できない。

2）60歳で個人型年金を一時金受給した者は個人別管理資産がなくなるので、企業型年金加入者であっても再度、個人型年金への加入が可能である。

3）65歳で加入資格喪失を規約で規定している60歳の企業型年金の加入者は通算加入者等期間が10年に達していれば加入者のまま老齢給付金の請求ができる。

4）事業主は、委託している運営管理機関の運営管理業務について毎年1回評価を行い、必要な措置を講ずるように努めなければならない。

■ 解答・解説

1）適切。従来は確定給付企業年金等の脱退一時金相当額しか企業年金連合会への移換はできなかったが、法改正により2022（令4）年5月から企業型年金の個人別管理資産（以下「資産」）も企業年金連合会への移換が可能になった（個人型年金の資産移換は不可）。移換された資産は、企業年金連合会で運用し、通算企業年金（終身年金）として受け取ることができるほか、転職先の企業型年金や個人型年金に再度移換することもできる。（法54条の5）

◇企業年金資産の制度間ポータビリティ（→ p.82）

2）不適切。個人型年金の裁定請求（一時金、年金）をした者は、個人別管理資産の有無にかかわらず個人型年金へ再加入することはできない。企業型年金への加入は引き続き可能である。ここで、受給資格を得ても裁定請求をしなければ受給権発生（受給権を有する状態）とならないことに注意。すなわち、裁定請求せずに運用指図者として運用を続けている場合は、再加

361

◇法制度改正・重要事項確認演習

入が可能となる。裁定請求後に年金を受給している運用指図者は再加入ができない。一方、企業型年金の裁定請求をした者は、転職しても転職先の企業型年金の加入者になることはできない。ただし、個人型年金の裁定請求をしていなければ個人型年金に加入することはできる。(法9条2項2号)

3)不適切。加入者である間は通算加入者等期間を満たした受給開始可能年齢になっても老齢給付金の請求はできない。本問の場合は、65歳になれば資格喪失になるので在職中でも老齢給付金の請求ができる。また退職すれば、退職時点で老齢給付金の請求が可能である。(法33条、Q&A149-2)

4)不適切。「毎年1回」ではなく<u>少なくとも5年ごと</u>である。事業主は運営管理機関の運営管理業務の実施に関する評価を行い、運営管理業務の委託について検討を加え、必要があると認めるときは運営管理機関の変更その他の必要な措置を講ずるように努めなければならない(努力義務)とされている。また、運営管理業務等の実施状況等については、事業主は運営管理機関および資産管理機関から年1回以上定期的に報告を受けるとともに、加入者等の立場から見て必要があると認められる場合には、業務内容の是正または改善を申し入れることとされている。(法7条4項、法令解釈第9-1(1)⑦)

正解 ⇨ 1

Part5　総合編（実践演習）

C 分野

《問1》投資商品や投資の仕組みに関する次の記述のうち、不適切なものは
どれか。

――――――――――――――　チェック欄 ☐☐☐ ――

1）NISA では、株式と債券を組み込んだバランス型投資信託に投資す
　ることができる。
2）投資信託の総資産のうち、投資家に帰属する額を純資産総額といい、
　純資産総額から基準価額が算出される。
3）日本の ETF は特定の指数に連動するインデックス型の上場投資信
　託で、連動指数を定めないアクティブ型のものはない。
4）東京証券取引所プライム市場の新規上場基準のうち、流通株式時価
　総額は 100 億円以上が必要となる。

■ 解答・解説

1）適切。NISA は株式投資に主眼を置いた制度であるため、国債や社債など
　の個別債券に投資することはできない。ただし、投資信託で債券が含まれ
　ている株式投資信託であれば投資可能である。株式投資信託とは約款上、
　株式を組み入れることができる投資信託のことである。株式投資信託であ
　れば組入れ商品に債券が含まれていても NISA の対象商品となっている。
　なお、株式を一切組み込むことのできない公社債投資信託は NISA で投資
　することはできない。
　　◇ NISA の仕組みと特徴（→ p.96）
2）適切。総資産から信託報酬や分配金など必要な費用を差し引いたものが純
　資産総額である。基準価額とは、投資信託の取引価格のことで、1 口当た
　りの値段である。「純資産総額÷投資信託の総口数＝基準価額（1 口当たり
　の価額）」となる。基準価額は当日の取引終了後に 1 日 1 回算出され、公
　表される。当日の取引はこの算出された基準価額で購入・売却が行われる。
3）不適切。ETF（上場投資信託）は、これまで日経平均株価や TOPIX（東

363

証株価指数)などの特定の指数に連動する指数連動型(インデックス型)の
ものに限られていた。しかし、2023（令5)年9月に連動指数を定めない
アクティブETFが、わが国でも解禁された。

4)適切。プライム市場の場合、流通株式時価総額は新規・上場維持基準とも
100億円以上とされている。東証の上場市場は2022（令4)年4月の再編
により、プライム市場、スタンダード市場、グロース市場の3区分となっ
た。それぞれの市場には、新規上場および上場維持の基準が設けられた。
主な上場基準は以下の表のようなものがある。

【東証の新市場の主な上場基準】

	プライム市場	スタンダード市場	グロース市場
株主数	800人以上	400人以上	150人以上
流通株式数	2万単位以上	2,000単位以上	1,000単位以上
流通株式時価総額	100億円以上	10億円以上	5億円以上
流通株式比率	35%以上	25%以上	

(注)上記項目は新規上場・上場維持基準とも共通

　当面は経過措置として、上場基準を満たさない企業も上場維持が認めら
れるが、2025（令7)年3月以降に経過措置は順次終了する。一定の改善
期間内に上場基準を満たせない場合は、上場廃止となる。

正解 ⇨ 3

Part5　総合編（実践演習）

《問２》 リターンとリスク（標準偏差）の換算に関する次の記述のうち、最も適切なものはどれか。利率は複利計算で行うものとする。

───── チェック欄 □□□

1) 月次リターンが３％の投資商品の年率リターンは約36％である。
2) 年率リターンが５％の投資商品の月次リターンは約0.41％である。
3) 月次リスクが２％の投資商品の年率リスクは約８％である。
4) 年率リスクが４％の投資商品の月次リスクは約0.55％である。

■ 解答・解説

1) 不適切。月次リターンを年率換算するには以下の計算式で行う。

　　（１＋月次リターン）^{12} － 1 ＝年率リターン

　　　この式を当てはめれば、以下のように計算できる。

　　$(1 + 0.03)^{12} - 1 = 0.42576\cdots\cdots \fallingdotseq 42.58\%$

　　　0.4258は終価の利率なので、終価係数表の利率３％の12（期間）で求めることもできる。

　　　ここで、３％が３カ月間のリターンであれば、年率換算は以下のようになる。

　　$(1 + 0.03)^{12/3} - 1 = 0.12550\cdots\cdots \fallingdotseq 12.55\%$

　　　0.1255は終価の利率なので、終価係数表の利率３％の４（期間）で求めることもできる。

2) 最も適切。年率リターンを月次換算するには以下の計算式で行う。

　　$\sqrt[12]{（年率リターン＋1）} - 1 = （年率リターン＋1）^{1/12} - 1 ＝月次リターン$

　　　この式を当てはめれば、以下のように計算できる。

　　$(0.05 + 1)^{1/12} - 1 = 0.4074\cdots\cdots \fallingdotseq 0.41\%$

　　　ここで、３カ月間換算のリターンは以下のようになる。

　　$(0.05 + 1)^{3/12} - 1 = 0.01227\cdots\cdots \fallingdotseq 1.23\%$

3) 不適切。月次リスクを年率換算するには以下の計算式で行う。

　　月次リスク$\times\sqrt{12}$ ＝年率リスク

　　　この式を当てはめれば、以下のように計算できる。

365

$2\% \times \sqrt{12} = 6.9282\cdots\cdots \fallingdotseq 6.93\%$

　ここで、2％が3カ月間のリスクであれば年率換算は以下のようになる。

$2\% \times \sqrt{3/12} = 4.00\%$

4)不適切。年率リスクを月次換算するには以下の計算式で行う。

年率リスク$\times \sqrt{1/12} = $月次リスク

　この式を当てはめれば、以下のように計算できる。

$4\% \times \sqrt{1/12} = 1.5470\cdots\cdots \fallingdotseq 1.55\%$

　ここで、3カ月間換算のリスクは以下のようになる。

$4\% \times \sqrt{3/12} = 2.00\%$

正解 ⇨ 2

　1)～4)からわかるように、リターンは利率に比例して期間の経過とともに増えていくが、リスクは平方根（√）に比例して増えていくために増加がリターンの増加より抑えられている。そのため、投資期間が長いほどリスクの増加が抑えられていく。長期投資にリスク低減効果があることが数式のうえでも理解できる。

係 数 表

※問題を解くにあたって必要な場合に使用すること

〈終価係数表〉

		運用利率（%）				
		1 %	2 %	3 %	4 %	5 %
期間（年）	1	1.0100	1.0200	1.0300	1.0400	1.0500
	2	1.0201	1.0404	1.0609	1.0816	1.1025
	3	1.0303	1.0612	1.0927	1.1249	1.1576
	4	1.0406	1.0824	1.1255	1.1699	1.2155
	5	1.0510	1.1041	1.1593	1.2167	1.2763
	6	1.0615	1.1262	1.1941	1.2653	1.3401
	7	1.0721	1.1487	1.2299	1.3159	1.4071
	8	1.0829	1.1717	1.2668	1.3686	1.4775
	9	1.0937	1.1951	1.3048	1.4233	1.5513
	10	1.1046	1.2190	1.3439	1.4802	1.6289
	11	1.1157	1.2434	1.3842	1.5395	1.7103
	12	1.1268	1.2682	1.4258	1.6010	1.7959
	13	1.1381	1.2936	1.4685	1.6651	1.8856
	14	1.1495	1.3195	1.5126	1.7317	1.9799
	15	1.1610	1.3459	1.5580	1.8009	2.0789
	20	1.2202	1.4859	1.8061	2.1911	2.6533
	25	1.2824	1.6406	2.0938	2.6658	3.3864
	30	1.3478	1.8114	2.4273	3.2434	4.3219

〈現価係数表〉

		運用利率（%）				
		1 %	2 %	3 %	4 %	5 %
期間（年）	1	0.9901	0.9804	0.9709	0.9615	0.9524
	2	0.9803	0.9612	0.9426	0.9246	0.9070
	3	0.9706	0.9423	0.9151	0.8890	0.8638
	4	0.9610	0.9238	0.8885	0.8548	0.8227
	5	0.9515	0.9057	0.8626	0.8219	0.7835
	6	0.9420	0.8880	0.8375	0.7903	0.7462
	7	0.9327	0.8706	0.8131	0.7599	0.7107
	8	0.9235	0.8535	0.7894	0.7307	0.6768
	9	0.9143	0.8368	0.7664	0.7026	0.6446
	10	0.9053	0.8203	0.7441	0.6756	0.6139
	11	0.8963	0.8043	0.7224	0.6496	0.5847
	12	0.8874	0.7885	0.7014	0.6246	0.5568
	13	0.8787	0.7730	0.6810	0.6006	0.5303
	14	0.8700	0.7579	0.6611	0.5775	0.5051
	15	0.8613	0.7430	0.6419	0.5553	0.4810
	20	0.8195	0.6730	0.5537	0.4564	0.3769
	25	0.7798	0.6095	0.4776	0.3751	0.2953
	30	0.7419	0.5521	0.4120	0.3083	0.2314

〈年金終価係数表〉 期首払い

		運用利率（％）				
		1 ％	2 ％	3 ％	4 ％	5 ％
期間（年）	1	1.0100	1.0200	1.0300	1.0400	1.0500
	2	2.0301	2.0604	2.0909	2.1216	2.1525
	3	3.0604	3.1216	3.1836	3.2465	3.3101
	4	4.1010	4.2040	4.3091	4.4163	4.5256
	5	5.1520	5.3081	5.4684	5.6330	5.8019
	6	6.2135	6.4343	6.6625	6.8983	7.1420
	7	7.2857	7.5830	7.8923	8.2142	8.5491
	8	8.3685	8.7546	9.1591	9.5828	10.0266
	9	9.4622	9.9497	10.4639	11.0061	11.5779
	10	10.5668	11.1687	11.8078	12.4864	13.2068
	11	11.6825	12.4121	13.1920	14.0258	14.9171
	12	12.8093	13.6803	14.6178	15.6268	16.7130
	13	13.9474	14.9739	16.0863	17.2919	18.5986
	14	15.0969	16.2934	17.5989	19.0236	20.5786
	15	16.2579	17.6393	19.1569	20.8245	22.6575
	20	22.2392	24.7833	27.6765	30.9692	34.7193
	25	28.5256	32.6709	37.5530	43.3117	50.1135
	30	35.1327	41.3794	49.0027	58.3283	69.7608
	35	42.0769	50.9944	62.2759	76.5983	94.8363

〈年金現価係数表〉 期首払い

		運用利率（％）				
		1 ％	2 ％	3 ％	4 ％	5 ％
期間（年）	1	1.0000	1.0000	1.0000	1.0000	1.0000
	2	1.9901	1.9804	1.9709	1.9615	1.9524
	3	2.9704	2.9416	2.9135	2.8861	2.8594
	4	3.9410	3.8839	3.8286	3.7751	3.7232
	5	4.9020	4.8077	4.7171	4.6299	4.5460
	6	5.8534	5.7135	5.5797	5.4518	5.3295
	7	6.7955	6.6014	6.4172	6.2421	6.0757
	8	7.7282	7.4720	7.2303	7.0021	6.7864
	9	8.6517	8.3255	8.0197	7.7327	7.4632
	10	9.5660	9.1622	8.7861	8.4353	8.1078
	11	10.4713	9.9826	9.5302	9.1109	8.7217
	12	11.3676	10.7868	10.2526	9.7605	9.3064
	13	12.2551	11.5753	10.9540	10.3851	9.8633
	14	13.1337	12.3484	11.6350	10.9856	10.3936
	15	14.0037	13.1062	12.2961	11.5631	10.8986
	20	18.2260	16.6785	15.3238	14.1339	13.0853
	25	22.2434	19.9139	17.9355	16.2470	14.7986
	30	26.0658	22.8444	20.1885	17.9837	16.1411
	35	29.7027	25.4986	22.1318	19.4112	17.1929

〈執筆者紹介〉

秋津 和人（あきつ・かずと） Part2 ②、Part3 基礎編：A 分野（私的年金）、C 分野（投資）
Part4 応用編：設例 1 ～ 3、7 ～ 10

　年金問題研究会代表、1 級 DC プランナー。日本年金学会会員。大手家庭用品メーカー、出版社を経て独立、複雑な年金を誰にでもわかりやすく説明し、年金の理解を広める活動を行っている。主な編著書として、『いくらもらえるあなたの年金』（啓明書房）、『こんなに使える！個人型確定拠出年金』（日本法令）、『これならわかる日本版 401 k』（ソフトバンク　パブリッシング）、『女性の年金 得するもらい方・増やし方』（共著、PHP 研究所）などがある。月刊『夢21』（わかさ出版）など雑誌記事執筆、読売新聞、毎日新聞など新聞連載の実績もある。

東海林 正昭（しょうじ・まさあき） Part2 ②、Part3 基礎編：A 分野（公的年金）

　特定社会保険労務士（社会保険労務士法人 FOUR HEARTS 会長）、年金問題研究会主任研究員、日本年金学会会員、年金ライフ社チーフコンサルタント、商工会議所年金教育センター登録講師。社労士業務を行うほかに、年金など社会保障に関して読売新聞に 3 年 8 カ月間、日本経済新聞に 1 年 4 カ月間連載。著書として、『女性の年金 得するもらい方・増やし方』（共著、PHP 研究所）、『早わかり年金実践事務手引』（共著、日本法令）、『夫と妻の定年前後のお金と手続き』『年金暮らしでも生活が楽になる』『70 歳・75 歳からのお金と手続き』（以上共著、文響社）などがある。その他、月刊『ビジネスガイド』（日本法令）をはじめ多くの執筆記事、講師実績がある。『読売年鑑』別冊の「分野別人名録・日本で活躍する 9 千人」の 1 人として 2002 年度版より 23 年連続して掲載されている。

五十嵐 義典（いがらし・よしのり） Part2 ②、Part3 基礎編：B 分野、Part4 応用編：設例 4 ～ 6

　株式会社よこはまライフプランニング代表取締役、1 級 DC プランナー、CFP® 認定者、特定社会保険労務士、日本年金学会会員。教育業界での教材・書籍の制作業務などを経験した後、2018 年に株式会社よこはまライフプランニングを設立。現在、主に FP として活動し、公的年金やライフプランに関する個別相談、教育研修（新入社員向け研修・FP 継続教育研修・事務担当者向け講座など）のほか、執筆・書籍の監修などに従事している。執筆実績としては、『Finasee（フィナシー）』（想研）、『THE GOLD ONLINE』（幻冬舎ゴールドオンライン）などがあり、日本経済新聞などへの取材協力の実績もある。

旭 邦篤（あさひ・くにあつ） Part2 ②、Part3 基礎編：A 分野（社会保険）、C 分野（老後の生活設計）

　特定社会保険労務士（社会保険労務士法人 FOUR HEARTS 代表社員）、第一種衛生管理者。大手電機メーカー、証券会社を経て現職。社労士業務、コンサルティング業務を中心に、就業規則作成・改訂のほか、問題社員への対応等の労務管理、さらに年金相談まで幅広く行っており、読売新聞、朝日新聞、日本経済新聞、NHK などにもコメント実績がある。また、『プレジデント』（プレジデント社）など雑誌執筆もあるほか、著書として、『女性の年金 得するもらい方・増やし方』（共著、PHP 研究所）、『夫と妻の定年前後のお金と手続き』『年金暮らしでも生活が楽になる』『70 歳・75 歳からのお金と手続き』（以上共著、文響社）がある。

Part 5（総合編）監修：五十嵐 義典

〔編著者紹介〕
年金問題研究会
　公的年金・企業年金など年金制度全般にわたり、仕組みや制度のあり方を研究するとともに、誰にでもわかりやすい年金の理解を広める活動を行っている。代表・秋津和人。研究会の編著書として『DCプランナー2級合格対策テキスト』『DCプランナー2級合格対策問題集』(以上、経営企画出版)、『女性の年金 得するもらい方・増やし方』(PHP研究所)、『こんなに使える！個人型確定拠出年金』『確定拠出年金と確定給付企業年金の基礎の基礎』(以上、日本法令)、『これならわかる日本版401k』(ソフトバンクパブリッシング)、『図解でわかる401(k)プラン』(日本能率協会マネジメントセンター)、『いくらもらえるあなたの年金』(啓明書房)などがある。
　研究会では、DC1級受験者のために年に一度(2024年度は8月24日)重点対策セミナーを開催している(当日教材は一般にも販売中)。また、DC2級受験者のために『DCプランナー2級試験対策通信講座』(標準受講期間3カ月)を常時開設している。詳しくは下記の当会ホームページをご覧いただきたい。
(ホームページ) https://kpunenkin.site

※内容に関しては発刊前に慎重に確認しておりますが、発刊後に誤りが判明した場合には本ホームページにて正誤情報を掲載いたします

(Eメール) kpunenkin@parknet.ne.jp

〔2024年度版〕
DCプランナー1級合格対策問題集

2024年10月25日　初版発行

編著者 ——— 年金問題研究会
発行者 ——— 川栄 和夫
発行所 ——— 経営企画出版
　　　　〒169-0075　東京都新宿区高田馬場2-12-10
　　　　　　　　　　阿部ビル2階2号
　　　　電話 03-3204-5745　　FAX 03-3204-5743
　　　　Eメール kpu@parknet.ne.jp
　　　　ホームページ https://kpup.site
本文組版 ——— メディア・ワークス
印刷・製本 ——— モリモト印刷㈱

©nenkinmondai kenkyuukai 2024 Printed in Japan
落丁本・乱丁本はお取り替えいたします。
定価 3,300円(本体 3,000円＋税⑩)　ISBN978-4-904757-41-3